U0142026

文史哲學集成

季旭昇著

詩經古義新證

增訂版

文史哲出版社印行

詩經古義新證 / 季旭昇著. -- 增訂版. -- 臺北
市 : 文史哲, 民84
面 ; 公分. -- (文史哲學集成 ; 310)
參考書目:面
ISBN 957-547-929-7(平裝)

093.1

㉛⑩ 文史哲學集成

詩經古義新證

著者：季旭昇
出版者：文史哲出版社
登記證字號：行政院新聞局局版臺業字五三三七號
發行人：彭正雄
發行所：文史哲出版社
印刷者：文史哲出版社
台北市羅斯福路一段七十二巷四號
郵撥〇五一二八八一二彭正雄帳戶
電話：三五一一〇二八
實價新台幣五二〇元
中華民國八十三年三月初版
中華民國八十四年三月增訂版

ISBN 957-547-929-7

詩經古義新證　目錄

中編、名物制度編……二四五

《詩經古義新證》自序

《詩經》是我國最早的文學總集，關關雎鳩、依依楊柳，三千年來，不知傾倒了多少善感而細膩的心靈。《文心雕龍·宗經》篇說：「《詩》之言志，詁訓同書，摛風裁興，藻辭譎喻，溫柔在誦，故最附深衷矣！」說的眞是一點也不錯。

但是，這麼一部人人喜愛的好書，卻是異說最多、最難通讀的一部先秦典籍。皮錫瑞《經學通論》「論《詩》比他經尤難明，其難明者有八」條說：

《詩》爲人人童而習之之經，而《詩》比他經尤難明，其所以難明者：《詩》本諷喻，非同質言，前人既不質言，後人何從推測？就《詩》而論，有作詩之意、有賦詩之意，……此《詩》之難明者，一也。漢初傳經，皆止一家，……惟《詩》三家，同爲今文，所出各異，當時必應分立，後人不可併爲一談。而專家久亡，大義茫昧。此《詩》之難明者，二也。三家亡而毛《傳》孤行，義亦簡略，……後儒作疏，必欲求詳，毛所不言，多以意測，……。軌途既別，溝合無由。此《詩》之難明者，三也。鄭君作《箋》，雜揉今古，難盡剖析源流。此詩之難明者，四也。他經之疏，專主一家，惟《詩》毛、鄭並行，……既分門户，未易折衷。此《詩》之難明者，五也。歐陽修《詩本義》始不專主毛鄭，宋人競立新説，至朱子集其成，元明一概尊從，近人一概抹撥。……漢宋強爭，今古莫辨。此《詩》之難明者，六也。宋人疑經，至王柏而猖狂已極，妄刪國風，進退孔子。國初崇尚古學，陳啓源等仍主毛《詩》，……然毛所不言者，不能不補以《箋》、《疏》，或且強韓同毛。乾嘉崇尚今文，……然止能搜求斷簡，未能解釋全經。毛既簡略不詳，三家尤叢殘難拾，……此《詩》之難明者，七也。三家《序》亡，獨存毛《序》，然《序》亦不盡出毛公，……近人申毛者以《序》、《傳》爲一人所作，然《序》實有不可盡信者，與馬、鄭古文《書序》同。究竟源自西河，抑或出於東海？此《詩》之難明者，八也。

像皮錫瑞這種幼而習經、畢生鑽研的學者，都會認爲《詩經》比他經尤難明，《詩經》之難明，可以想見。除了皮氏所舉的八點之外，《詩經》之難明，其實還有以下數種：

一是古學難明。《詩經》一書，包羅萬有，上自天文，下至地理，邇之事父，遠之事君；還有草木鳥獸、花果蟲魚。大到治國典章、五禮六官；小到車馬服飾、飲食男女，都和詩義的了解關係密切，其中只要稍有隔閡，可能就對詩義產生非常嚴重的誤解。如《周南．關雎》，有人以爲是詠閭巷男女由自由戀愛終而結婚的詩篇，殊不知周代「昏禮不用樂」，明見於《禮記．郊特牲》；而閭巷男女，不要說沒有資格擁有鐘鼓，恐怕連用音樂的權利都沒有，「禮不下庶人」，明見於《禮記．曲禮》。如果不明瞭這些背景知識，那麼《詩經》簡直無從讀起，而要具備這些知識，又不是三、五年所能獲得的。

一是文字難明。《詩經》是周代初年到春秋時期的作品，一方面起源相當早，因此詩中所用的字往往可能保留了早期的本義，而後代已經完全不用這個本義，甚至於完全不知道有這個本義，如《小雅．棠棣》的「棠棣之華，鄂不韡韡」，鄭《箋》釋「不」爲「鄂足」，這個解釋不見於先秦其他任何典籍，但現在的古文字學者從甲骨文「不」字來看，大都同意鄭玄的講法是可信的（于省吾先生《澤螺居詩經新證．卷中》第一〇九頁不同意鄭說，但于說似乎不見得比鄭說好）。又如「以」字的本義是象人手提挈形，因此「以」字有「提攜」、「帶領」的意思，《豳風．九罭》「毋『以』我公歸兮」便是說「不要帶著我們敬愛的周公回去吧」。徐中舒先生不知道這一層意義，把「無以我公歸兮」，看成跟「公歸無所」、「公歸不復」同義，於是說這一首詩是寫魯昭公失國，圖謀歸國復位的史事，錯得非常離譜（參本書〈《詩經》「以」字古義新證〉）。另一方面是《詩經》向下延伸的時間也相當長，除了《詩經》中有春秋時代的作品，其用字當與西周初已有不同外，在《詩經》流傳的過程中，因爲口耳相傳、載於竹帛的同音筆誤有之；因爲漢人看不懂先秦的古文，因而導致誤會者有之。例如《召南·甘棠》篇「勿翦勿拜」字，鄭《箋》說：「拜之言拔也。」「拜」爲什麼會有拔的意思？過去的學者都很疑惑，直到吳大澂、郭沫若、龍宇純先生才把這中間的道理弄清楚了。原來「拜」字原本應作「㨃」，从手，从桒，象以手拔草根之義。到秦漢隸定時，「㨃」的字形隸化成「拜」，因此「拜」、「㨃」本是同一個字。但是因爲在銅器中「拜頣首」的「拜」都假借這個拔草的「㨃」字，久假不歸之後，人們只好造另一個形聲字「拔」來記錄拔草根的意義。漢代寫定《詩經》的時候很自然地就把〈甘棠〉詩中「㨃」字寫成「拜」了。再到後來，一般人只知道「拜」有行禮的意思，而不知道它的本義是「拔」，所以會把「勿翦勿拜」的「拜」字解成「如人身之拜，小低屈也」。（參本書《召南·甘棠》「勿翦勿拜」古義新證〉）。又如《秦風·小戎》「蒙伐」的「蒙」字，本應是从冖从虎，後來不知道什麼時候訛變爲从冖从豕，以致後人對「蒙伐」的意思就不能瞭解了（參本書〈《秦風·小戎》「蒙伐有苑」古義新證〉）。《詩經》跨越的時代這麼長，牽涉到的文字有甲骨文、金文、戰國文字、小篆、隸書等，要熟悉這些文字到能用來訓詁《詩經》，眞可說是談何容易！

一是文學技巧難明。《詩經》既是文學作品，有許多地方便會含有文學的誇飾求美的特質，並不完全和字面的意義相同。如《鄘風·干旄》云：「孑孑干旄，在浚之郊，素絲紕之，良馬四之，彼姝者子，何以畀之？孑孑干旟，在浚之都，素絲組之，良馬五之，彼姝者子，何以予之？孑孑干旌，在浚之城，素絲祝之，良馬六之，彼姝者子，何以告之？」詩中的四之、五之、六之，毛《傳》都落實來談，以爲「願以素絲紕組之法御四馬也」、「驂馬五轡」、「四馬六轡」，同一姝子，忽而在郊、忽而在都、忽而在城；同一良馬，忽而四之、忽而五之、忽而六之，竟不知「彼姝者子」到底在做什麼？其實本詩中的首章是實寫，二、三章只是爲了歌唱時的反復奏沓而換韻罷了，五之、六之未必實有，只是爲了趁韻而已，絕不能執字以害義。本詩的五之、六之雖然只是湊韻，但五、六的這個詞還是當時語言中實際具有的，《詩經》中有些篇章的湊韻詞甚至於並不是當時語言中所實際具有的，而是如龍宇純先生在〈試說詩經的雙聲轉韻〉一文中所說的，詩人只是爲了換韻，因而在與前一章同一韻腳的位置換上了一個雙聲字，而這個雙聲詞彙未必是語言中現有的（文見《幼獅月刊》第四十卷第六期）。如果不明白這些文學技巧，那麼有些詩篇的確是非常難讀通。

一是興義難明。六義之中，最難懂的就是興，自鄭樵以後，部份學者以爲興不過是趁韻，沒有任何實質意義，「不可以事類推，不可以理義求」，但是，興眞是那麼簡單嗎？恐怕也未必。周南黃河邊的鳥類多得很，詩人爲什麼偏偏選上睢鳩鳥呢？如果睢鳩鳥和君子淑女完全沒有關係，也很難令人相信。如果照疑古學派的趁韻說，只是爲了湊韻起個頭，那《詩經》的韻味淺到簡直要跟童謠一樣，《詩經》還有什麼價值？所以近人也漸漸不完全接受那種講法了。裴普賢先生在《詩經研讀指導．詩經興義的歷史發展》一文中，對《詩經》的興作了全面的分析，得出興的四種產生方式：㈠、「山有扶蘇」、「山有樞」等「拈物式」的原始性表現法。㈡、「殷其雷」、「隰有萇楚」等「觸景式」的表現法。㈢、「揚之水」、「有杕之杜」等「套句式」的表現法。㈣、「呦呦鹿鳴」、「綠竹猗猗」等「託物式」的表現法。㈠、㈡兩種都屬於基本的聯想作用，而㈢、㈣兩種則都屬於後起的戴帽作用。聯想作用有義可尋，那是無可懷疑的了，而裴先生所說的「套句式」、「戴帽句」的興，是否眞的就沒有意義上的作用呢？要解答這個問題，首先要確定《詩經》中是否有「套句式」、「戴帽句」這種興？以裴先生所舉的三篇〈揚之水〉來說，白川靜《詩經研究》以爲「這些詩篇也許顯示水占的民俗，從山柴在水的漂流占測吉凶和成敗。水占是依據水裡漂物是否受到岩石的阻礙來預占的，日本也有這種風俗。」（見中譯本第二十四頁）白川氏的說法，學者也許看法不盡相同，但他至少提出了一種可能的思考方向，從民俗學的角度解《詩經》，也許可以更接近商周先民的生活背景。《詩經》中的「魚」、「握椒」近人以爲都有象徵的含義，「揚之水」又何嘗沒有可能？如果不這麼解釋，只把「揚之水」看成單純的「套句式」的成語性表現法，那麼我們不禁要想，人人都套現成的句子，然則第一句被套的原句是怎麼來的呢？如果第一句的母句完全沒有任何意義，只是湊韻的句子，它會被大家當作典範來抄襲嗎？由此看來，我們所以爲沒有意義的興很可能是古代的意義已湮滅不彰，難以探索而已，而不是眞的就是湊韻。興義不明，嚴重地影響了我們對《詩經》的解讀。

《詩經》所以難明，除以上十二項外，當然還可能有其他種種原因，綜觀歷代《詩經》學者的努力，也就是在想辦法解決這些難題。而一代有一代的風氣，一代有一代的進步，也使得《詩經》的研究「日就月將」，不斷有新的成績出來。

先秦《詩經》的原貌究竟是怎麼樣，言人人殊，目前還不易論定。五四以來，《詩序》彷彿已經全部被揚棄了，但仔細分析，學者談《詩》，許多地方仍不可能完全不要《詩序》，因爲《詩序》畢竟是目前我們所能見到最早有關《詩經》的背景資料，也許它內容駁雜、也許它疑信參半，但那些部分當眞？那些部分可疑？恐怕都可以再討論。

漢承秦火，學術上主要的努力是恢復舊典，加以訓詁，只要是先秦舊籍，都盡力蒐集；只要是先秦舊說，都全部予以繼承，因此所謂的師法、家法就因此產生了。今文家的《詩經》因爲是口耳相傳，所以傳人不同，內容也互異；《毛詩》著於竹帛，寫以古文，當然和三家《詩》的本子會有不同（三家《詩》只是方便成說，其實漢初傳《詩經》的絕不止三家，《阜陽詩經》的出土，已經可以證明這一點了）。爲什麼同樣傳自先秦的《詩經》會有這麼大的差異，恐怕只能以秦火之後，典籍散亡，經師凋零，學者傳《詩》各以意推來解釋了。因此漢儒的貢獻在整理散亡的經典、重新訓詁，使文化體系不致因爲嬴秦愚昧的政策而崩潰。但其缺點則在典籍殘缺，學者難免以意推度，因此同樣是漢儒的解說，而彼此歧異可以非常大，因此雖是時代最早，漢人之說仍有加以抉擇的必要。

唐代氣象恢宏，人才輩出，在《詩經》研究方面，繼承了漢儒的整理之功，於是展開集大成的工作。《五經正義》一方面固然是科舉考試定型之後必然的產品，一方面也展現了唐代學者的氣魄與功力。《詩經正義》名義上是採用毛《傳》、鄭《箋》，但是實際上在《疏》中孔穎達大量地採用了從三家到魏晉時期其他學者的意見，即使作爲比較或反駁而納入《疏》中，我們也可以隱約感受到《疏》中的批判精神已經隱然萌芽了。成伯璵不全守《詩序》的《毛詩指說》所以會產生在唐代，實有學術史上不得不然的道理在。但整體說來，唐代的學術還比較徵實，《詩經正義》採用毛《傳》、鄭《箋》，兼參衆說，考證名物，疏通禮制，博洽精審，是本時期的代表典範。

宋代懷疑精神特別強，人人以疑相尚，表現在古文上的是翻案文章大興，表現在《詩經》研究上的則是不守《詩序》，斷以己意。嚴重的，如王柏竟致非聖刪經，要把《詩經》中他們認定的淫詩刪掉。而整體來說，宋代學術昌明，部份學者雖然自稱不用《詩序》，但大致還嚴謹篤實，如歐陽修《詩本義》、朱子《詩集傳》等，都有不少精闢可喜的意見。

元、明二代學術衰頹，乏善可陳，大概只有何楷的《詩經世本古義》、朱謀㙔的《詩故》還有可取之義。

清代學術昌明，超邁前代，學者研究《詩經》，不管是謹守毛《傳》的也好，博採各家的也好，大都考證精詳，義不苟發。文字、聲韻、訓詁的驚人成就不用說了，在禮樂典章、名物制度、古代史地、天文曆算等各方面，都有令人歎爲觀止的成就。如陳啓源《毛詩稽古篇》、胡承珙《毛詩後箋》、陳奐《詩毛氏傳疏》、馬瑞辰《毛詩傳箋通釋》、陳喬樅《三家詩遺說考》等都是非常傑出的煌煌巨著。如以文獻爲範圍的考據而言，大概可以做的部分被清人做完了，後人幾乎不可能再從文獻上做出超越清人的考據成績。

清末以來，西學傳入，學術工具增加，學者眼界變得比較開闊，用人類學、考古學、社會學、民俗學、神話學、文藝美學等各種角度研究《詩經》，又打開了一條《詩經》研究的大路，如聞一多、郭沫若、白川靜等學者，對《詩經》研究都有一定的貢獻。在這同時，在帝國主義的環伺之下，中國也陷入了喪權辱國的窘境，政治上失利使得學術上也失去了民族自信心，疑古學風大興，甚者主張全盤西化，揚棄舊學。在這種危急存亡之秋，「國故」成了一種可有可無的東西，在《詩經》研究方面，疑古學派對傳統《序》、《傳》、《箋》的說法徹底拋棄，大力推崇鄭樵《詩辨妄》、姚際恆《詩經通論》、崔述《讀風偶識》等作品，學者從此徹底廢《序》不談。其優點是傳統的包袱更輕，不，應該說是完全沒有了，因此很多地方可以不受拘束地進行探究。其缺點則是一空依傍，什麼古義古訓都可以不理會了，那麼要依據什麼呢？唯有用「玩味詩文法」，從《詩經》本身的文字去體會《詩經》所要表達的意思。這本來是研究《詩經》最正確的方法，但爲什麼古人不去提倡它呢？因爲這個方法非常非常難，沒有過人的卓越資質、雄厚淵博的學問，再加上數十年如一日的紮實爲學，是不可能做到的。而且《詩經》原文不是可以個別地玩味出來的，它必須結合先秦同時代以及前後時期文獻上所顯示的文字意義；字面上無法顯示的便要參考經師古訓；沒有經師古訓的還要看看前輩學者怎麼談，這樣一路探索下來，已不是直接「玩味詩文」所能涵蓋的了。綜觀此一時期的《詩經》研究，可以說是破大於立。

政府遷臺以後，政治經濟呈穩定地發展，學術上也逐漸擺脫了民初以來在西方船堅砲利的威脅下所產生的自卑感，因此比較能持平而客觀地看待《詩經》。從屈萬里先生的《詩經釋義》起，學者們大都能做到對古訓古義，既不過度尊崇、盲目接受；也不過度排斥，一概抹殺。在這樣的學術風氣下，《詩經》研究乃能蓬勃地開展、持續地進步。

旭昇從民國六十年上大學起，最感興趣的兩個科目便是文字學和《詩經》。六十九年進研究所碩士班，研究的主題便是《詩經》，七十二年以《詩經吉禮研究》通過碩士論文考試，同年進入博士班，並開始進行甲骨文字的研究，七年後以《甲骨文字根研究》通過博士論文考試。自七十九年起，又參與《金文字形編》及《青銅器銘文檢索》的編纂工作，《金文字形編》的目的是要把目前所能見到的八千餘件銅器上的銘文全部錄下來，依其字形分類剪貼，以供使用者查索字形、研究字形之用；而《青銅器銘文檢索》一書的目的則是要把這八千餘件銅器上的銘文全部用楷書寫出來，然後編成逐字引得，以供學者參考研究之用。經過四年的時間，完全了這兩項工作，其中《青銅器銘文檢索》已交由文史哲出版社出版。從寫完碩士論文到現在，旭昇對《詩經》的興趣並沒有中斷，其間陸續發表了一些單篇論文，因此累積了一些對《詩經》和古文字的關係的看法。本書便是希望在這個基礎上，以《詩經》時代前後的文字——甲骨文、金文、戰國文字來探討《詩經》，希望對《詩經》的字詞訓詁能有一些新發現。

自清代樸學大興，古文字學的發展日新月異，成就驚人，學者以古文字學的知識進而應用在《詩經》研究上，有專書問世的只有聞一多的《詩經新義》、林義光的《詩經通解》、于省吾先生的《澤螺居詩經新證》。從《澤螺居詩經新證》到現在，倏忽又是十餘年，這其間古文字的發展又往前推進了很多，而且《詩經》的內容繁富，也不是林、聞、于三人的《詩經》研究專著所能探討得完的。因此，在《詩經》研究的領域裡應該還有很多可以從事的工作，值得繼續投入。

本書是我在這十餘年的《詩經》研讀中所累積的個人心得，全書分爲緒論及上、中、下三編，最後是結語。緒論是介紹自清代以來學者以古文字學探討《詩經》的歷史，並對各家的是非得失略加評述；上編是「字句訓詁編」，其中第壹至第拾篇是專門針對單一詩篇的字句進行討論，第拾壹至拾肆篇是針對《詩經》中出現次數較多的相同詞句進行討論；中編是「名物制度編」，共收七篇，以現代考古學及古文字學的成果，專門針對《詩經》中的名物、制度進行探討；下編是「篇章通解編」，企圖利用考古學、古文字學的知識，對《詩經》某一篇進行全面的探究，希望能求得先秦《詩經》的眞面貌。各篇的主要內容如下：

〈《召南．甘棠》「召伯」古義新證〉一篇，主要在探討傳統上說本詩的召伯是召公奭，恐怕仍是最正確的解釋。近人受了五等爵的影響，直覺地以爲「伯」比「公」地位低，所以召公奭不應稱召伯。本篇從銅器《白害盉》所稱「白害乍召白、父辛寶尊彝」，加上一組燕國銅器，證明了周初燕國召公奭的孫子作銅器，稱其祖父召公奭就稱召伯；而在文獻中，「伯」的意義有兩種，其初義往往是指諸侯之長，地位甚至於比「公」還要高。因此《召南．甘棠》篇的「召公」可以是指召公奭，舊說未必不可信。

〈《召南．甘棠》「勿翦勿拜」古義新證〉一篇，指出鄭玄《箋》認爲「拜」字應釋爲「拔」，非常精確。從古文字發展的歷史來看，「拜」的本義就是拔。說已見前，此不贅敘。

〈《鄭風．羔裘》「舍命」古義新證〉一篇，指出鄭玄對「舍命」的解釋並不正確，王國維釋爲「甹命」、「致命」比較理想，又從銅器銘文說明「舍命」者的身份地位可能相當高，不是一般的低級傳令，因而鄭玄認爲〈羔裘〉一詩的主人翁是諸侯，並非絕無可能。

〈《秦風．小戎》「蒙伐有苑」古義新證〉一篇，從考古資料證明，先秦的盾不但沒有如毛《傳》所說的在盾上裝有羽飾，也沒有如鄭《箋》所說的在盾上畫雜羽文，相反地，大部份的盾都是以藤或木製，在上面蒙以獸皮（高級的應該是蒙虎皮），或彩繪獸文（當然也應該以凶猛的老虎爲主）。而甲骨文中的「[illegible]」字也就是後世「蒙」的本字，因此〈小戎〉篇的「蒙伐有苑」應該釋爲「蒙以虎皮的盾是那麼地美麗」。〈小戎〉篇另外還有「文茵暢轂」句，毛《傳》：「文茵，虎皮也。」又有「虎韔鏤膺」句，毛《傳》：「虎，虎皮也。」可見〈小戎〉篇所述的秦國車馬兵器好以虎皮爲飾，全詩所呈顯的風格與「蒙伐有苑」句是一致的。

〈《豳風．破斧》「四國是皇」古義新證〉一篇，指出甲骨文中的□字就是「皇」的本字，其本義是征討、匡正，《詩經》本篇用的正是本字本義，非常可貴。

〈《大雅．大明》「在洽之陽」古義新證〉一篇，從詩文內證說明「在洽之陽，在渭之涘」的地望應該在洽水北、渭水邊，而不是傳統所說的郃陽。並以辛邑矛出土於渭南，證明有莘的地望就在洽北渭邊。錢穆先生以古史地理說把岐山搬到渭水北岸，本文則以周原甲骨的出土推翻了這個說法，證明了「在洽之陽」的地望。

〈《大雅．大明》「其會如林」古義新證〉一篇，從先秦戰爭的性質、編組、建旗，說明在古代戰爭中，大將用的旗子（旝）不可能多到「如林」。因此「其會如林」不能從三家《詩》釋爲「其旝如林」。文中並引戰國時期的中山國銅器銘文中有「其澮如林」一句，證明了本詩的「會」字要當「聚會」解。

〈《大雅．大明》「會朝清明」古義新證〉一篇，以西周最早的銅器《利簋》的銘文「珷征商，隹甲子朝，歲鼎，克聞，夙又商」，證明武王花了一個早上便征服了商朝，「會朝清明」當釋爲「一朝克殷」。而林義光、于省吾兩先生所提的，「會朝清明」是指武王克商的前一天還在下雨，而當天一早卻放晴了。這說法雖不正確，但可以納入本詩的解釋，作爲「作者未必有，讀者未必無」的一種多元欣賞。

〈《大雅．江漢》「淮夷來求」古義新證〉一篇，鄭《箋》釋「淮夷來求」爲：「主爲來求淮夷所處。據至其境，故言來。」詩中沒有「所處」二字，鄭玄增字解經，極爲明顯，而所釋義又令人無法立即領會。考甲骨文中已有「求」字，唐蘭以爲字象多足蟲，古人認爲它「能溺人影令發瘡，如熱痱，而大若遶腰，匝不可療」，因此「求」字本來就有災害的意思，甲骨文中經常卜問是否被「求」可以證明這一點。由災害義引伸，甲骨文中的「求」可以有征伐的意思，本詩的「淮夷來求」，用的正是這種古義。

〈《魯頌．閟宮》「三壽作朋」古義新證〉一篇，引魯師實先、郭沫若說，以銅器《晉姜鼎》、《宗周鐘》、《㠱中乍倗生飲壺》、《者減鐘》等的銘文中都有「參（三）壽」一詞，並且只能釋爲如參星般長壽，證明本詩的「三壽作朋」也應作如是解。

〈《詩經》「以」字古義新證〉一篇，指出在《詩經》中「以」字是非常複雜而且來源很古的一個常用字，因此有些用法未必爲後人所了解。在甲骨文中，它的本義是「提挈」、「攜帶」，引申有「致送」、「夾帶」等的意思。《詩經．召南．江有汜》篇「之子歸，不我以」句中的「以」字，用的正是「提挈」、「攜帶」的本義；而《邶風．谷風》「習習谷風，以陰以雨」句中的兩個「以」字，用的則是「夾帶」的引申義。《詩經》中「以」字的這兩種用法，前人從來沒有提到過，所以在相關的那幾首詩篇中，前人的解釋總是不是很明晰。爲了把《詩經》「以」字的意義徹底弄清楚，我同時把《詩》三百篇的「以」字作了一番全面的探討。

〈《詩經》「彼其之子」古義新證〉一篇，全面探討了在《詩經》中出現十四次的「彼其之子」的意義。綜合銅器銘文及文獻資料，我們可以得到以下的結論：一、銅器中的「㠱侯」或作「其侯」、又作「紀侯」；文獻中的「紀國」或作「己國」，而㠱、其、己、紀四者其實是同一國家，也就是詩經「彼其（己、記）之子」的「其（己、紀）」氏所自出。二、㠱（其、己、紀）國最遲在殷代武丁時期應已存在，其後一直綿延到春秋中期。活動範圍則是從河南逐漸往山東、遼寧、河北遷徙，西周中期以後則似乎集中在山東一帶。三、這一族人從商代武丁時期起就已位居顯要，周革殷命時，他們大概與周人很能合作，幫燕侯做事，得到燕侯的賞賜，可證和周王室的關係一定很好，直到春秋初年還有女兒嫁爲王婦。因此，㠱（其、己、紀）雖然不是大國，但族人散布各地，擔任各種職務的一定不在少數，其中有人黽勉王事、「舍命不渝」；有人服飾耀眼、「三百赤芾」、「美如英玉」，當然一定也有人仗著曾是國戚的身分，棲遲偃仰、不戍申甫，因此被詠入詩中。

〈《詩經》「眉壽」古義新證〉一篇，以銅器銘文作「釁壽」，證明「眉壽」一詞不應以「人年老者必有豪毛秀出」來解釋。「眉壽」、「釁壽」、以及見於其他典籍的異文「徽壽」、「微壽」，以及甲骨文中的「湄日」、《魯頌・閟宮》的「彌月」等詞中的第一字都是長的意思，其本字應作「⿱镸貝」。

〈《詩經》「四國」古義新證〉一篇，以銅器銘文證明，周代稱「國家」義爲「邦」、稱「疆域」義爲「國」，二詞往往共見於同一篇銅器銘文，而各有不同的意義，因此《詩經》中的「四國」絕不能釋爲「四個國家」，而只能釋爲「四方」。

〈《周南・關雎》「鐘」古義新證〉一篇，從考古的資料說明鐘是從殷代開始就已經出現的樂器，近代部份學者認爲西周中期以後才有鐘，從而論定《關雎》不可能作成於西周早期，本文從鐘的歷史說明這樣的推論是不夠堅強的。

〈《周南・卷耳》「兕觥」古義新證〉一篇，指出兕觥的形制不是像王國維所說的作犧獸形，而是應該像孔德成、屈萬里先生所說的作角形，兕觥不是罰爵，容量不一定。此意屈先生雖已經指明了，但《詩經釋義》、《詩經詮釋》都沒有收進去，因此本文再做進一步的推闡。

〈《衛風・伯兮》「殳」古義新證〉一篇，指出考古發現的「殳」有兩種，長三公尺多，和《考工記》所載並不完全相同，這種兵器是「勇士」才有資格用的，所以〈伯兮〉篇要讚美他是「邦之桀兮」。

〈《豳風．七月》「授衣」古義新證〉及〈《豳風．七月》「褐」古義新證〉兩篇，以一九七五年出土的《睡虎地秦墓竹簡》，證明「授衣」是由政府發衣服給人民；而「褐」則是用粗麻作的衣服。

〈《小雅．菁菁者莪》「百朋」古義新證〉一篇，以銅器上多見的賜貝來說明本詩的「錫我百朋」是實有其事，而所有殷、周銅器中一百五十餘次賜貝行動中，能獲賜百朋的只有三件，由此可以看出〈菁菁者莪〉主人翁受周天子的倚仗之隆，而〈菁菁者莪〉一篇的著成時代也可以從這裡得到一點訊息。

〈《小雅．采芑》「簟茀」古義新證〉一篇，採納了唐蘭的意見，從《番生簋》和《毛公鼎》的銘文裡周王賞賜他們的器物裡都有「金簟弼，魚葡」，證明其和本詩的「簟茀」是完全相同的東西，「金簟弼」就是「簟茀」，它是用在弛弓時，縛在弓背的中央部位以防損壞、並保持弓的彈力的。而「魚葡」是用魚皮作成、盛矢的箙，兩者是互相搭配的。舊解「簟茀」爲「車蔽」，失之。

〈《王風．采葛》古義新證〉一篇，從《詩經》本身文字用法的內部證據，證明本篇的「彼」字應是遠指性的三身指稱詞——相當於口語的「那」，而不是代名詞——相當於口語中的「他」；從先秦文獻的證據證明本詩的「采」字是「茂盛」的意思，而不是「採取」。

〈采葛〉全篇本詩寫一位正直的臣子嫉惡小人讒言陷害善良，在他眼中，這些小人夤緣攀附，互相勾結，惡勢力發展得非常快；這些小人所散播的讒言，四處蔓延，速度也非常快，就像葛、蕭、艾一樣。全詩詠草，沒有一個字寫到「畏讒」，而「畏讒」的意思躍然紙上。這種比興手法和〈碩鼠〉篇一樣，是中國文學的傳統手法。

〈《小雅．白駒》古義新證〉一篇，主要提出了詩中的「嘉客」應釋爲「迦牙」，義爲徘徊、逗留；從銅器銘文證明「無期」是無止期、無限期，而不是遙遙無期；「金玉」則應釋爲形容詞——美好的，而不能釋爲動詞——珍愛吝惜。並在這三個詞的解釋基礎上，對全詩進行了解析。

以上各篇的論述都是從古文字和考古學的角度，對《詩經》的訓釋提出一些新的看法，而這些看法其實也同時和時代最古的毛《傳》、《詩序》大體非常接近。這些論述有些是採納了古文字學界前賢大家的高見、有些是我個人的鄙意，但都是目前的《詩經》論著還沒有納入的，本書把它全部會攏在一起，只是做爲對《詩經》研究的一個嘗試。經學夙稱艱澀，古文字學又是夐渺難求的學術，要把這兩樣加在一起，可以說是難上加難，不成熟之處在所難免，由於有這樣的體認，所以本書中有些篇章在學術討論會上討論過，其目的是希望經過討論會與會學者的討論指正，可以發現自己看不到的盲點。現在收在這本集子裡的，都經過修改、添補，希望能把缺點減到最少。漢代大儒董仲舒曾說「詩無達詁」，在古文字、《詩經》的領域越鑽研，越覺得學術的天地是那麼地浩瀚，而個人的能力卻是那麼地有限。

此外，本書在去年出版過一次，現在在去年的基礎上，删去了兩篇，另外新增加六篇。本書舊版的缺點，承蒙許多師長、朋友們的熱心賜教，本書都做了修改，全書體例也和舊版完全不同，在這裡謹對厚愛我的師長、朋友們致上最誠摯的謝意。

本書引用銅器銘文的部份，爲了便利不是專門研究古文字的學者閱讀，某些不影響銘文文義的地方儘量採用寬式，如「且丂」就直接寫作「祖考」、「隹」直接作「維」。對於古文字學界的異說，除非關係到文章的觀點，否則也儘量不用太多的篇幅去討論。引用銅器銘文著錄，如不加注明的，都是指器號，如《集成》0004指《殷周金文集成》第0004號。此外，爲了行文方便，有時常見的書名用簡稱，如《說文解字》簡稱《說文》，在同一章節中，前面已經談到的書名，如果沒有混淆的顧慮，那麼後面也用簡稱，如《詩集傳》簡稱《集傳》、《御纂詩義折中》簡稱《詩義折中》之類。至於引用前賢的著作，爲了表示尊重，對原文所用的標點符號，儘量不予改動。

緒論

《詩經》是周代的作品，是用周代通行的文字寫的，依我們現在的知識，西周時期使用的字體是大篆、籀文這一類時代早於小篆而風格跟小篆相近的古文字。春秋時代，秦國的正體字比較忠實地繼承了西周文字，並演變成保存在《說文》中的小篆，同時俗體字則逐漸興起，並演變成後來的隸書；而東土各國也俗體漸興，書寫各異，文字逐漸發生變化。戰國時代，各國的文字發展爲齊系文字、燕系文字、晉系文字、楚系文字、秦系文字等五大系統，這就是《說文解字．序》說的「言語異聲、文字異形」。漢興以後，改用隸書，所有隸書以外的文字都變成了古文字，漢朝絕大多數的人已經認不得了，雖然有孔壁所出古文經、及各地偶然有銅器出土，但這些古文字卻遭到「世人大共非訾，㠯爲好奇者也故詭要正文，鄉壁虛造不可知之書，變亂常行，㠯耀於世」（《說文解字．序》）的命運。加上秦始皇焚書坑儒，六經滅絕，學者傳經多半以口授，其後以隸書寫定，因此經典的文字到了漢代當然不可避免地要發生許多訛誤。這些訛誤不通過文字學、尤其是古文字學的探討，是無法發掘並解決的。本書要探討的，正是《詩經》中的這類現象。

舉個最明顯的例子，《大雅·文王》：

文王在上，於昭于天，周雖舊邦，其命維新。有周不顯，帝命不時。文王陟降，在帝左右。亹亹文王，令聞不已。陳錫哉周，侯文王孫子。文王孫子，本支百世。凡周之士，不顯亦世。

《傳》：「不顯、顯也；顯、光也。不時、時也；時、是也。」除了「時、是也」外，這樣的解釋當然不算錯（時、應釋爲善。屈萬里《詩經詮釋》一說如此，當可從），但是爲什麼「不顯」會是「顯也」；「不時」會是「時也」，毛《傳》並沒有說明白。《箋》：「周之德不光明乎？光明矣。天命之不是乎？又是矣。」據此，鄭玄很明白地是把這種「不」字當作否定詞來看，這當然是錯的。明何楷《詩經世本古義·卷十之下第四十四葉上》云：

不，楊愼、陸深皆讀作丕，謂古通用，當從之。今按：《書》言「丕顯哉文王謨」，即此之言「不顯」也。又言「在讓後人于丕時」，即此之言「不時」也。丕，《說文》云「大也」。

何楷採用楊愼、陸深的這個解釋當比舊說明晰，但是這個解釋除了引用《書經》的同文例外，並沒有其他的佐證。所以到清代的陳奐作《詩毛氏傳疏》時，並沒有採用這個說法（比較勇於創新的學者倒是接受了這個講法，如姚際恆的《詩經通論》、方玉潤的《詩經原始》），陳氏云：

> 「不顯」之「不」爲語助，無實義，……〈大明〉、〈思齊〉、〈崧高〉、〈韓奕〉、〈清廟〉、〈維天之命〉、〈烈文〉、〈執競〉之「不顯」，「不」皆爲語助。「有周不顯」言周德之光明也。

從古文字來看，「不顯」就是「丕顯」，這是毫無疑問的，金文「不顯」一詞多見，義即「丕顯」，而「不」字沒有寫作「丕」的。「丕」字是由「不」字分化出來的，在西周、春秋，「丕」義直接用「不」字，寫作（參《金文編》第○○○四號）；到了戰國時代，「丕」字逐漸寫作（《侯馬盟書》二○三．四）、（《夢盦藏陶》），到漢代則作、、（參《秦漢魏晉篆隸字形表》第三頁），和「不」字就完全分化了，鄭玄不知道這一類的「不」字當釋爲「丕」，這是時代的局限，不能太怪他。

到清代，因爲樸學的興盛，金文研究的水準也比較高，因此學者開始有意識地使用金文來解《詩經》，如戴震在《毛鄭詩考正》中說：

辟廱於經無明文，漢初說禮者規放故事，始援《大雅》、《魯頌》立說，謂：天子曰辟廱、諸侯曰頖宮。如誠學校重典，不應《周禮》不一及之，而但言成均、瞽宗。《孟子》陳三代之學，亦不涉乎此。他國且不聞有所謂頖宮者。周鼎銘曰：「王在辟宮，獻工錫章。」《左氏春秋》曰：「鄭伯享王於闕西辟。」《史記》曰：「豐鎬有天子辟池。」譙周曰：「成王作辟上宮。」此單言辟者也。《周頌》曰：「于彼西雝。」古銘識有曰：「王在雝上宮。」此單言雝者也。其曰辟上、雝上，則以名池名澤，而作宮其上，宮因水爲名也。

戴震所引的兩段金文，第一段我找不到完全相同的銅器銘文，只找到大略相同的《大夫始鼎》（《總集》1286、《邱集》1398），原器銘文如下：

維三月初吉甲寅、王在龢宮，大夫始易友□趺，王在華宮□，王在邦宮，始獻工，易□易章，王在邦，始易友曰考曰攸，大夫始敢對揚天子休，用作文考日己寶鼎，孫孫子子永寶用。

如果不是我找錯的話，那麼顯然戴氏對本段金文的解讀是錯誤的。然而很奇怪的是，這段銘文在薛尚功的《歷代鐘鼎彝器款識》10.2（又105 ）中已經讀爲「王才邦宮始獻工錫□錫章」，不知戴氏的釋讀是根據誰的說法?第二段文字我也找不到完全相同的銅器銘文，只找到大略相近的《𢕔乍旅盉》或名(《訓匜》《總集》6877、《邱集》7652)，原器部份銘文如下：

維三月既死霸甲申，王在莽上宮，白揚父迺成賓，曰：……

如果不是我核對原器有誤，那麼戴震所引兩件銅器銘文其實都是引錯了，這兩件銅器既不言辟、也不言雝。雖然這樣，戴氏勇於嘗試新領域來解釋《詩經》的企圖是很令人敬佩的。戴氏之後，馬瑞辰《毛詩傳箋通釋》中也引了不少金文，如他在《大雅·大明》篇說：

「維師尚父」，《傳》：「師、大師也。尚父，可尚可父。」《箋》：「尚父、呂望也，尊稱焉。」瑞辰按：父與甫同，甫爲男子美稱，尚父其字也，猶山父、孔父之屬。連師稱之，猶大師皇父之屬。《宣和博古圖》載《周淮父卣》銘曰：「穆從師淮父。」又曰：「對揚師淮父。」正與師尚父之稱相同。《傳》云「可尚可父」，《正義》引劉向《別錄》曰：「師之、尚之、父之，故曰師尚父。」《箋》以師尚父爲尊稱，並失之。

旭昇案：馬氏所引《周淮父卣》見《宣和博古圖》10.34，此器在《金文總集》中叫做《戓稽卣》(見《總集》5490、《邱集》6092)，郭沫若《兩周金文辭大系考釋》、唐蘭《西周青銅器銘文分代史徵》都以爲是穆王時器，其原文如下：

稻從師雝父戍于古白，蔑曆、賜貝卅寽，稻拜䭫首，對揚師雝父休，用作文考日乙寶尊彝，其子子孫永福。戉。

銘文中的「稻」字，舊釋爲「穆」、「師雝父」舊釋爲「師淮父」，馬氏從之，這當然是錯的（此器「雝」字摹本都誤摹作「淮」，「雝」字少摹了一個象辟雝宮室的圓圈，所以就訛成了「淮」字，但穆王時期「師雝父」多見，不得釋爲「師淮父」，郭沫若《兩周金文辭大系考釋》第六十頁考證得很清楚，可以參看）。但是他引此器說明「師淮父」和「師尚父」之稱相同，毛《傳》釋「尚父」爲「可尚可父」不可從，這個意見卻是非常正確的。金文中「師某父」之稱很多（參《青銅器銘文檢索》「師」字、「父」字條），可以證明馬氏辨正毛《傳》之說可從。又在《大雅．江漢》篇說：

「告于文人」，《傳》：「文人、文德之人也。」《箋》：「王賜召虎以鬯酒一尊，使以祭其宗廟、告其先祖諸有德美見記者。」瑞辰按：哀二年《左傳》：「大子禱曰：文祖襄公。」《積古齋鐘鼎款識》者有《旅鼎》，其銘曰：「旗用作文父日（旭昇案：當作日）乙寶尊彝。」古器銘又多稱「文考」者，「文人」猶「文祖」、「文父」、「文考」耳。〈文侯之命〉「追孝于前文人」，承上「汝克紹乃顯祖」言，正以「文人」爲文侯祖之有文德者，《鐘鼎款識》載《追敦》銘曰：「天子多錫追休，追敢對天子顯揚，用作朕皇祖考尊敦，用追孝於前文人。」「文人」亦追自稱其先祖，此詩「文人」《傳》、《箋》指召穆公之先人，甚確。朱子《集傳》謂指文王，似誤。

本條引《旅鼎》糾正《詩集傳》的錯誤，非常精闢。唯馬氏畢竟不以金文名家，所以他採用金文解《詩》，用錯的方也不少，如他在《大雅．靈臺》篇說：

「於樂辟廱」，《傳》：「水旋丘如璧曰辟廱。」瑞辰按：戴震《毛鄭詩考正》云：「辟廱於經無明文，漢初說禮者規放故事，始援《大雅》、《魯頌》立說，……」今按：戴說是也，辟雝特象其池之形制而名之也。薛尚功《鐘鼎款識》載《宰敦父敦》銘亦曰：「王在辟宮。」又《尨敦》銘曰：「王在雝位。」皆古人分言辟與雝之說。文王於豐造辟雝，武王遷鎬，因仿而為之。

旭昇案：本條馬氏引戴震的部份，其誤已見上文。馬氏又補充了《宰敦父敦》、《尨敦》二器。《宰敦父敦》一器見薛尚功《歷代鐘鼎彝器款識》14.6，共二器，《三代吉金文存》3.19，《邱集》3000,3001，《總集》失收，原文如下：

維四月初吉，王在屖宮，宰屖父右害立，王冊命宰曰：賜女桒，朱黃，玄衣，黹屯，旂，攸革，賜戈琱㦸，彤沙，用[illegible]乃且考，吏官司人僕射[illegible]，害頣首，對揚王休命，用作文考寶簋，其子子孫孫永寶用。

「宰屖父」，薛尚功《歷代鐘鼎彝器款識》隸定作「宰辟父」，而馬氏《毛詩傳箋通釋》誤作「宰敦父」，馬氏《毛詩傳箋通釋》一書刊刻的誤字不少，頗爲可惜。「王在屖宮」，馬氏從舊釋作「王在辟宮」，當然是錯的。馬氏又引《彪敦》，器見《歷代鐘鼎彝器款識》14.9，《總集》2854，器名作《蔡簋》，《邱集》3083，原文如下：

維元年既望丁亥，王在雝𠂤，旦、王各廟、即立，宰曶入、右蔡立中廷，王乎史尤冊令蔡，王若曰：蔡，昔先王既令女作宰、司王家，今余維䌛京乃令，令女暨曶：𤔲足對各，死司王家外內，毋敢又不聞，司百工、出入姜氏令，厥又見又即令，厥非先告蔡，毋敢疾又入告，女毋弗善效姜氏人，勿吏敢又疾、止從獄，賜女玄衮衣、赤舄，敬夙夕、勿廢朕令，蔡拜手𩒨首，敢對揚天子丕顯魯休，用乍寶尊簋，蔡其萬年眉壽，子孫永寶用。

「王在雝𠂤」句，馬氏從舊釋作「王在雝位」，其實「雝」是地名（參《金文常用字典》第四二八頁），與「辟雝」無關。是馬氏所增加的兩條也和「辟雝」無關。金文中是有辟雝的，見《麥尊》（《總集》4892，《邱集》未收），原文如下：

王令辟井侯，出𣏟、侯于井，于若二月，侯見于周、亡尤，王客莽京彭祀，于若昱日在璧雝，王乘于舟、爲大豐，王射大龏、禽，侯乘于赤旂舟從，死、咸，之日、王以侯內于寢，侯易玄周戈，于王在㡯，已夕、侯錫者𫳅臣二百家，劑用王乘車馬，金𩊚、冂、衣、市、舃，唯歸、遷天子休、告亡尤，用龏義寧侯，顯考于井侯，作冊麥賜金于辟侯，麥揚、用作寶尊彝，用鬲侯逆造，顯明令，唯天子休于麥辟侯之年，㝬孫孫子子，其永亡冬，冬用遀德，妥多友、享奔走令。

此器最早著錄於《西清古鑑》8.33，戴震和馬瑞辰應該都見得到的，不知道二人爲什麼都沒有引到此器，相當可惜。此外，馬氏那個時代的古文字之學還不是完全成熟，錯誤還很多，所以上引馬氏用到金文的三條，都有一些錯誤，但整體而言，馬氏能運用金文到這個程度，已經是非常可貴了。如果馬氏再晚生幾十年，金文之學更成熟，那麼馬氏的成績一定會更好，舉例來說，《周頌·載見》的「和鈴」，毛《傳》本來解得並不錯，馬瑞辰卻以爲毛《傳》錯了，馬氏云：

「和鈴央央」，《傳》：「和在軾前，鈴在旂上。」瑞辰按：《說文》：「鈴，令丁也。」《廣韻》：「鈴似鐘而小。」桓二年《左傳》：「錫、鑾、和、鈴，昭其聲也。」杜注亦曰：「鈴在旂。」然錫、鑾、和三者皆車馬之飾，不得獨以鈴爲旂上物也。《周禮·巾車》：「大祭祀鳴鈴以應雞人。」鄭注：「雞人主呼旦，鳴鈴以和之，聲且（《校勘記》引段玉裁謂且當是旦之誤）警衆。必使鳴鈴者，車有和鸞相應和之象。」今案：巾車掌車而鳴鈴，則鈴爲車上之飾可知。據《說文》「鑾」字注云：「鈴象鸞鳥之聲。」則知鈴與鸞對文則異，散文則和鑾可通稱和鈴，此詩和鈴即和鑾耳。

這段考證最有力的地方是引〈巾車〉以證明鈴是車上之物，但我們也可以說和、鈴對文則異，散文則可通，〈巾車〉此處只是用得寬些罷了。《毛公鼎》的賞賜物中有「朱旂二鈴」，很明顯地這個鈴應該是旂上之物，容庚說：「鈴之別有二：一、綴於旂上者，《詩．載見》「和鈴央央」、《左氏．桓二年》「鍚、鑾、和、鈴」、《毛公鼎》「朱旂二鈴」是也。一爲樂器，《周禮．春官．巾車》：『大祭祀鳴鈴以應雞人』是也。」（《頌齋》第十六頁《王成周鈴》）可見得旂上的確有鈴，毛《傳》、杜注並沒有錯。馬氏明明知道毛、杜都認爲鈴在旂上，他應該可以體會到鈴有兩種的，可惜《毛公鼎》晚出，馬氏是嘉慶進士，《毛公鼎》出於道光末年，不久洪楊之亂起，馬瑞辰就去世了，所以他可能沒有見到《毛公鼎》，不然他的解釋一定不會是這樣，這是非常可惜的。

馬氏之外，專力於古文字的學者，如吳大澂、方濬益，民國以來的王國維、郭沫若、楊樹達、屈萬里、龍宇純等都有以金文解《詩經》的論文，但因爲不是研究詩經的專書，此處暫不多作介紹。

民國以來專門從事《詩經》與古文字的研究，而能夠引用古文字解釋《詩經》的，有林義光的《詩經通解》、聞一多的《詩經通義》、《詩經新義》、于省吾的《澤螺居詩經新證》。林義光有《文源》一書，以金文的知識解決了不少文字學上的疑義，其中有不少見解已被現代文字學者接受，周法高先生的《金文詁林》中徵引了很多他的說法。在這樣的基礎上，他以金文的知識來解《詩經》，確實有很多創獲，林氏《詩經通解》用到古文字的部份，略舉最精采的幾條如下。《周南．漢廣》「言秣其駒」條：

駒字有二義，其一爲馬子，《說文》云「二歲曰駒」是也。其一爲五尺以上、六尺以下之馬，此詩及〈株林〉、〈皇皇者華〉之駒是也。五尺以上、六尺以下之駒後變稱爲驕，故〈皇皇者華〉「我馬維駒」《說文》引「駒」作「驕」；〈株林〉「乘我乘駒」，釋文作「驕」。然諸詩之駒若易爲驕，則於韻不叶，段玉裁謂詩本作驕，今作駒者爲俗人改字以就韻。愚謂段說非也，金文《白晨鼎》、《兮甲盤》皆云「錫駒車」，此謂駕車之駒，與諸詩駒字義合，而字皆作駒，則詩之駒字本不作驕明矣。

旭昇案：駒，《傳》、《箋》都沒有解釋。《釋文》：「馬五尺以上曰駒。」《說文》「駒」字下段注云：「鄭司農云：『馬三歲曰駣、二歲曰駒。』〈月令〉：『犧牲駒犢，畢舉其數。』犢爲牛子，則駒馬子也。《小雅》『老馬反爲駒』，言已老矣，而孩童慢之也。按：《詩》『駒』四見，而〈漢廣〉、〈株林〉、〈皇皇者華〉，於義皆當作『驕』，乃與毛《傳》、《說文》合，不當作『駒』。依韻讀之，則又當作『駒』乃入韻，不當作『驕』。深思其故，蓋〈角弓〉用字之本義，〈漢廣〉、〈株林〉、〈皇皇者華〉則皆讀者求其韻不得，改『驕』爲『駒』也。駒未可駕車，故三詩斷非用駒本義。」段注的意思是：〈漢廣〉、〈株林〉、〈皇皇者華〉，於義皆當作「驕」，乃與毛《傳》、《說文》合，不當作「駒」；依韻讀之，則又當作「駒」乃入韻，不當作「驕」。這個矛盾頗難解決。林義光《詩經通解》以爲「駒」字本來就有二義，一爲馬子、一爲驕。本詩的「駒」本不當作「驕」，他引金文說明「駒」的本義爲五尺以上、六尺以下的馬，這應該是對的。金文中的「駒」除了林氏所引的兩件銘文之外，還有另二件也可以看出「駒」的這種意義，其一是《癲鼎》（《總集》1244、《邱集》1351）：「維三年四月庚午，王在豊，王呼虢弔召癲，賜駒兩，拜頶，用作皇祖文考盂鼎，癲萬年永寶用。」其二是近年發現的《晉侯穌編鐘》（未發表）：「王寴賜駒三匹。」王賞賜給癲、晉侯的馬當然應該不會是小馬。此外，本詩從前後章的對比也可以知道此處的「駒」絕不會是小馬，前章說「言秣其馬」，此章說「言秣其駒」，當然與上章同義，只是爲了換韻而換字罷了，林氏之說當可從。又如《大雅．下武》條《詩經通解》云：

《大雅．下武》：「受天之祜，四方來賀。於萬斯年，不遐有佐。」佐讀爲差，古文當作差，作佐者傳寫所改。《齊侯罏》「國差立事」，國差即國佐也。不、發聲之詞；遐讀爲胡。不遐有差者，胡有差也。猶不遐有害爲胡有害（見〈泉水〉及〈二子乘舟〉篇），不遐有愆爲胡有愆也（見〈抑〉篇）。

旭昇案：《毛詩．大雅．下武》原文如下：

下武維周，世有哲王。三后在天，王配于京。
王配于京，世德作求。永言配命，成王之孚。
成王之孚，下土之式。永言孝思，孝思維則。
媚茲一人，應侯順德。永言孝思，昭哉嗣服。
昭茲來許，繩其祖武。於萬斯年，受天之祜。
受天之祜，四方來賀。於萬斯年，不遐有佐。

「不遐有佐」句，《傳》云：「遠夷來佐也。」《箋》云：「武王受此萬年之壽，不遠有佐，言其輔佐之臣亦宜蒙其餘福也。《書》曰：『公其以子萬億年。』亦君臣同福祿也。」《傳》、《箋》的解釋似乎不同，其相同點是都讓人看不懂。孔《疏》申明其義云：「言不遠有佐，是遠有佐，遠人佐天子，唯夷狄耳，故知遠夷來佐之。《書·敘》言武王既勝殷，西旅獻獒，巢伯來朝。〈魯語〉曰：『武王克商，遂通道於九夷八蠻，肅慎來賀。』是遠夷來佐之事。……《箋》以不遐有佐，順文自通，不當反其言，故易之。武王既有萬年之壽，不遠有輔佐之臣共蒙其福，其封爲諸侯，則與周升降；其仕於王朝，則繼世在位，是其不與遠之。」這樣的解釋，其實是增字解經，而且仍然讓人看不懂。其後的注疏家大都不能有更好的解釋，屈萬里先生云：「按佐字古但作左，《國策·魏策》『必右秦而左魏。』高誘注『左，疏外也。』襄公十五年《左傳》：『天子所右。』疏云：『人有左右，右便而左不便，故以所助者爲右，不助者爲左。』此『不遐有佐』承『四方來賀』言，意謂四方之民，雖千秋萬世亦不致疏外周室也。」（《書傭論學集·詩三百成語零釋·不遐》）這樣的解釋，比《傳》、《箋》要好，但是本詩的「四方」不是「四方之民」，應讓是四域方國之君長。其次，「於萬斯年」的主語是武王，不應「不遐有佐」的主語突然又變成「四方之民」，所以屈先生的這個解釋仍是有問題的。林義光引《國差𦉜》的「差」當釋爲「佐」，因此本詩的「佐」當然可以釋爲「差」，義爲差忒。這是非常正確的。戰國金文「佐」作「差」的非常多，我們可以爲林氏再補充更多的證據：

《楚王酓忎鼎一》（《總集》1231、《邱集》1339）

楚王酓忎戰獲兵銅，正月吉日，室鑄喬鼎，以共胾棠，冶工師盤野差（佐）秦忎爲之，集脰，三楚。

《楚王酓忎盤》（《總集》6775、《邱集》7537）

冶工師紹圣差（佐）陳共爲之，楚王酓忎戰獲兵銅，正月吉日，室鑄少盤，以共歲嘗。

《距末一》（《總集》7822、《邱集》8754）

國差賞末，用乍距悍。

《𠕋客楚量》（《江漢考古》1987.2）

𠕋客臧嘉聞王於莪郢之歲，享月己酉之日，羅莫敖臧允，連敖屈辻，以命工尹穆丙，工差（佐）競之，集尹陳夏、少集尹龔賜、少工差（佐）孝癸，鑄廿金削以賹，□□。

有這麼多金文的旁證，我們可以相信戰國時代「差」、「佐」互通，因此本詩的「不遐有佐」應讀爲「不遐有差」，當無可疑，林義光的說法是可信的。

聞一多古文字學的專著沒有林義光那麼多，但見於《古典新義》的有〈釋□〉、〈釋省省〉、〈釋朱〉、〈釋爲釋豕〉、〈釋𡇒〉、〈釋龢〉、〈釋余〉、〈釋羔〉、〈釋桑—

—附釋㜸釋喿〉、〈釋噩〉、〈釋不〉、《璞堂雜識》（中含〈蔑曆〉、〈益〉、〈茲古〉、〈霝龠〉、〈叔督𡘋淑〉、〈巤〉、〈鼠〉、〈正〉、〈勇〉、〈退〉、〈[口鼠]〉等篇是談古文字的）、〈大豐簋考釋〉、〈禹邗王壺跋〉等篇，其中有不少值得採納的創見。以這樣的基礎來解《詩經》，當然有不少可喜的意見，茲引一條《詩經新義》引古文字以解《詩經》的論述如下：

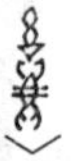

「誰謂雀無角」（《召南．行露》）《傳》：「雀之穿屋，以有角者。」《箋》：「人皆謂雀之穿屋似有角，……物有似而不同，雀之穿屋，不以角，乃以咮。」角謂鳥喙，昔儒類皆知其然（吳仁傑、何楷、俞樾、于鬯、薛蟄龍並主此說），而未能明其所以然。請列五事以證成之。㈠、以語根爲證。喙者，《說文》口部：「噣、喙也。」噣、角古同音，觸亦作𧣾（《淮南子．齊俗》篇「獸窮則𧣾」，《新序．雜事》篇作觸。……）擉亦作捔（《集韻》擉同捔），並其證。噣、角音同，角蓋噣之初文，故噣爲喙，角亦爲喙。㈡、以文字畫爲證。古器銘識有大喙鳥（鼎文，《續殷文存》上四）其喙作形，與卜辭角字作者逼肖，與兕字之角形（《前》七、四一、一）、（《前》二、三一、四）、（《前》四、四六、六），筆意亦近，是古人造字，喙與角不分二字也。㈢、以古諺爲證。《漢

書・董仲舒傳》：「予之齒者去其角，傅其翼者兩其足。」角即咮也，二句以鳥獸對言，「予之齒者去其角」，謂獸有齒以齧，即不得有角以啄，「傅之翼者兩其足」，謂鳥有兩翼以飛，即不得有四足以走也。若以角爲獸角，則牛、羊、麋、鹿之類，有齒復有角者多矣，安得云「予之齒者去其角」乎（吳仁傑、俞樾說如此）？古稱鳥咮爲角，此其明徵。㈣、以本字孳乳爲證。角孳乳爲觜（今作嘴），後世用爲鳥觜專字，《文選・射雉賦》：「裂膆破觜。」注：「觜、喙也。」觜爲鳥喙，而獸角或亦稱觜。《說文・角部》：「觜、鴟舊頭上角觜也。」案：頭上角觜即毛角。鳥之毛角以象獸角而得名，毛角謂之觜，則獸角古或亦稱觜，從可知矣。獸角謂之角，鳥喙亦謂之角；鳥喙謂之觜，獸角亦謂之觜，其例一也。㈤、以支孳乳字爲證。角又孳乳爲桷。《廣雅・釋室》：「桷、椽也。」案：椽謂之桷，猶喙謂之角也。要之，獸角、鳥喙，其形其質，並極相似，又同爲自衛之器，故古者角之一名，獸角與鳥喙共之。寖假而角字爲獸角所專，乃別製形聲之噣字以當鳥喙之名。噣行而其初文之角廢，故《傳》、《箋》說〈行露〉篇皆曰「雀之穿屋似有角」，謂雀似有角而實無，是讀角爲獸角之角，失之（三章「誰謂鼠無牙」，牙即齒。牙與齒散文通，此稱齒爲牙，猶〈泮水〉「元龜象齒」，又稱牙爲齒也。《傳》：「視牆之穿，推其類，可謂鼠有牙。」謂牙爲牡牙，亦誤）。至古諺「予之齒者去其角，傅其翼者兩其足」，惟董子所引，尚存其眞，他若《大戴記・易本命》篇「四足者無羽翼，戴角者無上齒」、《太玄・九玄挩》「嘖以牙者童其角，攡以翼者兩其足」，雖詞句各殊，而角皆謂獸角，蓋皆不達古語之義而妄改之。（《古典新義》第八十一頁）

旭昇案：聞氏此條列舉五點證據，以說明〈行露〉「誰謂雀無角」的「角」字是鳥喙，可以說是論證精詳，說不可易。而引金文鳥形，證明古人畫鳥喙似角，也是個很有力的旁證。

于省吾是近代的古文字學大師，著有《雙劍誃吉金文選》、《甲骨文字釋林》等多種著作，在古文字學上有非常高的成就，他把古文字學的成果拿來解釋先秦典籍，也獲得很好的成績，如：《尚書新證》、《詩經新證》、《易經新證》、《論語新證》、《諸子新證》等。本文只就他《詩經新證》中的文章舉一例，以見他把古文字學用在詩經研究上的成績：

委委佗佗〈君子偕老〉

毛《傳》：「委委者，行可委曲蹤迹也。佗佗者，德平易也。」

按「委委佗佗」，應讀作「委佗委佗」，即〈羔羊〉之「委蛇委蛇」。委佗古人謰語。金文、《石鼓文》及古鈔本周秦載籍，凡遇重文不復書，皆作＝以代之。如敦煌寫本《毛詩・六月》「既成我服，我服既成」，作「既成我＝服＝既成」。又「

「四牡既佶，既佶且閑」，作「四牡既=佶=且閑」。〈谷中有蓷〉「嘅其歎矣，嘅其歎矣」，作「嘅=其=歎=矣=」，〈葛藟〉「謂他人父」、「謂他人母」、「謂他人昆」三重語皆與上文同例。〈式微〉「式微式微」，作「式=微=」。〈揚之水〉「懷哉懷哉」，作「懷=哉=」。〈綢繆〉「子兮子兮」，作「子=兮=」。〈碩鼠〉「碩鼠碩鼠」，作「碩=鼠=」。「樂土樂土」，作「樂=土=」。此例不勝枚舉。〈羔羊〉「委蛇委蛇」，作「委=蛇=」。此篇「委委佗佗」，作「委=佗=」。然則一讀「委蛇委蛇」，一讀「委委佗佗」，自毛《傳》已如此，沿訛久矣。又〈羔羊〉《釋文》「沈讀作委委蛇蛇」，亦猶此篇作「委委佗佗」矣。古書亦有應重讀反互讀以致誤者，如《法言・先知》「眞眞僞僞則政核」，李注本訛作「眞僞眞僞則政核」。皆由古書文不複書，後人易致顚倒矣。

旭昇案：于氏此條所述應可從，但還有要略加說明之處。于氏說「金文、《石鼓文》及古鈔本周秦載籍，凡遇重文不復書，皆作=以代之」，這是對的，但是多字重文的讀法有兩種，即「A=B=」，可能讀成「AABB」，也可能讀成「ABAB」，于氏所舉的都是讀「ABAB」的例子，實際上，金文中最常見的卻是讀成「AABB」。如銅器銘文中幾乎無器無之的「子=孫=永寶用」，就應該讀成「子子孫孫永寶用」。不過，銅器銘文中確實有應該讀爲「ＡＢＡＢ」的例子，而于氏卻沒有引以爲證。《𣪘鐘》（《總集》7176、《邱集》7985）銘云：「……王對乍宗周寶鐘，倉倉悤悤，雉雉雝雝，用卲各不顯且考先＝王＝其嚴才上……」，句中的「用卲各不顯且考先＝王＝其嚴才上……」應讀爲「用卲各不（丕）顯且考先王，先王其嚴才（在）上……」，可以證明于氏之說不誤。但是，兩種讀法並存，什麼時候該讀「ＡＡＢＢ」、什麼時候該讀「ＡＢＡＢ」呢？于氏也沒有談到這個問題。依我個人的淺見，大部份看上下文義都可以判斷，少部份聯綿詞由於已往被誤解，因此不易正確讀出。但隨著文法訓詁之學的不斷進步，大部份的聯綿詞我們都可認得出來，凡是聯綿詞應該一律讀爲「ＡＢＡＢ」。即以本詩爲例，「委佗」一詞，毛《傳》云：「委委者，行可委曲蹤迹也。佗佗者，德平易也。」是毛《傳》以委佗二字分釋，並不以爲這是一個聯綿詞。《釋文》：「韓《詩》云：德之美貌。」《爾雅．釋訓》：「委委佗佗，美也。」洪邁《容齋五筆．卷九．委蛇之字變》：

此二字凡十二變：一曰委蛇，本於《詩．羔羊》……，二曰委佗，《詩．君子偕老》「委委佗佗」……，三曰逶迤，韓《詩》釋上文云：「公正貌。」……，四曰倭遲，《詩》「四牡騑騑，周道倭遲」……，五曰倭夷，韓《詩》之文也。六曰威夷，潘岳詩：「迴谿縈曲阻，峻阪路威夷。」……，七曰委移，《離騷經》：「載雲旗之委蛇。」一本作逶迤，一本作委移……，八曰逶移，劉向〈九歎〉：「遵江曲之逶移。」九曰逶蛇，後漢〈費鳳碑〉：「君有逶蛇之節。」十曰蜲蛇，張衡〈西京賦〉：「女娥坐而長歌，聲清暢而蜲蛇。」……十一曰遹迆，漢〈逢盛碑〉：「當遂遹迆，立號建基。」十二曰威遲，劉夢得詩：「柳動御溝清，威遲堤上行。」

以上這十二個詞其實都是同一個詞的不同形式，詞無定字，這正是聯綿詞的特徵。朱駿聲《說文通訓定聲・履部第十二》很明白的指出委蛇、逶迤、蜲蛇，都是疊韻連語，可惜他受到毛《傳》、《爾雅》的影響，以爲「委委佗佗」是重言形況字。準上所述，委佗即委蛇，是聯綿詞應是無可置疑的。聯綿詞在一般的情況之下是連用不拆開的，但是《詩經》中有少數例子是拆開分用的，如：《小雅・隰桑》：「隰桑有阿，其葉有難。既見君子，其樂如何？」阿與難，或作「猗儺」（《檜風・隰有萇楚》），今作「婀娜」。但這樣的例子究竟是比較少，而且「阿難」是否一定是聯綿詞也還可以討論。《詩經・羔羊》中既有「委蛇委蛇」的例子，那麼「委委佗佗」自以讀作「委佗委佗」比較合理，因此于氏之解是對的。

于氏的《雙劍誃詩經新證》出版於一九三五年，在一九八二年時他把在《文史》發表的《澤螺居詩經札記》、《澤螺居詩經解結》略加修正，加上五篇文章，集結成《澤螺居詩經新證》。此後就沒有看到從古文字的角度來研究《詩經》的專著了。自一八九九年甲骨文出土以來，古文字學的發展一日千里，進步神速，其中可以拿來考訂經史的材料非常多，這一塊良田沃野，正等待著我們的辛勤耕耘呢。

上編、字句訓詁編

壹、《召南・甘棠》「召伯」古義新證

蔽芾甘棠，勿翦勿伐，召伯所茇。

蔽芾甘棠，勿翦勿敗，召伯所憩。

蔽芾甘棠，勿翦勿拜，召伯所說。——《召南・甘棠》

本篇是召南人民懷念召伯的詩，文句非常簡單質樸，但是詩中所表現的情感卻是那麼地深厚，大羹不調，大音希聲，文學上自也不能例外。詩中的「召伯」，傳統都說成是召公奭，但近代學者傅斯年先生從西周史、五等爵、《詩經》前後篇章對比等方面，認爲《詩經》中的「召伯」都是召伯虎，而不是召公奭。由於論證有據，所以現在說詩者，大部份都採用了這個說法。但是，隨著學術不斷地發展，甲骨、金文研究日新月異，地下文物大量出土，學術界對西周史的研究更加精詳，據金文新出土資料的證據顯示，召公奭在周初有被稱爲召伯的

例子，當然，這裡的「召伯」不是五等爵中的「伯」，而是傳統所說的「二伯」、「方伯」。因此，本詩的「召伯」是否一定是召伯虎，而不是召公奭，有重新檢討的必要。而學者以本詩的「召公」是召伯虎，因而論定本詩的時代不在西周初的說法，恐怕也需要稍加保留了。

《毛詩．序》：「〈甘棠〉，美召伯也。召伯之教明於南國。」《傳》對「召伯」是誰，沒有解釋，照毛《傳》的通例，毛氏沒有解釋的詞，大部份都是他認爲在當時是常解，所以不需要再解釋了，雖然後人未必明瞭這個常解。鄭《箋》：「召伯，姬姓，名奭，食采於召，作上公，爲二伯，後封於燕，此美其爲伯之功，故言伯云。」很明白地指出「召伯」就是召伯奭，周初被命爲二伯，所以詩稱「召伯」。

孔《疏》：「〈燕世家〉云：『召伯奭與周同姓。』是姬姓名奭也。皇甫謐以爲文王庶子，未知何所據也。言『作上公，爲二伯』，故云召伯。〈典命職〉云：『上公九命爲伯。』然則二伯即上公，故言作上公，爲二伯也。食采文王時，爲伯武王時，故〈樂記〉曰『武王伐紂，五成而分陝，周公左，召公右』是也。食采爲伯，異時爲言者，以經召與伯并言，故連解之。言後封於燕者，〈世家〉云『武王滅紂，封召公於北燕』是也。……故《鄭志》：『張逸……問之云：《詩．傳》及〈樂記〉：武王即位，乃分周公左，召公右，爲二伯。文王之時，不審召公何得爲伯？答曰：〈甘棠〉之詩，召伯自明，誰云文王與紂之時乎？』是鄭以此篇所陳巡民決訟，皆是武王伐紂之後爲伯時事。」孔《疏》特別指出，有人懷疑，召公奭既然是在武王時爲伯，爲何文王時的二《南》會有「召伯」之稱呢？鄭玄的意思，因爲這是寫召公在武王時既爲方伯、巡民決訟時的事，所以可以用召公奭最尊隆的爵稱——方伯。

《毛詩》以爲召伯即召公奭，三家《詩》也無異說。但近人卻有不同的看法，傅斯年先生以爲此詩實爲思召伯虎，《詩經講義稿》云：「周衰楚盛，召伯虎之功不得保持，國人思之。」關於《召南》的時代，傅斯年先生以爲多在厲王以後，《詩經講義稿》第二三五頁云：

> 記南國開闢事最早見者是「昭王南征不復」，其前在成康如何形狀，現在全無明文可見。《大雅》、《小雅》開闢南國各詩，毛《序》皆歸之宣王時，但《國語》載宣王事多非善政，既敗於姜氏之戎，又喪南國之師，又興魯難。厲王和幽王並稱，當是戰國時事，厲王只是嚴厲，爲國人所逐，彼時之周尚強大，能將熊渠之王號除去，或南征各篇上及厲王，也甚可能者。……周之開南國當是很長久的事，……這一片地有直屬于王室者，有分封諸侯者，直屬于王室曰周南，分封諸侯統于召伯者曰召南。……南國之解既稍清楚，有一謬説可借以掃除者，即周召分伯一左一右陝西陝東之論。周公稱王滅殷，在武王成王間，其時之召公奭只是一個大臣，雖〈君奭〉篇中亦不見他和南國有何相干。開闢南國是後起事，那時召伯虎爲南國之伯，

去召公不知有幾世了。

此說得到近代大多人的接受，如屈萬里先生《詩經釋義》便完全採用此說。以之解〈甘棠〉篇，則詩中的「召伯」就成了召伯虎，而不是召公奭了。《詩經釋義．甘棠》篇下云：

召伯，召穆公虎也。早期經籍於召伯虎或稱公，而絕無稱召公奭為伯者。召伯之稱，又見於《小雅．黍苗》、及《大雅．崧高》，皆謂召虎；而《大雅．江漢》之篇，於虎則曰召虎，於奭則曰召公，區別甚明。

現在說《詩經》的人，很多都採用這樣的講法了。

但是，在銅器上所顯現的情形並不完全是這樣。清末（《頌齋》考釋九以為在道光年間、《綴遺》四．二以為在咸豐年間）同時出土的梁山七器中，《大保方鼎》、《𡨦鼎》、《大保簋》、《大保鴞卣》四器上有大保之稱，《大史友甗》上有召公之稱，《白𡨦盉》、《𡨦鼎》上有召白父辛之稱，「此六器，它們的形制花紋都是西周初期的，不能晚于康王」、「大保、君奭、保奭、召大保奭並是一人。君、保、大保是其官職，公是其尊稱，召是其封地之名。西周金文稱之為召公、召白，《詩．江漢》稱召公，〈甘棠〉稱召伯。」（陳夢家《西周銅器斷代》，頁96-97）至於召伯父辛，已往學者都認為是一個人，是第一代燕侯，他有三個兒子，根據是以下這四件銅器：

《匽侯旨鼎》二：「匽侯旨作父辛尊。」（《總集》0844、《邱集》0915）

《憲鼎》：「維九月既生霸辛酉、在匽，侯賜憲貝、金，揚侯休，用作召白父辛寶尊彝，憲萬年子子孫孫寶，光用大保。」（《總集》1249、《邱集》1359）

《白憲盉》：「白憲作召白父辛寶尊彝。」（《總集》4432。《邱集》4835）

《龢爵》：「龢作召白父辛寶尊彝。」（《總集》4199、《邱集》4562）

旨、憲、龢三人都是父辛之子，陳夢家認爲他們三人是兄弟，而召白父辛即召公奭：「《詩．甘棠》、〈黍苗〉、〈崧高〉等的召伯和〈江漢〉的召公應是召公奭，故梁山七器中鼎、盉稱召伯而甗稱召公。」（陳夢家《西周銅器斷代》頁89）如依此說，則西周初年召公亦可稱召白（伯）。惟唐蘭則持不同的看法，以爲《憲鼎》、《白憲盉》、《龢爵》中的召白父辛不是召公奭，應是召公之長子，爲第一代燕侯（《史徵》頁146-148）。二說雖有這些不同，他們同樣認爲周初燕國的世次如下：

召伯父辛（陳夢家以爲即召公、唐蘭以爲召公之長子）

但是，一九八六年在北京房山琉璃河1193號墓出土了《克罍》、《克盉》（《考古》1990,1），二器同銘，改變了前人所認爲燕君的世次，克器銘文如下：

> 王曰：「大保，惟乃明乃心，享于乃辟，余大對乃享，命克侯于匽，旃羌兔𠭯雩馭徵。」克宅匽，入土眔有𤔲，用作寶尊彝。

李學勤先生以爲，周王的話是對召公說的，大保即召公。克是召公的兒子，他才是燕的第一代始封之君。旃讀爲「使」，羌兔𠭯、馭徵是人名，雩是連接詞。銘末只說「用作寶尊彝」，而不指出受祭的對象，原因是召公此時尚健在，召公以老壽著稱，今本《竹書紀年》說他卒於康王二十四年。陳夢家等以「召白父辛」爲一人，不確，當讀爲召白、父辛二人，召白當然是召公奭，李氏在〈克罍克盉的幾個問題〉一文中云：

> 召公可稱召伯，見《詩·甘棠》。如「召伯父辛」爲一人，則燕侯旨只能是克之弟，如此與《世本》所載燕自宣侯以上「皆父子相傳，無及」相悖。或以克、旨爲一名一字，但另一《燕侯旨鼎》云「燕侯旨初見事于宗周，王賞旨貝廿朋」，於例又必是名。這裡的問題就是「召伯父辛」應理解爲兩代，讀作「召伯」、「父辛」。實際上，在爵稱之下加以日名，也是沒有的。如此讀法，有關世系可圖示如次：

召伯（召公、太保）——克（父辛）——旨
　　　　　　　　　　　　　　　　├憲
　　　　　　　　　　　　　　　　└龢

克是第一代燕侯，旨是第二代燕侯。梁山七器中的《憲鼎》、《憲盉》的憲和見於《龢爵》的龢，都是燕的支子。

據以上的銅器材料，我們可以知道在周代早期燕君作銅器稱自己的祖先召公也稱召伯，這是證據確鑿，無可懷疑的。後人惑於周代五等爵制，以爲伯比公地位低，以召公顯赫的勳勞，封賞的崇隆，後代子孫理應稱他爲公，而不應稱他爲伯。事實上，五等爵的制度，傅斯年先生以爲是由家族稱謂轉爲政治稱謂，其整齊制度化乃由後人拼湊而成（傅斯年〈論所謂五等爵〉）。郭沫若以爲是周末儒者託古改制之行爲（《金文叢攷．金文所無考．五等爵祿》第三十九頁）。陳槃先生承其師傅斯年先生之說，《左氏春秋義例辨》卷一第八葉云：

> 公爲尊稱，伯、子爲家族中恆詞……家族之稱，施諸國君，不足異也。所謂五等爵，其中惟侯與男爲爵，然侯爲開國承家、蕃屏王室者之通號。男爲附庸，自亦得稱。

又以爲，即使周初有過五等爵的設計，但事實上周王自始即未施行過，只是一個粗略的輪廓而已，同書第十三葉云：

所謂五等爵，……據《孟子．萬章下》「周室班爵祿」之事，諸侯「惡其害己」、「皆去其籍」，故「其詳不可得聞」。得聞者，唯其「大略」。所謂「聞」、所謂「大略」，與眞馮實史有別，讀者不可以不察也。〈王制〉、《公羊》于《孟子》外又別有說，〈王制〉、《公羊》復互異。蓋無可依據，各以傳說，故爲是紛紛爾。不然，則是周初或曾制定此周禮，爲孟子以後諸家所據，然即令周初有此制，要是未嘗實行。《左傳》稱：「昭四年，楚子（靈王）合諸侯于申，王使問禮於左師與子產，左師曰：『小國習之，大國用之，敢不薦聞。』獻公合諸侯之禮六。子產曰：『小國共職，敢不薦守。』獻伯、子、男會公之禮六。君子謂合左師善守先代，子產善相小國。王使椒舉侍於後以規過，卒事不規。王問其故，對曰：『禮，吾未見者有六焉，又何以規。』楚子示諸侯侈，椒舉曰：『夫六王、二公之事，皆所以示諸侯禮也，諸侯所由用命也。夏桀爲仍之會，有緡叛之；商紂爲黎之蒐，東夷叛之；周幽爲大室之盟，戎狄叛之。皆所以示諸侯汰也。』」　此故事最足以表示所謂五等爵禮之在春秋，早已名存而實亡，雖能稱引古昔如椒舉，嘗「欲敎叔向以所不知」；

如楚靈（見昭五年《傳》），亦對此茫然，一詞莫贊。莊十八年，虢公與晉侯朝僖王，「王饗醴，命之宥，皆賜玉五瑴、馬三匹。」《左傳》作者以爲非禮，謂「王命諸侯，名位不同，禮亦異數，不以禮假人。」注曰：「侯而同公賜，是借人禮。」《正義》曰：「周禮，王之三公八命；侯、伯七命。是其名位不同也。其禮各以命數爲節，是禮亦異數也。今侯而與公同賜，是借人禮也。」今按、周王自始即未嘗用《周禮》之說，或亦略行之不通，遂不復用。後儒膠柱鼓瑟，斯眞可笑。鄭樵《六經奧論・六・周禮辨》曰：「後世孫處又獨爲之說曰：周公居攝六年之後，書成歸豐，而實未嘗行也。蓋周公之爲《周禮》，亦猶唐之顯慶、開元禮也，唐人預爲之以待他日之用，其實未嘗行也，惟其未經行，故僅述大略，俟其臨事而損益之，故建都之制，不與〈召誥〉、〈洛誥〉合；封國之制，不與〈武成〉、《孟子》合；設官之制，不與《周官》合；九畿之制，不與〈禹貢〉合。」此言可思也。

以上三氏論五等爵之制，雖有小處尚可商榷，但大體可信，周初公、伯之稱並不如後世想像的那麼嚴整。而銅器中所顯示的召公也可稱召伯，更可證明〈甘棠〉詩中的召伯傳統解爲召公奭，並非完全不可能。周代對南國的開發本是極漫長的一個過程，而其起始，當自召公時已經開展，杜正勝先生《古代社會與國家》第三四四頁云：

參照周代文獻，召公轉戰東土之餘在郾城建立殖民據點，比之齊魯，以鎮戍東南方，並非不無可能（旭昇案：無字疑衍）。從郾城南下便進入漢陽地區，今之湖北東部，古代通稱爲南國。據傳出於岐山的玉戈銘曰：「王在豐，令大保省南國，帥漢，𢓊（出）𥨊南，令厲医，辟用𪚾走百人。」古厲國在湖北隨縣北。召公必曾經營漢陽，行軍南國，《史記．樂書》故曰：「武亂皆坐周、召之治也。……三成而南，四成而南國是疆。」否則，二百年後他的後人召伯虎「徹」江漢疆土時，周宣王也不會勉以「召公是似，肇敏戎公，用錫爾祉。」

其說甚爲有據。因此《召南》詩中出現召公奭，毋寧是極其合理的。在此，我們似乎應該考慮〈甘棠〉詩中的「召伯」的「伯」有可能是前人所說的「方伯」，換句話說，「伯」的地位有可能比「公」要高。傅斯年先生也指出「《詩》言侯者未必特尊，如『載馳載驅，歸唁衛侯』、『齊侯之子，衛侯之妻』，而言伯者每是負荷世業之大臣，如召伯、申伯、郇伯、凡伯。果伯一稱在爵等之意義上不逮侯者，此又何說？」（《傅斯年全集》第三冊第0772頁）陳槃先生通過對《左傳》的全盤研究，也認爲周代「方伯」之稱可信，《左氏春秋義例辨》卷一第九葉云：

「伯」之義爲長。封建者家天下，王爲君父，列國無同姓異姓皆稱「子」。強有力爲「伯」，猶諸子中之有兄長也。諸子中必有長伯以資統屬，此當然之事，故「子」之與「伯」，對稱聯立，義尤明顯。諸侯爲伯，一旦國力已衰，不能號召，則亦仍爲侯耳。……《史記．衛康叔世家》於衛或稱侯、或稱伯，謂初本爲伯，「逮貞伯卒，子頃侯立，頃侯厚賂周夷王」，於是「夷王命衛爲侯」、《索隱》據〈康誥〉及孔安國說辨之曰：「〈康誥〉稱『命爾侯于東土』，又云『孟侯，朕其弟，小子封』，則康叔初封時已爲侯也。比子康伯即稱『伯』者，謂『方伯』之『伯』耳，非至子即降爵爲伯也。故孔安國曰：『孟，長也。五侯之長爲方伯，方伯、州牧也，故五代孫祖恆爲方伯也。至頃侯德衰，不監諸侯，乃從本爵而稱侯，非至子而削爵，及頃侯賂夷王而稱侯也。』」今按、《左傳．襄四年》：「三夏，天子所以享元侯也。」杜注：「元侯，牧伯。」元侯，義即「孟侯」。孔云「康叔爲方伯」，不誤也。又云衛後世「德衰，不監諸侯」，亦有可以推知者，《毛詩．序》曰：「〈旄丘〉，責衛伯也。狄人迫逐黎侯，黎侯寓于衛，衛不能修方伯連率之職，黎之臣子以責於衛也。」《左傳》曰：「成四（旭昇案：當爲三之誤）年，晉侯使荀庚來聘，且尋盟。衛侯使孫良夫來聘，且尋盟。公問諸臧宣叔曰：『……將誰先？』對曰：『……衛在晉，不得爲次國（注：衛猶爲小國），晉爲盟主，其將先之。』」「定八年，晉師將盟衛侯于鄟澤，趙簡子曰：『誰敢盟衛君者？』涉佗、成何曰：『我能盟之。』衛人請執牛耳，成何曰：『衛，吾溫原也，焉得視諸侯。』」是其例也。伯之後仍稱「伯」，北燕與鄭亦其例。《春秋》、《國語》、《左傳》等于燕、鄭皆稱「伯」，由燕召公與鄭武、鄭莊或爲天子二伯（燕）、或爲方伯（鄭），故其後仍爲「伯」也。

陳槃先生所說「伯」的初義應該是可信的，這個意義和傳統「方伯」、「二伯」的意思並無牴觸。《周禮・春官・大宗伯》：「九命作伯。」鄭注：「上公有功德者加命爲二伯，得征五侯、九伯者。鄭司農云：『長諸侯爲方伯。』」證諸西周史、文獻、銅器銘文，傳統的這個說法是有相當根據的。

綜合以上敘述，召公奭在周初因爲功勞很大，所以被命爲二伯，因此召公又稱召伯。而周初已經展開對南國的開拓，召公奭也參與了這個行動，在召南留下了恩澤，因此召南之人悅其化、思其人、敬其樹，傳統的說法和古文獻、古文字的資料完全密合，應當可信。而今人主張二《南》之詩「最早不逾宣王之世，遲者已至東周初葉」、「凡言召伯皆指召伯虎」之說，似乎也有重新檢討的必要了。

貳、《召南·甘棠》「勿翦勿拜」古義新證

（原詩見上篇）

本詩「勿翦勿拜」一句中的「拜」字，毛《傳》沒有解釋，依毛《傳》的體例，大概是常用字、通行義。三家《詩》「拜」作「扒」（見《廣韻》十六怪：「扒，拔也。《詩》云：勿翦勿扒。」）陳喬樅《三家詩遺說考》、王先謙《詩三家義集疏》都以爲是魯、韓家說。鄭《箋》：「拜之言拔也。」王讜《唐語林》引施士丐《詩說》云：「拜，如人身之拜，小低屈也。上言勿翦，終言勿拜，明召伯漸遠，人思不可得也。毛注『拜猶伐』，非也。」是認爲毛《傳》的「拜」用的是常用字、通行義。朱子《詩集傳》：「拜，屈。」便是持這種看法。

但是，〈甘棠〉第一章說「勿翦勿伐」、第二章說「勿翦勿敗」《說文》：「敗，毀也。」

意義與伐相同。朱子《詩集傳》說：「敗，折也。」釋敗爲折，只是以意推之的解釋，並沒有任何根據。因此第三章的「勿翦勿拜」，應該也是意義相近同，如果解成拉樹枝，使之「小低屈」，顯然不合理的，與全詩的措義不相稱。從這個角度來看，鄭《箋》從三家《詩》解爲「拔」，與前兩章文義一致，當然是比較好的講法。但是，「拜」爲什麼會有「拔」的意義呢？馬瑞辰《毛詩傳箋通釋》云：

《廣韻》引《詩》「勿前勿扒」，云「扒，拔也，亦作拜」，拜與八雙聲，扒通作拜，猶澎湃通作澎扒也。《廣雅》、《玉篇》並云：「扒，擘也。」擘義爲分，亦爲擊，與首章「勿伐」亦同義。作扒者蓋三家《詩》，鄭君知拜即扒之假借，故《箋》以拔釋之。施士丐直訓「如人之拜，小低屈也」，失之。又按：據施士丐云「毛注拜猶伐，非也」，則施所見毛《傳》有「拜猶伐也」四字，今本脱去。

馬氏的解釋相當精審，從音理上來說，「拜」和「扒」都是祭部合口二等字，聲母都是脣音，二字聲音非常接近；從字義上來說，《廣雅》、《玉篇》並訓「扒」爲「擘」，擘義爲分裂，與首章「伐」字意義相近，這個說法優於舊說。

從古文字來看，學者又有不同的解釋。在銅器銘文中，「拜」字有兩種寫法，絕大部份作𢱭，从手从桒，我們依形隸定可以作「𢱭」，另外一形作⿰𠂹頁（見《友簋》），另一字見《豦簋》，手形訛變成朩）从手从頁，依形隸定可以作「⿰扌頁」（參四訂《金文編》第一九三三號）。關於第二字形，既然从手从頁，正象拜首至手之形，其爲「拜手」義的本字（也許是後起的），學者大概都沒有異議。關於前一字形，吳大澂釋「拜」，以爲象以手折花形，吳大澂《字說・拜字說》第三三頁云：

古拜字从手从𠌶，古華字从艸从𠌶，彝器古文無𠌶字，而華拜二字皆从𠌶，可證也。《石鼓文》𠌶字做𠂹，《毛公鼎》華字做𠂹，知古𠌶字當作𠂹，亦各有緐簡之不同。《吳尊》蓋華字作𠂹，亦作𠂹，拜字作⿰𠂹手，知𠂹即𠌶之簡之也。《彔伯戎敦》華字作𠂹，拜字作⿰手𠂹，知𠂹即𠌶之緐文也。拜字古文或作⿰𠂹手，或又作⿰𠂹手，皆象以手折𠌶形。《詩・甘棠》「勿剪勿拜」，《箋》云：「拜之言拔也。」唐施士丐說「拜言人身之拜，小低屈也」，究與「剪伐」二字義不相類，大澂謂：「勿拜」之拜當訓「以手折𠌶」，蓋漢以後訓詁家不見古文，不知拜字从𠌶之義，轉以〈甘棠〉詩拜字爲異解。《廣韻》引作「勿剪勿扒」，尤爲可異。實則「勿剪勿拜」爲拜字正義，「拜手稽首」爲拜字引伸之義也。小篆拜从手从⿰𠂹𠂹，許氏云𠦪音忽，義不可解，疑古文拜字有从𠦪者，華忽一聲之轉，形亦相似。

其後郭沫若也贊同這個講法，《金文叢考．釋⿰扌本》第二二頁云：

《國風．召南．甘棠》第三章「蔽芾甘棠，勿翦勿拜」，與首章「勿翦勿伐」、次章「勿翦勿敗」爲對文，鄭玄：「拜之言拔也。」蓋謂假拜爲拔，今案：拜（⿰扌本）實拔初字，用爲「拜首𩒨首」字者，乃其引申之義也。金文拜（⿰扌本）字至多見，今略舉數例如次：

[古文字]（《周公簋》）[古文字]（《曶鼎》）[古文字]（《師酉簋》）[古文字]（《師𠩄簋》）

凡此均示以手連根拔起草根之意，解爲拔之初字正適，拜手至地有類拔草卉然，故引伸爲拜。引伸之義行而本義廢，故造「拔」字以尸之。「拜手」字有作[古文字]者（《友簋》），其本字也。

吳、郭二家釋「拜」的本義爲「以手拔草卉」（究竟是拔花或拔草，此處姑不深究），從字形來看，有相當的可信度。這個字从手从𠦪，𠦪字的初義，說法很多（參《金文詁林》第一三五九號），龍宇純先生以爲即「芆」的初字，他在〈甲骨金文𠦪字及其相關問題〉一文中說：

《說文》茇字下云：「茇，艸根也。从艸犮聲。春艸根枯，引之而發土爲撥，故謂之茇。」又《說文》拔字下云：「拔，擢也，从手犮聲。」所謂「拔，擢也」者，《小爾雅·廣物》云：「拔根曰擢。」……《方言·卷三》云：「今呼拔草心爲揠。」……是拔之本義爲拔擢草根，所以《尚書·金縢》云：「大木斯拔。」《詩·綿》篇云：「柞棫拔矣，行道兌矣。」〈皇矣〉篇云：「柞棫斯拔，松柏斯兌。」《左氏·昭公九年·傳》：「拔本塞源。」《淮南·覽冥》篇云：「拵拔其根，蕪棄其本也。」所以〈甘棠〉詩「勿翦勿拜」，而鄭氏云：「拜之言拔也。」茇爲草根，拔爲拔擢草根，已可見二者意義上之關聯。而二者讀音相同，如更以截耳曰刵、去髕曰髕、誅族曰族……等例之，便可以肯定二者語源上的關係，即是拔之語是由茇之語孳乳的。換句話說，拔擢草根之所以言拔，便是因爲草根言茇之故。⿰丰木 既是拔的本字，⿰丰木 便是茇的初文了。就字形而言，⿰丰木 字上端的丫是普通表草的象形……，字下从木或木，也正是草根的樣子。

龍宇純先生把 ⿰丰木 形釋爲「茇」的本字，「⿰扌木」爲「拔」的本字。此說在字形上非常可能，他的說法和吳大澂、郭沫若之說可以互證。在三家說之外，我們還可以再推一步，即隸、楷的「拜」字其實就是從「𢱭」字演變來的，其字形演變如下表：

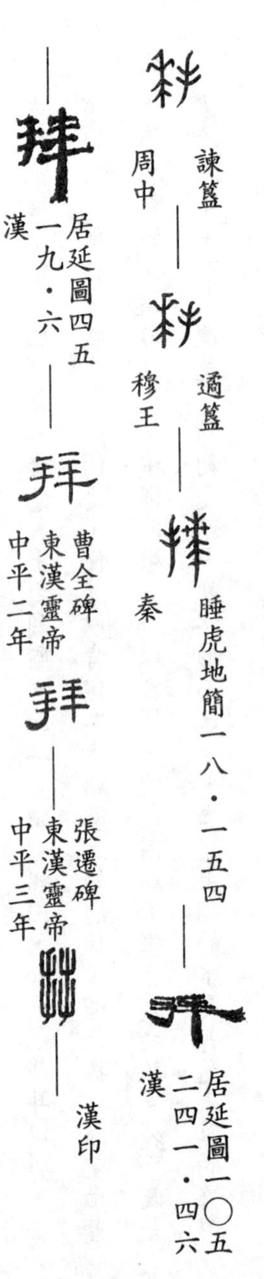

《諫簋》見《總集》2774、《邱集》2997、《集成》4237，《銘文選》82以爲紋飾與《邢侯簋》相同，把時代斷在康王時，但《集成》放在西周中期，以文例而言，放在西周中期比較穩妥。《遹簋》見《總集》2734、《邱集》2954、《集成》4207。《睡虎地秦墓竹簡》的「𢱭」字和周金文的「𢱭」字接近，是保留了比較早期的寫法。《居延漢簡》二四一·四六的「𢱭」字右旁所从的「𠦪」幾乎已經隸化爲四橫一豎，但我們還可以清楚地看到它的第二橫筆作兩個波浪形，顯然是保留了「𠦪」字的原始筆意。《居延漢簡》一六·九的「𢱭」字已經和現行楷字的「拜」的寫法完全一樣了。《張遷碑》的「𢱭（拜）」字左旁的「

手」形受到右旁「桒」形類化的影響，也寫成四橫一豎，看來跟「手」形就很像了。《漢印徵》的拜字从兩手，就是這樣訛變過來的。《說文解字》卷十二「𢪒」字的古文作「[古文字形]」，事實上它的下部就是和《張遷碑》的那種寫法同一來源，《說文解字》釋爲「从二手」是不對的。

綜合以上的探討，拔草卉的「拜」本作「𢪒」，象以手拔草卉之義，後來隸變寫作「拜」；而頷首的「拜」本作「⿰手頁」，象拜首至手之意。但是因爲金文、文獻中的頷首之「⿰手頁」幾乎都假借拔草卉的「𢪒（拜）」，而少用「⿰手頁」字，「𢪒（拜）」字的拔草卉之義漸漸爲頷首之義所奪，於是另造一個「拔」字來表示拔草根之義。《毛詩》作「勿翦勿𢪒」，用的是本字本義，意謂：「不要翦它、不要拔它」。漢代隸定以後寫作「勿剪勿拜」，仍舊用的是「𢪒（拜）」字的本形本義，鄭《箋》釋爲「拔」，非常精確適當。

參、《鄭風・羔裘》「舍命」古義新證

羔裘如濡，洵直且侯。彼其之子，舍命不渝。
羔裘豹飾，孔武有力。彼其之子，邦之司直。
羔裘晏兮，三英粲兮。彼其之子，邦之彥兮。——《鄭風・羔裘》

《毛詩・序》：「〈羔裘〉，刺朝也。言古之君子，以風其朝焉。」鄭《箋》：「言、猶道也。鄭自莊公而賢者陵遲，朝無忠正之臣，故刺之。」有關詩旨的部份在上一節已有充分的探討了，此處本文想就「舍命」一詞的意義及詩中人物的身份再提出一些補充，以爲讀詩之助。

「舍命」一詞，自古以來大致有以下六種講法：

一、處在危難的情狀下

鄭《箋》云：「是子處命不變，謂守死善道，見危授命之等。」（旭昇案：「命」字鄭玄未釋，胡承珙以為鄭玄「以命為軀命之命」，未必是。）

二、受命

《釋文》引王肅：「舍、受也。」

三、舍通釋、澤，受命於君以至復命而後釋

戴震《毛鄭詩考正》：「震案：古字舍、釋通，《禮記》舍菜即釋菜也。又澤、釋亦通，《考工記》『水有時以凝，有時以澤』，謂凝冰復釋，故李軌音釋是也。《管子》引此詩作『澤命不渝』，澤與舍義並為釋，言自受命於君，以至復命而後釋，始終如一也。」

四、捨命、犧牲生命

胡承珙《毛詩後箋》：「《釋文》舍音赦，此因《箋》訓舍為處，故為作音；又云：『沈音書者反。』是沈重意以舍為舍釋之舍矣。然鄭雖訓舍猶處，而云『是子處命不變，謂守死善道、見危授命之等』，是以命為軀命之命。《韓詩外傳》云：『崔杼弒莊公，合士大夫盟，謂晏子曰：不與，吾殺子，直兵將推之，曲兵將鉤之。晏子曰：吾聞留以利而倍其君，非仁也；劫以刃而失其志，非勇也。』其下引《詩》，曰：『羔裘如濡，洵直且侯。彼其之子，舍命不渝。晏子之謂也。』（註一）《新序・義勇》篇同此。蓋以舍命為授命，與鄭義合，戴氏用王肅之訓以為受君命，非也。」

王先謙《詩三家義集疏》：「謂至死而捨命亦不變耳。」

五、致命、甹命

王國維《觀堂集林・卷二・與友人論詩書中成語書二》中說：「《詩・羔裘》云：『舍命不渝。』《箋》云：『是子處命不變，謂守死善道，見危授命之等。』案：《克鼎》云：『王使善夫克舍命於成周。』《毛公鼎》云：『厥非先告父厝，父厝舍命，毋有敢蠢，甹命於外。』是舍命與甹命同意。『舍命不渝』如晉解揚之致其君命，非處命之謂也。」（旭昇案：解揚「致君命」事見《左傳・宣公十年》：「宋人使樂嬰齊告急于晉，晉侯……使解揚如宋，使無降楚，曰：『晉師悉起，將至矣。』晉人囚而獻諸楚，楚子厚賂之，使反其言，不許，三而許之。登諸樓車，使呼宋人而告之。遂致其君命，楚子將殺之，使與之言曰：『爾既許不穀，而反之，何故？非我無信，女則棄之，速即爾刑。』對曰：『臣聞之：君能制命爲義，臣能承命爲信，信載義而行之爲利。謀不失利，以衛社稷，民之主也。義無二信，信無二命。君之賂臣，不知命也。受命以出，有死無霣，又可賂乎？臣之許君，以成命也。死而成命，臣之祿也。寡君有信臣，下臣獲考死，又何求？』」致君命本來只是傳達國君的命令，但此段述揚拼死命完成任務，卻又和鄭《箋》「守死善道，見危授命」的意思很近。王國維釋「舍命」爲「甹命」，本來是非常正確的，但是解揚一事，很容易使人誤會他的意思，這是必須說明的。）

屈萬里《詩經釋義》：「舍命語金文中常見（命或作令，古通用），與敷命，布命同義。傳達命令也。王國維有說。」

六、錫命

林義光《詩經通解》：「舍命，錫命也。《毛公鼎》云：『歷自今，出入敷命于外，厥非先告父𢉩，父𢉩舍命，毋有敢憃敷命於外。』《克彝》云：『王命善夫克舍命于成周。』舍字在金文多釋爲賜予，舍命即錫命，亦即敷命之謂也。《易·姤卦·象傳》云：『有隕自天，志，不，舍命也。』不爲發聲語助，舍命亦即錫命，故爲有隕自天之象。此詩舍命之解亦當從鼎文與《易·傳》。至《韓詩外傳·二》、《晏子·雜上》篇、《新序·義勇》篇，載崔杼盟晏子，晏子不屈之事，並引此詩，則以舍命爲見危授命，與古義不合。」

以上這麼多解釋，那一家之說可信，實在不易分辨，此時金文似可以提供一個判斷的標準。金文中有關「舍令」（金文命、令同字）的記載有三條，分別見於以下三器：

《令方彝》（《總集》4981）

維八月、辰在甲申，王令周公子明保尹三事四方，受卿事寮。丁亥、令矢告于周公宮，公令𢓊同卿事寮。隹十月月吉癸未，明公朝至于成周，𢓊令：「舍三事令，暨卿事寮、暨諸尹、暨里君、暨百工，暨諸侯：侯、田、男，舍四方令。」既咸令，甲申、明公用牲于京宮，乙酉、用牲于康宮，咸既、用牲于王。明公歸自王，明公賜太師鬯、釥（註二）、牛，曰：用𠦪；賜令鬯、釥、牛，曰：用𠦪。迺令曰：今我唯令女二人、亢暨矢，爽左右于乃寮、以乃友事。作冊令敢揚明公尹厥宦，用乍父丁寶尊彝，敢追明公賞于父丁，用光父丁。雋冊。

《善夫克鼎》（《總集》1291、《邱集》1402）

維王廿又三年九月，王在宗周，王命善夫克舍令于成周遹正八師之年，克作朕皇祖釐季寶宗彝，克其日用將朕辟魯休，用丏康龢屯右，眉壽永令靈終，萬年無疆，克其子子孫孫永寶用。

《毛公鼎》（《總集》1332、《邱集》1445）

王若曰：父厝、丕顯文武，皇天引猒厥德，配我有周，膺受大命，率懷不廷方，亡不閈于文武耿光，唯天將集厥命，亦維先正𤔲薛厥辟，𠷎堇大命，肆皇天亡斁，臨保我有周，丕巩先王配命，敃天疾畏，司余小子弗彶，邦將害吉，𪓑𪓑四方，大從不靜。烏虖、懼余小子，圂湛于艱，永巩先王。王曰：父厝、□余維肇巠先王命，命女辥我邦我家內外，惷于小大政，甹朕位，虩許（赫戲）上下若否，雩四方，死

（尸）母（毋）童（動）余一人在位，引唯乃智余非，庸又聞，女毋敢妄寧，虔夙夕，惠我一人，雝我邦小大猶，毋折緘，告余先王若德，用仰卲皇天，䌛圝大命，康能四國，欲我弗乍先王憂。王曰：父厝，雩之庶出入事，于外敷命敷政，埶小大楚賦，無唯正聞，引其唯王智，迺唯是喪我國。厤自今，出入敷命于外，厥非先告父厝，父厝舍命，毋又敢惷敷命于外。王曰：父厝，今余唯䌛先王命，命女亟一方，宏我邦我家，毋頧于政，勿雝□庶□□，毋敢龏橐，龏橐迺敄鰥寡，善效乃友正，毋敢□于酒，女毋敢彖在乃服，圝夙夕，敬念王畏不易，女毋弗帥用先王乍明型，欲女弗以乃辟圅于艱。王曰：父厝，巳曰及茲卿事寮，大史寮于父即尹，命女𤔲司公族，雩參有司、小子、師氏、虎臣雩朕褻事，以乃族扞吾王身，取□卅鋝，賜女秬鬯一卣、祼圭瓚寶，朱市悤黃、玉環、玉琭，金車桒縟較、朱䖒䩞靳、虎冟熏裏、右厄，畫轉畫輯、金甬、錯衡、金踵、金豙、勅𣪘、金簟弼、魚箙，馬四匹、攸勒、金巤、金膺、朱旂二鈴，賜女茲关，用歲用政，毛公厝對揚天子皇休，用乍尊鼎，子子孫孫永寶用。

《令方彝》中周天子任命周公子明保掌管三事四方，所統轄的有卿事寮、諸尹、里君、百工、諸侯，地位比現在的行政院長還要高。八月甲申被任命之後，十月癸未舍三事令、舍四方令，這是向三事、四方發號施令。《善夫克鼎》是善夫克到成周舍令，舍的是「遹正八師」的令，「遹正八師」，郭沫若《大系》以爲「與《師遽簋》『延正師氏』同例，遹、延均語詞，『正』乃底績考成之意」，「八師」則是西周的主要軍事武力。善夫克能「舍令于成周遹正八師」，其地位自然不低。至於《毛公鼎》的主角毛公厝，那更不用說了，被稱爲父，表示他是周天子的父輩，而全銘周天子五次呼叫「父厝」，殷殷勖勉，期望之重、倚仗之隆，宛在目前，而銘末所記賞賜之豐，更可以說是金文之冠，毛公的地位由此可以想見。全銘要毛公「薛（乂治）我邦我家內外，……虔夙夕，惠我一人，雝我邦小大猶」、「亟一方，宏我邦我家」，簡直就是周天子手下的第一人。周天子又規定「麻自今，出入敷命于外，厥非先告父厝，父厝舍命，毋又敢惷敷命于外」，即所有政令，必須經過稟告毛公，再由毛公發佈，始能生效，「舍令」即「舍命」，吳闓生《文錄》云：

> 舍命乃古人恆語，即發號施令之意。《詩》：「不失其馳，舍矢如破。」舍矢猶發矢也。〈羔裘〉詩：「彼其之子，舍命不渝。」謂其發號施令，無所渝失也，故次章申之曰「邦之司直」，鄭《箋》乃以「見危授命」爲言，不知此詩只頌其大夫之賢能、優于政事，并未涉及危亂，何忽以「見危授命」爲言哉？以此知「舍命」之義不明久矣，非得彝鼎證之，不且沿謬終古乎？

吳闓生的解釋非常合理，應該是可信的。

由以上金文的資料顯示，「舍命」一詞，鄭《箋》是解錯了，歷來各家之說以王國維、吳闓生之說最正確。除此之外，本文還要討論的是「舍命」者的身份高低。〈羔裘〉的主人翁的穿著是「羔裘如濡，洵直且侯」，鄭《箋》說：「緇衣羔裘，諸侯之朝服也。」這個解釋，從宋朝的朱子起就有很多人不肯接受，《詩集傳》云：

> 羔裘、大夫服也。……彼服此者當生死之際，又能以身居其所受之理而不可奪。蓋美其大夫之詞，然不知其所指矣。

朱子不接受鄭《箋》本詩是寫諸侯的說法，但又不知道本篇是頌美什麼大夫，「既不能令，又不受命」，本是相當矛盾的，後來的學者很多接受了朱子的「美大夫」的說法，卻把他很謹慎的「然不知其所指矣」一句省略掉。但是，只從《詩經》的資料來看，我們很難得到這麼明確的結論。上引三件銅器銘文的資料，似乎還可以給我們提供一些參考。

《毛公鼎》的毛公地位絕對在一般諸侯之上，這是無庸置疑的。《善夫克鼎》的克只是個善（膳）夫，如果依照《周禮．天官．冢宰》，他的地位是宮廷食官之長，並不高。但是在銅器及文獻中所呈顯周代的情形並不是這樣，劉雨、張亞初《西周金文官制研究．善夫》云：

據《詩經．小雅．十月之交》「仲允膳夫」，可以知道，在西周晚期，膳夫已有很大的權勢。這在西周晚期的銘文中也可窺見一、二。《善夫克鼎》在光緒十六年（一八八八年）出土于陝西扶風法門寺，同時出土的銅器達一百二十餘件之多。我國著名的重器《大克鼎》、《小克鼎》都是在這一次出土的。善夫克擁有如此多的青銅禮器群，並且能代王到成周去整頓成周八師，《克鐘》還稱他「叀奠王命」，他的權勢是可以想見的。善夫克是厲王或宣王時的重臣。《梁其壺》、鐘是一九四〇年扶風法門寺出土的青銅器群之一。《梁其鐘》銘說：「天子肩事梁其身邦君大正」，「大正」即大官，其地位也是很不一般的。善夫梁其是宣王或幽王時的重臣。這些都是「仲允膳夫」的極好的注腳。

另外，對于善夫一職也應作具體分析，不可一概而論。例如善夫克、善夫梁其之善夫與《師晨鼎》中邑人和奠人之下的善夫，就不能同日而語。前者是大正（大官），後者則顯然是微賤之屬官。《此簋》也是邑人與善夫並列，而善夫地位在邑人之下，地位也是不高的。這些器的善夫與在王之左右的善夫，名雖同，地位相差懸殊。

經由這段解釋，我們知道周代的善夫有兩種，地位高下相去極遠（這像同一秘書，在總統府任職而爲總統倚重的，權力、地位當然和任職中下級單位的秘書不同）。《詩經．小雅．十月之交》「仲允膳夫」的排序僅次於「皇父卿士」、「番維司徒」、「家伯爲宰」，這和《善夫克鼎》的克同樣都是王的心腹爪牙，位高權大，炙手可熱。《令方彝》的舍令者是誰，銘文的敘述不是很清楚，如果是周公子明保，那他的地位當然是一人之下，萬人之上；唐復年以爲舍令者是「矢令」這個人（《金文鑑賞》第一二八頁），在《令方彝》中，明保要他「爽左右于乃寮、以乃友事」，可見他的地位在寮及友事之上。一般認爲也是矢令做的另一件器《令簋》（《總集》2814、《邱集》3042）銘云：

維王于伐楚伯、在炎，維九月既死霸丁丑，作冊夨令尊宜于王姜，姜商（賞）令貝十朋、臣十家、鬲百人，公尹白丁父貺于戍，戍冀、嗣气，令敢揚皇王宦、丁公文報，用頣後人享，唯丁公報，令用弇展于皇王，令敢展皇王宦，用作丁公寶簋，用尊史于皇宗，用饗王逆造，用匓寮人婦子，後人永寶。雋冊。

在本銘中，矢令作的簋可以「用饗王逆造（用來在王出入時宴饗王）」，其地位之高可以想見。馬承源《銘文選》以爲「令是畿內矢國的貴族，而爲周室王官」，這是可能的。甚至於不只是矢國的貴族，而很有可能是矢國的國君。

綜合銅器的舍令者的身份，我們可以理解，鄭《箋》說：「緇衣羔裘，諸侯之朝服也。」其意以爲〈羔裘〉的主人翁是諸侯，在西周的條件下，未必無此可能。

肆、《秦風·小戎》「蒙伐有苑」古義新證

小戎俴收，五楘梁輈，游環脅驅，陰靷鋈續，文茵暢轂，駕我騏馵。
言念君子，溫其如玉；在其板屋，亂我心曲。
四牡孔阜，六轡在手。騏騮是中，騧驪是驂。龍盾之合，鋈以觼軜。
言念君子，溫其在邑。方何為期？胡然我念之？
俴駟孔群，厹矛鋈錞，蒙伐有苑。虎韔鏤膺，交韔二弓，竹閉緄縢。
言念君子，載寢載興；厭厭良人，秩秩德音。——《秦風·小戎》

這是《詩經·秦風》中的名篇之一，《毛詩·序》說：「〈小戎〉，美襄公也。備其兵甲以討西戎，西戎方彊，而征伐不休，國人則矜其兵甲，婦人能閔其君子焉。」一章主言車、二章主言馬、三章主言兵器，每章末綴以「言念君子」等情思語，刻琢典奧，通體靈動，確是三百篇中的大手筆。但其中所述及車馬兵器的形制，由於去今久遠，有些已不能為後世所完

全了解，本文想就其中的「蒙伐有苑」所牽涉到的盾制，從考古發現的立場，提供一些與舊說不同的解釋。

「蒙伐有苑」一句中的「伐」指中干，歷來少有異說，陳奐《詩毛氏傳疏》並指出「伐」是「瞂」的假借。「有苑」是文彩貌，歷來也沒有異議。但其中的「蒙」字，自毛、鄭二家已有不同的說法。毛《傳》：「蒙、討羽也。伐、中干也。苑，文貌。」毛公所謂的「討」究竟是什麼意思，不太容易了解。鄭《箋》：「蒙、厖也。討、雜也。畫雜羽文於伐，故曰蒙伐。」據鄭意，「討羽」是畫雜色羽於盾上。孔穎達《正義》揉合毛、鄭，而實際上是從鄭：「上言『龍盾』，是畫龍於盾，則知『蒙伐』是畫物於伐，故以蒙爲討羽，謂畫雜鳥之羽以爲盾飾也。《夏官・司兵》『掌五盾，各辨其等，以待軍事』，注云：『五盾、干櫓之屬，其名未盡聞也。』言『辨其等』，則盾有大小。襄十年《左傳》說『狄虒彌建大車之輪，而蒙之以甲，以爲櫓』，櫓是大盾，故以伐爲中干，干伐皆盾之別名也。蒙爲雜色，知苑是文貌。」

孔《疏》所以主要會傾向鄭氏的說法，是有一定道理的，因爲從傳世的盾來看，盾上面應該是沒有羽毛的，講成在盾上畫羽毛，便大致解決了這個難題。但是，鄭《箋》釋「蒙伐」爲「厖（同尨）雜」，厖雜一詞爲何有「羽」的意義？鄭《箋》顯然有增字解經的味道，很難令人無疑。那麼，〈小戎〉的盾上究竟有無羽毛？如果有，羽毛是以什麼型態表現的？其次，毛

《傳》所說的「討羽」眞是在盾上畫雜色羽毛嗎？歷代學者對這個問題有很多不同的看法。其中一派以爲毛、鄭不同而從毛，並以爲鄭《箋》不得毛意，毛《傳》的「討羽」仍是「蒙羽」，即在盾上覆羽爲飾，而不是在盾上畫羽，如：

陳奐《詩毛氏傳疏》云：「《傳》云『蒙、討羽』者，蒙、覆也。討、治也。謂治羽而覆於中干之上，是曰蒙伐。鄭司農《周禮・舞師》注：『翌舞、蒙羽舞。』又〈樂師〉注：『翌舞者、以羽冒覆頭上。』案仲師所云『蒙羽』，即本此傳『蒙、討羽』之義。《箋》云：『蒙、厖也。討、雜也。畫雜羽文於伐，故曰蒙伐。』鄭說不同。《玉篇》引三家《詩》作瞂，《毛詩》用假借作伐，《傳》云：『伐、中干。』《玉篇》誤爲《箋》語，非也。《說文》：『戰、盾也。』干與戰同，中戰即中盾也。大盾曰櫓。苑訓『文貌』者，謂羽飾也。《禮》稱『朱干舞大武』，或舞干以染朱羽爲飾歟？」

郭沫若《金文叢考・金文餘釋・釋干鹵》云：「余謂干字乃圓盾之象形也。盾下有蹲，盾上之v形乃羽飾也。非洲朱盧族之土人所用之盾正作此形，可爲本字之證。又《詩・秦風・小戎》『蒙伐有苑』，毛《傳》云：『蒙、討羽也。伐、中干也。苑，文貌。』陳奐《疏》云：『……』今得朱盧盾制及干之象形之意，可知先鄭用毛意者得之，後鄭說爲畫羽，非也。古有五盾之制，漢已失傳。《周禮・夏官》：『司兵掌五兵五盾。』後鄭云：『五盾、干櫓之屬，其名未盡聞也。』《釋名・釋兵》多載盾名，其數在五以上：『盾、遯也，跪其後，避刃以隱遯也。大而平者曰吳魁，本出於吳，爲魁帥者所持也。隆者曰滇盾，本出於蜀，蜀滇所持也。或曰羌盾，言出於羌也。約脅而鄒者曰陷虜，言可以陷破虜敵也，今謂之露見是也。狹而長者曰步盾，步兵所持，與刀相配者也。狹而短者曰孑盾，車上所持者也。孑、小稱也。以縫編版謂之木絡。以犀皮作之曰犀盾。以木作之曰木盾。皆因所用爲名也。』凡此所列舉盾屬，均不言有羽飾，亦不言有上下出，蓋漢制然也。漢盾之見於壁畫者，武氏祠刻石中頗多，其形均狹而長，上有畫文，大抵即《釋名》所謂步盾也。鄭玄僅見漢盾，故於『蒙伐』以畫羽爲說也。」

以上二家認爲「蒙伐」是在盾上插羽爲飾，鄭《箋》不得毛義。然而，陳氏釋「討羽」爲「治羽而覆於中干之上」，增字解《傳》，其非《傳》意可知。其次，陳氏引鄭司農《周禮・地官・舞師》注「翌舞、蒙羽舞」及《春官・樂師》「翌舞者、以羽冒覆頭上」（今本《周禮》二處都作「皇舞」，注說或作「翌舞」，陳奐直接引作「翌舞」，顯然是爲了要配合他的蒙羽的主張），以證明「蒙」是「蒙羽」，其實是引證不當。〈舞師〉、〈樂師〉注很明白地說「皇舞」是以羽蒙頭上，而不是蒙在盾上，何況本詩只單單一個「蒙」字，何以知道一定是蒙羽？而且〈舞師〉、〈樂師〉說的是祭祀、舞蹈，與戰爭兵器本不相屬，不能引以比附。郭說更有趣，引了一大堆有關盾的資料之後，他自己也知道「凡此所列舉盾屬，均不言有羽飾」，然而仍堅持「蒙伐」是盾上飾羽，其推論令人不解。〈樂師〉鄭衆注謂「皇舞者、以羽冒覆頭上」，本與盾無關，陳奐引之以爲《禮》之朱干爲「染朱羽爲飾」，已屬無稽，郭氏又引以說明干上象羽飾，益爲無據。漢盾無羽，當是承自先秦盾制。非洲朱盧族的盾，究竟不能完全拿來比附我國先秦的盾。此外，另有一派學者揉合毛、鄭，以爲鄭《箋》所解，正是毛意，如：

段玉裁《毛詩故訓傳》：「《說文》『討』訓『治也』，猶亂訓治也。取其紛亂而理之曰討，討羽猶言亂羽，此鄭以厖釋蒙，以雜釋討之意。」

胡承珙《毛詩後箋》：「蒙與燾同訓覆，《說文》：『燾，从火壽聲。』人部：『儔，翳也，从人壽聲。』羽部：『翿，翳也，从羽𣪘聲。』攵部：『𢽶，从攵𠷎聲。《周書》以爲討。』此數字聲皆相近，然則《傳》訓蒙爲討者，猶訓蒙爲燾，討羽者猶言燾羽也。蒙亦有雜義，《易·雜卦傳》曰：『蒙雜而著。』儔、翿等義亦可通於雜，《儀禮·鄉射·記》：『旌合以其物，無物則以白羽與朱羽糅。』注云：

「此翿旌也。糅者，雜也。」又：「君國中射，則以皮樹中，以翿旌獲，白羽與朱羽糅。」注云：「今文糅爲緢。」據此，知翿爲雜羽之名，討與翿聲相近，故《箋》申討爲雜，釋討羽爲雜羽也。」

馬瑞辰《毛詩傳箋通釋》：「《傳》以蒙爲討，《箋》轉討爲雜，皆以義言之，無正訓也。瑞辰案：蒙之訓討，經傳無徵，胡承珙曰：詩蓋翿字之假借。……翿爲翳羽，故鄭以爲畫雜羽之文，蒙覆與翿覆同義，故蒙訓翿，借爲討也。段玉裁曰：發其糾紛而治之曰討，據此詩鄭《箋》訓討爲雜，則討者亂也。……今案：二說義正可通，古討與翿、醜皆同聲，討之言翿，猶〈學記〉『比物醜類』，醜本一作討也。《說文》：『儔，翳也，从人壽聲。』《玉篇》儔又『大到切，翳、隱蔽也』，《廣韻．號韻》：『儔，隱蔽也，徒到切。』音義與翿、纛（註三）同，亦翿可段作討之證。」

以上三家認爲毛《傳》所謂的「討羽」就是雜羽，鄭《箋》與毛義吻合。但是本詩的「蒙」是一個很普通的字眼，毛《傳》何以要先釋成一個並不常見的「翿」，然後又假借「討」來寫它？其次，盾上畫雜羽，後世似乎也看不到這樣的證據。馬敘倫有一個別解，他認爲「蒙」是羽舞，他在〈中小學教師應當注意中國文字的研究〉一文（學海出版社《說文解字研究法》

一書後附）中說：

《釋文》：「伐，如字，本或作瞂。」但在《荀子·勸學》篇楊倞注裡說：「蒙當爲蔑。」蔑字从首伐聲，那麼，蒙可以通伐，他們的發音都是出於脣的。但是發既是瞂，蒙不得又是瞂。毛《傳》解釋蒙是「討羽」，討羽就是翳，翳字的收音在喉類，蒙字的收音在東類，東、侯兩類可以對轉的。況且蒙字從豖得聲，豖字的收音也在喉類。那末，斷定了蒙字的確是翳的借字。翳，古書也借用葆字的。古人說：「首如蓬葆」，就是形容頭髮的披開而不梳挽的樣子。這樣，也可以說明了「翳」就是《尚書》「舞干羽於兩階」的羽舞，用鳥羽的叫做翳，用犛尾的叫旄，這兩種都是文舞。

馬氏此文說通假太泛，而且把「蒙伐有苑」說成是文舞，這和〈小戎〉篇的詩旨相去太遠，所以他這個說法明顯地是不可信的。于省吾則從古文字的證據認爲「蒙伐」是在盾的內外畫華文，《澤螺居詩經新證》云：

毛《傳》：「蒙，討羽也。伐，中干也。苑，文貌。」鄭《箋》：「蒙，厖也。討，雜也。畫雜羽文於伐，故曰蒙伐。」「蒙伐有苑」，《玉篇》引作「蒙瞂有苑」。《說文》：「瞂，盾也。」是伐乃瞂之假借字。金文盾字象形作[illegible]、[illegible]、[illegible]，或釋爲毋，謂毋、干音通。郭沫若釋爲干，而以鄭《箋》畫羽之說爲非。按《傳》訓苑爲文貌，《小臣宅簋》言「畫[illegible]」。二章「龍盾之合」，《傳》謂畫龍其盾，是瞂內外必畫以華文，無可疑也。

于氏說「瞂內外必畫以華文」，已經快要解決「蒙伐」的問題了，但他沒有明確地說出是畫什麼華文，只含含混混地把鄭《箋》「畫雜羽文於伐」的解釋改成「瞂內外必畫以華文」，並沒有眞正地解決問題。於此，古文字學的知識或許可以提供一個解決問題的方向。以下，我們從兩方面來談這問題，其一、「蒙」字的本義是什麼？其二、先秦的盾到底應該是什麼樣子？

《說文》一篇下艸部：「蒙，王女也。从艸冡聲。」段注：「今人冡冒皆用蒙字爲之。」是蒙字本爲草名，在本詩中當是「冡」字的假借。《說文》七篇下冖部：「冡，覆也。从冖豕。」冡的本義當是覆。但是，冡字从冖豕爲何會有覆義呢？林義光《文源》說：「冖豕非義。」已指出了這一點。朱駿聲《說文通訓定聲》以爲：「當从冖，豵省聲，冡亦冖豵之合音。」其說無證據，但至少他也看出了冡从冖豕的不合理。或以爲冡有童蒙義，清沈濤《說文古本考》云：「《華嚴經音義・上》引《說文》曰：『蒙謂童蒙也。』蒙即冡之借。……慧苑此引亦即冡字之一訓，今本爲二徐妄刪。」（註四）但是，先秦並無以豕爲愚昧的象徵的說法，《左傳・昭公二十八年》：「實有豕心，貪惏無厭。」只是以豕爲貪婪的代表。所以沈濤的說法也不能成立。那麼，冡字應如何解釋呢？

依舊釋，甲骨文無蒙字，金文則一直要到中山王𧊒壺才出現蒙字，作[illegible]（參《金文編》第〇〇八七號），與小篆的寫法一樣，从艸从冡，很明顯地也是個假借字。事實上，甲骨文中已經有冡字，作[illegible]、[illegible]、[illegible]等形，直接隸定作⿱冖虎，胡厚宣先生以爲即冡字：

1.甲戌卜：⿱大豕⿱冖虎〔隻〕𠬝？

2.甲戌卜：〔⿱大豕〕⿱冖虎〔不其〕隻𠬝？（孟廣慧舊藏，《合》一一七六八）

3.……辰卜：〔⿱大豕〕⿱冖虎不其隻𠬝？《續存》上七六三（《合》一〇八五七）

一九八二年出版的《甲骨探史錄》中收了一篇由胡厚宣先生撰寫的〈甲骨文⿱冖虎字說〉，對上列卜辭做了很詳細的考釋，文中除了把⿱冖虎字釋爲冡外，還對古代戰爭中人、兵、車、馬蒙虎皮的資料做了非常詳盡的考證。以下是該文的節錄，爲了扼要節錄，沒有照原文的順序，所以我把各段原文在原書的頁碼注在每段之末：

一、二兩條卜辭，……一辭占正面，大意說甲戌日占卜，⿱大豕這個人，要蒙著虎皮，以爲僞裝，領頭去進犯敵人，問能抓住俘虜麼？二辭占反面，大意說，甲戌日占卜，⿱大豕這個人，要領頭，有所進犯，問不能夠抓住俘虜麼？……三辭一片，……也是說某辰日占卜，問⿱大豕這個人，要蒙著虎皮，以爲僞裝，領頭去打衝鋒，不能夠抓住俘

虜麼？（第四十八頁）

……我認爲武丁時甲骨卜辭中的[illegible]字即是冡。冡字所从的冃，即是《說文》的冃曰冒，亦即今天的帽字。……卜辭冡字从冂从虎，即是《說文》的冡字。冡字从冂从豕，豕與虎形近，豕字乃是虎字之誤。冡與冒通，冒有蒙義。古之冡字，今經典都借蒙字爲之，蒙行而冡廢。所以甲骨卜辭中的冡字，即是今天的蒙。（第六十四頁）

考古代作戰勇士，經常身披虎皮之衣，用作僞裝，以逞勇猛，乃謂之蒙。《左傳》莊公十年，記魯宋郎之戰，說魯公子偃「蒙皐比而先犯之。」杜預注：「皐比，虎皮。」……又《左傳》僖公二十八年，記晉楚城濮之戰，說「胥臣蒙馬以虎皮，先犯陳蔡。」是古者作戰先犯，不但戰士披以虎皮，即戰馬亦披以虎皮，用作僞裝，而皆謂之蒙。……即戰士所用的干戈兵甲，亦包以虎皮。《禮記・樂記》說：「倒載干戈，包之以虎皮，名之曰建櫜。」鄭玄注：「兵甲之衣曰櫜。」王應麟說：「建櫜字或作建皋，服虔引以解《左傳》皋比。」櫜皋同聲，兵甲之衣曰櫜，古者必以虎皮製之，所以象其勇武之意。（第四十一頁）

在古代，不但作戰的勇士，防護的衛士，以虎皮爲僞裝，謂之爲蒙。即是打鬼驅癘的方相氏，其所僞裝衣著，也都以蒙字稱之。《周禮・夏官》說：「方相氏掌蒙熊皮。」古者熊虎連稱，《爾雅・釋獸》：「熊虎醜，其子狗。」《玉篇》：「狗，熊虎之子也。」《左傳》昭公七年正義引李巡說：「熊虎之類，其子名豿。」此乃以披著熊虎之皮謂之蒙。（第四十四頁）

蒙者冒也。乃勇士出征，披虎皮僞裝，以冒犯敵人之義。蓋古代作戰，以虎皮表軍眾，以虎皮包甲兵，戰士戰馬也都蒙以虎皮。即是統治階級宮庭的武衛，像虎士，虎臣，虎賁，亦皆以虎字爲名，身上穿著虎皮衣褌，腰裡用虎皮繫著刀兵。還有統治階級出獵，前面有蒙著虎皮的皮軒車，後面隨著身披虎皮的獵手，獵手身上穿著斑紋的虎皮衣，下身穿著白色的虎皮褌。凡這些披載的僞裝，都是使用虎皮以逞其凶猛，所以冡从虎字。（第六十四頁）

我國古代史上，有著不少關於驅獸作戰的傳說，……關於古代這種驅獸作戰的傳說，從前有不少學者解釋爲並非眞是驅猛獸作戰，乃是教士卒習戰，以猛獸之名名之。但由前引冡字蒙字看來，乃是勇士作戰蒙猛獸之皮以爲僞裝，情況非常明白。……這種僞裝猛獸以衝鋒作戰，便是甲骨卜辭中所說的冡，也就是古文獻上所謂蒙。最有趣的是，一九七三年四月，在北京舉行的「墨西哥歷代文化藝術展覽」陳列有三至九世紀在波吶帕克瑪雅人關於勇士和戰俘的一幅壁畫。（附圖一）俘虜們散髮光身，屈服臥倒於地上，勇士們則手執刀兵，挺身而立於俘虜之前，頭戴凶猛的獸頭帽，身披斑紋的虎皮衣，就連腳上也包著一塊老虎皮，僞裝成一種極爲凶惡可怕的樣子。……勇士們用虎皮僞裝的情形，栩栩如生。用它來說明甲骨卜辭中的虒字，那就再適當沒有了。（第六十五頁）

附圖一：瑪雅勇士圖

胡文分析⿱冖虎字的字形，解其本義，以及說明⿱冖虎字由从冖从虎訛爲从冖从豕的字形演變過程，都非常精當，⿱冖虎字的本義是蒙虎皮應該是可信的（註五）。不過，胡文對「⿱大豕⿱冖虎」一詞的解釋或許還有可以商榷的地方，從甲骨、金文來看，⿱大豕可能是當時某一氏族的領袖，是公名；⿱冖虎則是此一領袖的私名。卜辭中的侯、伯名稱係由三部份組成：㈠、邦族之名，㈡、侯或伯之稱，㈢、私名。此三部份往往可以省去一部份或兩部份，如：沚或稱白𢦏或稱沚𢦏、攸或稱攸侯喜或稱侯喜等（註六）。如果是這樣，那麼胡文所引的三條卜辭都只是卜問⿱大豕⿱冖虎（即⿱大豕）能否捕獲俘虜，其中的⿱冖虎字可能不做蒙隹虎皮解，即於此不用本義，而只是用爲私名。當然，這一商榷並不影響胡文對⿱冖虎字本義的解釋，⿱冖虎字的本義仍應是蒙虎皮。此外，從先秦典籍來看，單用一個蒙字並沒有蒙羽毛的意義，這就是爲什麼鄭《箋》不從毛《傳》，而要把蒙讀破爲厖，而釋蒙伐爲畫雜羽文於伐的原因。

綜上所述，〈小戎〉篇的蒙字應是冡字的假借，而冡字的本義是蒙虎皮。古代戰爭中常用虎皮僞裝以威嚇敵人，人馬車兵都可以用虎皮包住以爲僞裝並驚嚇敵人，當然，干盾也有用虎皮包住的可能。胡文所引〈樂記〉「倒載干戈，包之以虎皮」，固然是表示休兵止戰，但也說明了干（盾的一種）平常是經常用虎皮包著的。《左傳．襄公十年》：「狄虒彌建大車之輪，而蒙之以甲，以爲櫓。左執之，右拔戟，以成一隊。孟獻子曰：『《詩》所謂「有力如虎」者也。』」櫓也是盾的一種，如果不是平常的盾多半包以皮革，那麼狄虒彌只用大車之輪爲櫓就可以了，何必蒙之以甲呢？（甲多半也是皮革作的）《國語．吳語》：「吳王昏乃戒，令秣馬食士，夜中乃令服兵擐甲，係馬舌，出火竈，陳士卒百人，以爲徹行百行，行頭皆官師，擁鐸拱稽，建肥胡，奉文犀之渠。」韋注：「文犀之渠，謂楯也。文犀，犀之有文理者。」這應當是以文犀皮製造或蒙以文犀皮的楯。劉熙《釋名》所述盾中就有一類是以犀皮做的。近代考古之學發達，地下出土盾類甚多，往往也可以證明盾上多蒙以皮革，以下我以《中國古代兵器圖集》的資料爲主，把有關先秦以前盾類的介紹引證於下：

附圖二：雲南景頗族的皮盾

一、原始時代的盾

原始的盾牌大多用藤木之類材料製作，有的還蒙上一層獸皮，這種原始的盾在近代少數民族中還能夠看到。（附圖二：雲南景頗族的皮盾，見《雲南博物館青銅器展圖錄》，汎亞細亞文化交流セこタへ，1984年版）

二、商代的盾

進入青銅時代以後，盾仍多用藤木及皮革製造，因此遺跡罕見。僅據安陽殷虛發現的殘跡可知，商代的盾是用木材作成框架，上面再蒙以皮革或編織物製成，盾面塗漆，有的還畫有虎文。（附圖三：商後期盾復原圖。見石璋如先生〈小屯殷代的成套兵器〉，《史語所集刊》第二十二本，一九五〇年）

附圖三：商後期盾復原圖

三、西周的盾

西周時期的盾仍用藤、木和皮革等材料製造，多呈梯形或長方形，表面髹漆並裝有青銅盾飾。文獻上所謂「朱干設錫」，即指髹紅色漆，裝有青銅盾飾（錫）的盾。（附圖四：西周盾復原圖。盾體爲髹黑色漆的木板，上釘盤狀和環形的銅盾飾。見盧連成〈寶雞茹家莊、竹園溝墓地出土兵器的初步研究——兼論蜀式兵器的淵源和發展〉，《考古與文物》一九八三年五期）

四、東周的盾

東周時期的盾都以木和皮革爲主要材料製作。從出土實物看，當時的盾一般上部呈對稱雙弧形，表面髹漆，有的還繪以極爲精美的圖案花紋。（附圖五：戰國曾侯乙墓彩繪漆盾復原圖，皮胎，兩面髹黑漆，並用赭、黃色繪出極爲精美的龍鳳紋。見《中國博物館叢書》第二卷《湖南省博物館》，文物出版社，日·株式會社講談社，一九八三年版）

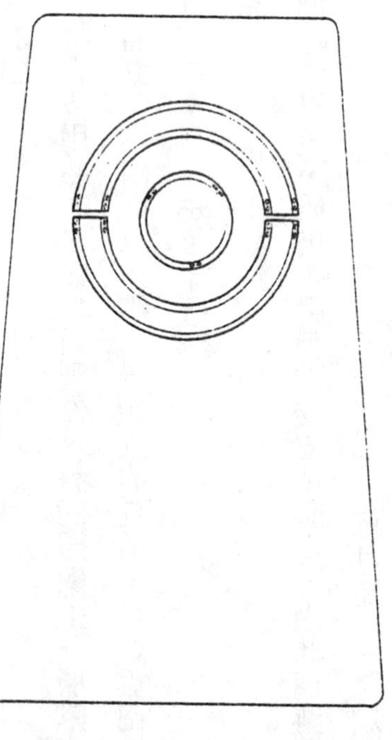

附圖四：西周盾復原圖

附圖五：戰國曾侯乙墓彩繪漆盾復原圖

五、戰國水陸攻戰紋鑑

這是戰國時候的戰爭圖，全圖其他戰士或持戈、戟、矛、劍，或張弓。上排自右數起第三、十三人，中排第七、九、十二人，下排第二、十二人都很明顯地拿著盾，盾的形制非常清楚，盾上並沒有羽飾。（附圖六：見《商周青銅器紋飾》第三五二頁）

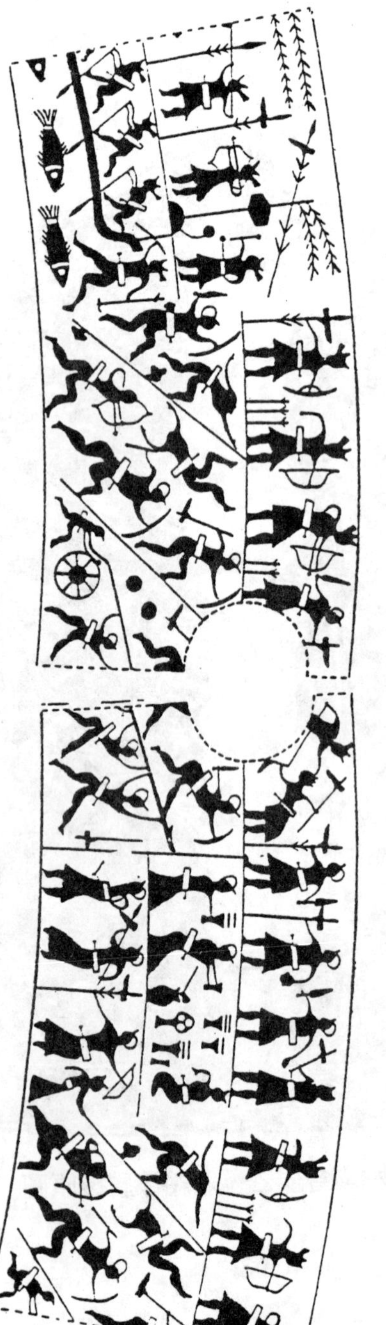

附圖六：戰國水陸攻戰紋鑑

由以上考古資料可以看出，先秦的盾不但沒有如毛《傳》所說的在盾上裝有羽飾，也沒有如鄭《箋》所說的在盾上畫雜羽文，相反的，大部份的盾都是以藤或木製，在上面蒙以獸皮（高級的應該是蒙虎皮），或彩繪獸文（當然也應該以凶猛的老虎爲主）。因此，無論從「冡」字的本義、文獻「蒙」字的用法、先秦戰爭的性質、盾的形制等各方面來看，〈小戎〉篇的「蒙伐」似是應該釋爲蒙以虎皮的盾。〈小戎〉篇另外還有「文茵暢轂」句，毛《傳》：「文茵，虎皮也。」又有「虎韔鏤膺」句，毛《傳》：「虎，虎皮也。」可見〈小戎〉篇所述的秦國車馬兵器好以虎皮爲飾，全詩所呈顯的風格與「蒙伐有苑」句是一致的。

伍、《豳風・破斧》「四國是皇」古義新證

既破我斧，又缺我斨。周公東征，四國是皇。哀我人斯，亦孔之將。

既破我斧，又缺我錡。周公東征，四國是吪。哀我人斯，亦孔之嘉。

既破我斧，又缺我銶。周公東征，四國是遒。哀我人斯，亦孔之休。——《豳風・破斧》

本詩「四國是皇」的「皇」字，歷代學者大都認爲是一個假借字，但是我們從古文字來看，其實它也是一個來源非常古老的字，它的本義是征討、匡正。但是因爲在金文、文獻中，「皇」字都假借作「輝煌」、「盛大」、「帝王」的意義，所以學者對《詩經》本篇的「皇」字反而不知道它的本義了。本詩的「皇」字，歷來有以下三種解釋：

(一)釋為匡正。

《傳》：「匡也。」《疏》：「《釋言》：『皇、匡、正也。』《傳》以皇爲匡，《箋》又轉爲正。」

王應麟《詩考》引作「四國是匡」。

㈡或作王。

《法言·先知》篇引作「四國是王」。

高本漢《詩經注釋》：「王是匡的省體，或者就如字讀，不得而知。」

㈢釋為惶、遑、慌。

戴震《毛鄭詩考正》：「震按詩之辭意，皇當爲皇遽之皇，言以四國之故，皇遽不寧，故下云哀我人斯。」

聞一多《風詩類鈔》：「皇，惶。……惶，恐懼之也。」

高亨《詩經今注》：「皇，當借爲遑，恐慌。」

第三說頗爲近代一些《詩經》注本歡迎，但細思此一說法，恐難成立，因爲和第二、三章不合。本詩的第二、三章說「四國是吪」、「四國是遒」，「四國」就是上句「周公東征」的對象，因此「四國是皇」、「四國是吪」、「四國是遒」應該和《小雅·節南山》的「四方是維」、「天子是毗」同例，「是」後面的字應是動詞，全句可以倒過來作「皇是四國」、「吪是四國」、「遒是四國」、「維是四國」、「毗是天子」，正如《小雅·小明》第四章作「正直是與」，而第五章作「好是正直」；《大雅·崧高》第二章作「南國是式」，而第三章「式是南邦」，其句式完全相同，因此第三說是不可信的。第二說作「四國是王」，古義和「四國是皇」一樣，在古文字中，「王」字本象斧鉞之形，因此引申有征討之義，這是可以說得通的。但是「王」字在商代起就用爲「帝王」的意義，它是爲了「帝王」義而造的一個字（註七），就這一層意義來說，把「王」字用爲「征討」、「匡正」，仍不是它的本義。第三說釋「皇」爲「匡」，意思非常正確。但是，學者多以爲「皇」釋爲「匡」是假借，如馬瑞辰《毛詩傳箋通釋》云：「『四國是皇』，《傳》：『皇、匡也。』《箋》：『正其民人而已。』瑞辰案：《爾雅．釋言》：『皇、匡、正也。』據《詩考》引董氏云：『皇、齊《詩》作匡。』蓋毛以皇爲匡之假借。」據馬氏的意思，《毛詩》用「皇」是借字，本字應用「匡」，這大概可以代表絕大多數學者的看法。但是，從古文字的立場來看，「皇」的本義是征討、匡正，後來假借爲輝煌、盛大、帝王；「匡」的本義是竹器，後來假借爲匡正。《毛詩》本篇用「皇」字是本字本義，《傳》釋爲「匡」反而是假借義，《說文》：「匡、飯器，筥也。從匚、㞷聲。筐、匡或從竹。」段注：「匡不專於盛飯，故《詩》采卷耳以頃匡，求柔桑以懿匡。匡之引申假借爲匡正，《小雅》『王于出征，以匡王國』，《傳》曰：『匡、正也。』」段說中除了「引申假借」一詞還可以討論外，大體是正確的。先秦文獻中做爲竹器的「匡」字大都寫作「筐」，只有《禮記．檀弓下》「蠶則績而蟹有匡」（孔疏：

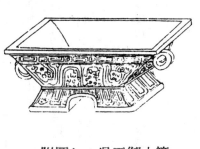

「蠶則須匡以貯繭，而今無匡；蟹背有匡，匡自著蟹，則非爲蠶設」）用本字；另外銅器中有《吳王御士簠》，銘云：「吳王御士尹氏弔（叔）緐作旅匡。」（註八）器銘自名爲匡，而器形與簠相同（如附圖七），可證匡和簠的功用相同，本義是飯器，用爲「匡正」仍是假借。但是後世假借義日漸流行，飯器的本義只好另造「筐」字來表示。與此類似的，「皇」字的本義應是征討、匡正，但由於此義漸由輝煌、盛大、帝王等義所奪，所以毛《傳》對〈破斧〉篇所用本形本義的「皇」字反而要用「匡」的假借義來解釋。

要弄清楚「皇」字的本義，得要把古文字中的□、□兩個字形先釐清。

附圖七：吳王御士簠

甲骨文的□字，《甲骨文編》列在附錄五二九〇號，島邦男《殷墟卜辭綜類》列在第五〇八頁，徐中舒《甲骨文字典》列在第一五七九頁，姚孝遂《殷墟甲骨刻辭類纂》列在第三三五六號，李孝定先生《甲骨文字集釋》列在待考第四七四二頁，都當作不識字。金文中也有這個字形，《金文編》收在附錄上第三四一號，《金文詁林附錄》收在第六八一頁，第二二九八號，也都以爲是不識字。這個字依我目前所知道的資訊，最早似乎是由唐蘭釋爲「皇」（註九），顧頡剛云：

我們現在所看見的中國文字，當以甲骨文爲最古了，其中雖沒有發現單獨的「皇」字，卻有「□」這樣一個字，這個字是不認得的，但右旁的「□」字，唐立庵先生說就是「皇」字的初形，由文字的演進歷史來看，知道下從「一」的字，往往變爲「土」，所以金文裏的從「土」，有從「王」的是錯誤了。它象是太陽剛地下出來光燄上射的景象，以後的用法是這裏演變出來的。

唐氏釋「□」爲「皇」，是非常了不起的創見，雖然仍差一間。此文（顧氏引唐說不知共幾句，以下不可區分處一律以此文爲稱）以爲「□」字是「象是太陽剛地下出來光燄上射的景象」，這也是可以商榷的，甲骨文的「土」字本作「□」，作「□」的只是它的簡化之形（《甲骨文編》第一五八九號），上象土塊，下象平地，此文以爲甲骨文的「□」字從「一」是「土」形，這是錯的。又早期金文的「皇」字多半作「□」，其下明顯地不從「土」，此文說「皇」字從「土」不從「王」，也明顯地不可信。

其後拱辰釋卜辭「凡□」爲「凡皇」，即「徘徊」（註一○）。王獻唐釋「□」字爲「㞷」，以爲即「皇」字上部所從：

《金璋所藏甲骨文存》內一片有字作□，其同文一片作□（六七三），亦見《[illegible]鼎》作□，《□鬲》作□，并見《農簋》、《□卣》。鼎爲周初器，其餘類屬商器，皆用爲氏族或人名。與卜辭筆畫有繁簡，統爲一字，皆象火把植立，上作燭光射出火焰者也。所以知此爲火把者，金文《白椃簋》皇作□，《杜白盨》、《叔角父簋》作□，所從均爲此字，惟燭跋與下合書耳。字亦作□（《白[illegible]父簋》等）、作□（《仲師父鼎》等）、作□（《糸白簋》）、作□（《買簋》等），中又加點爲繁文。或作□（《叔皮父簋》等），火燄上迸不聯，皆一事。周代器銘，此字甚多。大抵春秋以前書體，多相承未變。入戰國後，又每於火燄上再作繁文，如□（《沇兒鐘》），如□（《王孫鐘》），體系仍自可見。《說文》：「皇、大也。從自，自、始也。始皇者三皇、大君也。自讀若鼻，今俗以始生子爲鼻子。」證以金文，字不從自，商周帝王皆稱王，皇亦不作帝王用、許君此解昉於秦政稱皇之時，前時周器無從自之體，秦器如《秦公簋》亦然，祇《秦右還弩》遑字從□，□即自也。徵以弩文書體，乃戰國末年器，約在始皇定天下前。殆秦書自此時訛變爲自，定天下後，金石刻辭沿之。說字者以自訓始，皇從自王，猶始王，傅會爲始皇，其跡象可見也。

至皇字本訓，當如後出煌字。《尚書刑德放》：「皇者煌煌也。」《春秋元命苞》：「皇者煌煌。」《白虎通》：「號之爲皇者，煌煌人莫敢違也。」《獨斷》：「皇者煌也。」……皇從王聲（金文或作土，乃士之變，仍王字），從[古文]會意，其爲火把亦甚明。最足爲證者，即《□作氒皇考尊》，皇作㞷，上直從火，以火當[古文]也。火把光燄上射，聲忽忽然。以聲爲名，在魚部爲赫，在脂部爲火，在陽部爲皇，即皇訓火光所從出。火大而勢盛，因引申訓大訓盛。盛大爲美，復引申訓美，在在可通。但就字體言之，[古文]形亦似日光（林義光《文源》如此說），古日字未見有中不作點者，《白帖篋》各體，即無從說。日形不能下作柄，其同類之[古文]形，亦無從說。最重要者，仍爲音。凡輝煌諸義，雖可通於日光，其語根皆由火出。日有光而無聲，赫皇諸名，無從起於日也。

皇從[古文]會意，[古文]爲火把，本字仍當讀燭。音轉之部，即《說文》㞷字，亦即今之之字。（註一一）

王獻唐說「[古文]」字的初形本義是象「火把植立，上作燭光射出火焰者也」，說得相當好，但他說這個字仍當讀「燭」，音轉而爲「之」，這就岔出正途，歧路亡羊了。「之」字在甲骨文中作「㞢」，「字象人足在地上之形，有所之也」，其本義爲往，學者之間已有定論（註一二），「[古文]」字與「之」字毫無關係。此外，王說的瑕疵還很多，他說「《□作氒皇考尊》，『皇』作『㞷』，上直從火，以火當[古文]也」，事實上，《□作氒皇考尊》的皇字作「㞷」，上並不從火，金文「火」字未有如此作者，參《金文編》第一六四六號「尞」字以下從火諸字可知。同一寫法的「皇」字又見《欒書缶》，作「㞷」，當是與「㞷」字混同，《𨷮卣》則完全與「㞷」字同形，故《金文編》第二十四頁所收《𨷮卣》「皇」字下明白注云「假㞷爲皇」，這是對的。又王氏說「古日字未見有中不作點者」，其說也不確，古文字中「日」字中不作點的多得很，甲骨文不說，金文中「日」字不作點者，見《金文編》第一〇八二號「日」字條下《剌卣》、《日癸簋》，及第一〇九四號所收「衵」字諸形。王氏的論證有這麼多缺失，難怪學者不只對王獻唐釋「□」爲「之」的錯誤說法普遍不接受，就連釋「□」爲象火把植立的正確說法也棄之不顧了。

王氏之後，劉釗和拱辰相同，也把「□」字釋爲「皇」，以爲象冠冕之形：

> 卜辭的𢀛方是一個地位較爲特殊的方國，從未與殷建立過同盟關係，對殷之侵伐次數最多，方式最廣。卜辭有「凡皇」一辭，反映出𢀛方對□方的侵擾行動。卜辭「皇」字作「□」，本象冠冕之形，《禮記．王制》「有虞氏皇而祭」即用其本義。金文作「□」，後加王聲作「□」、「□」。卜辭「凡皇」應讀作「彷徨」或「徘徊」。「徬徨」、「徘徊」皆連綿詞，卜辭以往還不曾發現有連綿詞。但從卜辭詞匯的豐富程度、語法的成熟狀況看，出現連綿詞是不足怪的。……「凡皇于土、允

其章」謂吾方徘徊騷擾于「土」附近，並對□方進行敦伐。（註一三）

旭昇案：有虞氏的時代距今久遠，那時有無冠冕，無法證實，從字形上來看，「□」字也不像冠冕的樣子（冠冕下端不應該有一豎）。金文家或以為「□（皇）」字所從的「□」是象冠冕，其原因都是受了「皇」是帝王這一義的影響，但「皇」有帝王義是到戰國時期才產生的（註一四），先秦從「□」的「皇」字多半是輝煌、盛大的意義，釋「皇」為象皇帝的冠冕是不合「皇」字的歷史發展的。因此，「□」字還是以王獻唐所說象火燭火燄上出之形比較合理。至於釋為何字，我以為唐蘭、拱辰、劉釗釋為「皇」也還未達一間，從這個字的字形象光燄上射來看，它應該釋為「煌」字的初文。「皇」字從此為聲，另加「戉」為義符，戉形後來聲化為王，□（煌）、□（皇）二者字形類似，但應該是不同的兩個字，字義也不相同。

「□」字在金文中非常多見，學者略無異議都釋為「皇」，但對它的字形卻有很多不同的看法，「皇」字的上半不再贅敘，下半則有從土、從王二說（註一五），從甲骨、金文早期的字形來看，從土之說當然是不能成立的，皇字的下部當然是從王。但一般主張從王的大都依照《說文》的意見，以為從王是聲符，我認為從王（本從戉）應是義符，證據有二，一是甲骨文中的「□」字，一是卜辭的文例。

甲骨文有兩個寫作「[甲骨文]」的字（見《甲骨文編》附錄下第五二八七號），我認爲就是從戉（或王）、[甲骨文]（煌）聲的「皇」字，這個字的右旁和甲金文的「[甲骨文]」字完全同形，也就是王獻唐認爲是「象火把植立，上作燭光射出火焰者也」的那個字，而其左旁則是「戉」字（註一六）。「戉」字應該是象斧鉞之形的鉞字的初文，因此此字和斧鉞有關，從甲骨文例和《詩經・豳風・破斧》（《詩經》說見下）來看，它應該有征討、匡正的意思。由於「戉」和「王」是一個字的分化（註一七），聲音也非常近，因此金文中把「戉」字橫過來寫成「王」字，從而「皇」字所從的「王（戉）」既表示戰爭討伐的意義，同時也起了聲符的作用。甲骨文中的「[甲骨文]伐」見於下列著錄：

1.壬子卜，王令雀[甲骨文]伐[甲骨文]，十月。　《合》六九六〇（《後》二・一九・三）

2.……[甲骨文]伐[甲骨文]。　《合》六九六一（《後》二・二六・一一）

劉釗把這個字釋爲從耳從皇的「⿰耳皇」字：「卜辭⿰耳皇字作『[甲骨文]』，字不見於字書。與伐字組辭爲『⿰耳皇伐』，『皇』有大義，『⿰耳皇伐』即『大伐』」。（註一八）旭昇案：劉說無據，釋爲「⿰耳皇」字也顯示不出戰爭的意義，「[甲骨文]」和「伐」在一起，應該是和「伐」義近的一個字。劉釗釋爲從耳從皇（或皇聲）的字，並以爲通「皇」而有「大」義。那麼「[甲骨文]」字從耳究是當義符呢？還是當聲符？如果當義符，從耳表達了什麼意義，和「大」義有什麼關係？如果是當聲符，那麼「□」字應該唸成和「耳」同音或音近，那它就不能唸「皇」，不唸「皇」就不能從「皇」通到「大」。據此，「□」字應釋爲「皇」，它是和「伐」意義相類似的一個字，其詳細確定的意義還有待探討，但從甲骨文和《詩經・豳風・破斧》篇來看，它應該有「征討、匡正」的意義。

「皇」、「伐」二字連用，或許是個同義複詞，或許是兩個詞。卜辭中兩個意義相近的詞擺在一起連用的例子，如「循伐」（《合》6400「王『循伐』土方，受……」，對比另一片，《合》6398「庚申卜㱿貞今秋王『循』土方」）、如「収征」（《合》6413「……□貞今□収征土方」），如「突伐」（《合》6425「……貞今王突伐土方，受……」）等都是其例。「皇伐」或許可以看成和「循伐」、「収征」、「突伐」同例。

甲骨文中和「皇伐」類似的詞還有「凡□」，見於以下各條：

3.辛丑卜，爭貞曰：古方凡□于土……，

其敦□？允其敦？四月。《合》六三五四正（《續》三・一〇・一）

4.……曰：古……凡□……，其敦□……。《合》六三五五（《綴》一三一）

很明顯地，這些都是戰爭卜辭，「凡□」二字，拱辰釋爲「方皇」，劉釗改釋爲「凡皇」，以爲有徘徊騷擾的意思（文見上引）。案：把「凡皇」釋爲「徬徨」、「徘徊」，謂徘徊騷擾，表面上看似乎能把上引甲骨讀通，但是，「凡皇」爲什麼可以釋爲「徬徨」、「徘徊」？「徬徨」、「徘徊」爲什麼可以引申出騷擾的意思？殷代有無聯綿詞尚難斷言，縱然有聯綿詞，「凡皇」可以釋爲「徬徨」、「徘徊」，我們也無法從「徬徨」、「徘徊」中體會出侵擾的意義。因此，把「凡皇」釋爲徘徊騷擾，實際上是犯了訓詁學上「增字解經」的禁忌，並不可取。我以爲，上引甲骨文中的「凡」字或用作「判」，有「割」的意思；或用作「犯」，有侵擾的意思（註一九），因此「凡□」不必釋爲「徬徨」、「徘徊」，本身即可以有徘徊騷擾的意思。至於□字，我以爲應該是□字的假借（或者□是□的後造本字，此處難以判定），□字既是從戉、□（煌）聲的「皇」字，從戉（鉞）、因此有殺伐義，由殺伐義引申而有征討、匡正義。「皇」和「伐」可能是同義詞，二者有什麼其它的區別，目前還不知道。「皇伐」和「凡煌」二者可能意義很接近，「皇」、「煌」同音，「伐」、「凡」音近（「伐」在月部合口三等，「凡」在談部合口三等，二者只有韻尾的不同，文獻中月、談二部可以旁轉），「皇伐」和「凡煌」可能是意義相近的二組詞。

周法高先生說：「在金文中，『征伐』的『征』字後加賓語時從不用『于』字作介詞，……先秦載籍如《詩》、《書》、《易》、《春秋》、三《傳》、《論語》、《孟子》和《

老》、《莊》諸子，都未見『征于』或『征於』的例子。」（註二〇）從甲骨文來看，周法高先生所說「征」的用法是正確的，再擴大一些，我們可以看到甲骨文中「伐」字的用法也是這樣，後加賓語時不用介詞「于」。前引「皇伐」與其後的賓語之間沒介詞「于」，與這一規律相合，而「凡煌」之後卻有介詞「于」字，這是否可以看成「凡煌」和「皇伐」不同義的證據呢？從甲骨文看，周法高先生所說的現象適用於「征」、「伐」二詞，但並不能擴大於其它的戰爭動詞，在甲骨文中其它戰爭動詞之後加介詞「于」的例子並不罕見，隨手從《甲骨文合集》所見拈出以下各條：

6057 癸巳卜，𣪘貞：旬無𡆥？王𠱠曰：㞢求？其㞢來嬉？气至五日丁酉，允有來嬉自西，沚戠告曰：土方品「于」我東鄙，𢦏二邑，𢀛方侵我西鄙田。

6068 癸未卜，永貞：旬亡𡆥？七日己丑，㞷友化呼告曰：𢀛方品「于」我奠豐。七月，二告。

6343 勿乎王族凡「于」疾。

6352 戊寅卜，㝈貞：今秋𢀛方其品「于」[illegible]？

6677 ……丑卜：王方其品「于」商？十月。

7007 辛巳卜：……帚不戎「于」[illegible]？（7005作「……辰卜：[illegible]……戎[illegible]？」）

7008 ……卜，王貞：[illegible]……戎「于」祝？

在7007這一條裏，戎後加賓語時有介詞「于」，而在7005這一條則並不加「于」，其中或有什麼不同，目前還不十分明瞭，但也可能在某些戰爭動詞中，加不加介詞「于」並不是那麼嚴格的。甲骨、金文中「征」、「伐」之後加賓語時一律不加介詞「于」，「皇伐」一詞的後一字是「伐」，所以在它的後面不加介詞「于」，而「凡煌」一詞的後一字不是「征」、「伐」字，所以它的後面可以加上介詞「于」。加不加介詞「于」，應該不影響它們是二組意義相近的詞。

「皇」字有殺伐、征討、匡正的意思，所以〈破斧〉篇說「周公東征，四國是皇」，意思是：「周公東征，匡討了四周的這些邦國」，用的正是「皇」字的本字本義。有關「皇」字的這種用法，在文獻中還可以找到一些其它的證據：

一、**《國語．晉語二》：「夫齊侯將施惠如出責，是之不果奉，暇晉是皇？」**

本條的「皇」字，韋昭未注，陳奐《詩毛氏傳疏．破斧》云：「言不暇匡晉也。亦假『皇』爲『匡』。讀如『一匡天下』之『匡』。」清汪遠孫的《國語發正》（註二二一），近人薛安勤、王連生合著的《國語譯注》（註二二二）都採納了陳氏的說法。全句的語譯是：「齊侯把施惠當作放債，他連施惠都完成不了，那有閒暇來對付晉國？」陳氏的釋義應該是可信的，但此處的「皇」字用的是本字本義，不需要說爲「匡」字之假借。

二、**《穆天子傳》：「嗟我公侯，百辟冢卿，皇我萬民，旦夕勿忘。」**

郭璞注：「皇、正也。」《穆天子傳》是晉時不準盜汲冢古墓時所出土的，雖然古代已有人懷疑它是僞書，但據衛聚賢〈穆天子傳研究〉，證明它是戰國時候的作品，而且內容也有相當的根據，不是完全憑空捏造的（註二三）。此處的「皇」字也是「匡正」的意思。

「□」字是「煌」的本字，加上王聲之後變成「皇」字，其本義爲征討、匡正，但文獻中往往假借爲光明盛大的「煌」字用，而少用本義，同時□字的後起字又從火「皇」聲作「煌」，這種錯綜複雜的現象在古文字中並不少見。如金文疆域義的「疆」字的初文作□（見《毛伯簋》，參《金文編》第二二〇六號），其後加弓變成「彊」字，《說文》釋其義爲「弓有力也」，今通作強。但在金文中大都當作疆域的「彊」字用，其後又造從土的「疆」字來表示「畺」的本義，其錯綜複雜的程度和「皇」字的演變相去不遠。

陸、《大雅·大明》「在洽之陽」古義新證

明明在下，赫赫在上，天難忱斯，不易維王，天位殷適，使不挾四方。

摯仲氏任，自彼殷商，來嫁于周，曰嬪于京，乃及王季，維德之行，大任有身，生此文王。

維此文王，小心翼翼，昭事上帝，聿懷多福，厥德不回，以受方國。

天監在下，有命既集。文王初載，天作之合。在洽之陽，在渭之涘。文王嘉止，大邦有子。

大邦有子，俔天之妹。文定厥祥，親迎于渭。造舟爲梁，不顯其光。

有命自天，命此文王。于周于京。纘女維莘，長子維行。篤生武王，保右命爾，燮伐大商。

殷商之旅，其會如林。矢于牧野，維予侯興。上帝臨女，無貳爾心！

牧野洋洋，檀車煌煌，駟騵彭彭。維師尚父，時維鷹揚；涼彼武王，肆伐大商，會朝清明。——《大雅．大明》

《毛詩．序》：「〈大明〉，文王有明德，故天復命武王也。」全詩寫周初文王、武王的歷史，在西周史上是非常重要的史料；在文學史上，也是我國較少產生的史詩中的長篇傑作。但其中有一些關鍵性的文句還有爭議，影響了我們對詩義的了解，如「在洽之陽、在渭之涘」、「其會如林」、「會朝清明」等。以下本文先討論「在洽之陽、在渭之涘」的地望。本詩第三章敘述文王「昭事上帝，以受方國」，第四章「文王之載，天作之合」，於是娶了「大邦之子」，而這位大邦之子是來自有莘國的女子——「纘女維莘」，其後就「篤生武王」。這一段記載中的「文王初載」一句，至少有三種解釋，使文王此次結婚的年齡有初生（鄭《箋》之說）、少年（毛《傳》之說）、中年（朱子《詩集傳》之說）三種可能，應以毛《傳》之說爲是（見拙作〈詩經親迎禮辨〉），這兒不多作探討。文王婚禮中最費解的是新娘子的國家在那裡。詩文說文王親迎時是「在洽之陽、在渭之涘」，而文王所迎娶的是有莘國的女子。因此有莘國到底在那裡？「在洽之陽，在渭之涘」的地點又在那裡？傳統的解釋非常有問題，不但不合《詩經》文句的訓詁，在地理上也很明顯地不合理，然而因爲古地理考查困難，大部份的學者無法求出「洽陽」的地望應該在那裡，所以大家也就不太去追究它了。所幸，如今藉著地下文物的出土，爲我們探索此一問題提供了非常有利的資料，使它可以得到澈底的解決。

毛《傳》：「洽，水也。渭，水也。涘，涯。」只做了「在洽之陽，在渭之涘」的單字解釋，並沒有說出「洽陽渭涘」到底在那裡。《說文解字》：「郃，左馮翊郃陽縣。《詩》曰：『在郃之陽。』」《經典釋文》：「案：馮翊有郃陽縣，應劭云：『在洽水之陽。』」據此，許愼和應劭都認爲「在洽之陽」的地理位置就在漢代左馮翊的郃陽縣，在今陝西朝邑縣北。

這個解釋乍看之下非常合理，「在洽之陽」即郃陽，所以後代學者都一體遵從，略無異議，即使是連研究《詩經》地理著稱的朱右曾也不例外，他在《詩地理徵》中說：

《水經注》曰：「郃陽城南有瀵水，東流注於河水，南有文母廟，有碑，去城十五里。水即郃水也。」《括地志》云：「郃陽故城在同州河西縣南三里。」《郡縣志》曰洽水在舊河西縣南五里，今郃陽界內。」右曾案：《史記》魏文侯築合陽城，即郃陽也。明《一統志》曰：「郃陽縣在同州東北百二十里，郃水經縣北。」蓋縣非漢舊矣。

酈道元以爲瀵水就是洽水；朱右曾再繫聯《括地志》、《郡縣志》的郃陽縣以及《史記》魏文侯築合陽城，因而認定郃陽就是《詩經》「在洽之陽」的地望，表面上看起來考證精詳，非常合理。但是，酈道元注《水經》在談到郃陽城時先引瀵水，然後才說「水即洽水也」，顯然在酈道元的時候，洽水是看不到的，而當時相傳瀵水即是洽水。但是，瀵水眞的就是《詩經》中「在洽之陽」的地望嗎？顧祖禹《讀史方輿記要．卷五十四．郃陽縣》下注云：

州東北百二十里，東北至韓城縣九十里。古莘國地。洽，水名也，故《詩》曰：「在洽之陽。」其後流絕，故去水加邑。戰國時魏文侯築合陽城。漢七年，代王喜棄國自歸，赦爲郃陽侯，後復置郃陽縣，屬左馮翊，以在郃水之陽也，郃讀合。魏晉因之，後魏仍爲郃陽縣，……唐初屬西韓州，貞觀八年州廢，縣屬同州。

同卷郃陽縣後「莘城」條下，顧氏注云：

在（郃陽）縣南二十里，古莘國，伊尹耕於有莘之野，又周散宜生爲文王求有莘氏美女以獻紂。應劭曰：莘國在洽之陽，即此城也。武王母太姒爲莘國女，《詩》曰「纘女維莘」是矣。《縣道紀》：「郃陽城，魏文侯築，古莘地。」

照顧祖禹的考證，清代同州城南所謂的洽水早在戰國時代就已經「流絕」了，換句話說，這些學者誰也沒有見到眞正的洽水，大家都是從魏文侯築的「合陽城」推起。表面上看，《詩經》中的「洽陽」、戰國時代的「合陽」、漢代的「郃陽」，應該可以互通，是指同一個地方。但深入考究，卻完全不然，《詩經》中的「洽陽」絕對不是戰國時代的「合陽」及漢代的「郃陽」，酈道元、朱右曾、顧祖禹恐怕都錯了。

從句法上來說「在洽之陽，在渭之涘」二句並列，指的必然是一個地方，而不是兩個地方，《詩經》中類似這樣的句法很多，如：《衛風．竹竿》「泉水在左，淇水在右」、《大雅．皇矣》「居岐之陽，在渭之將」，都是二句指一個地方；《召南．何彼襛矣》「平王之孫，齊侯之子」，是二句指一個人（鄭玄《箴膏肓》之說）；《大雅．韓奕》「汾王之甥，蹶父之子」、《魯頌．閟宮》「周公之孫、莊公之子」也是二句指一個人；《衛風．碩人》「齊侯之子、衛侯之妻、東宮之妹、邢侯之姨、譚公維私」，甚至於是五句指一個人，這種句法，馬瑞辰《毛詩傳箋通釋》早已指出來了，因此，「在洽之陽，在渭之涘」指的是同一個地方，應無可疑。

其次，從字義上來說，「山南水北爲陽」，明見《穀梁傳．僖公二十八年》，歷代訓詁家從來沒有人有異議。因此，「在洽之陽，在渭之涘」的字面意思應該是：「在洽水的北岸，在渭水邊。」依照這個解釋，洽陽（《詩經》時代有沒有「洽陽」這個地名還大有疑問，此爲了方便說，姑且用「洽陽」這個詞）應該在洽水之北，而洽水應該在渭水之南，全詩文全句才說得通（見附圖八）。但是照酈道元、朱右曾、顧祖禹的說法，屬清同州郡的郃陽縣明

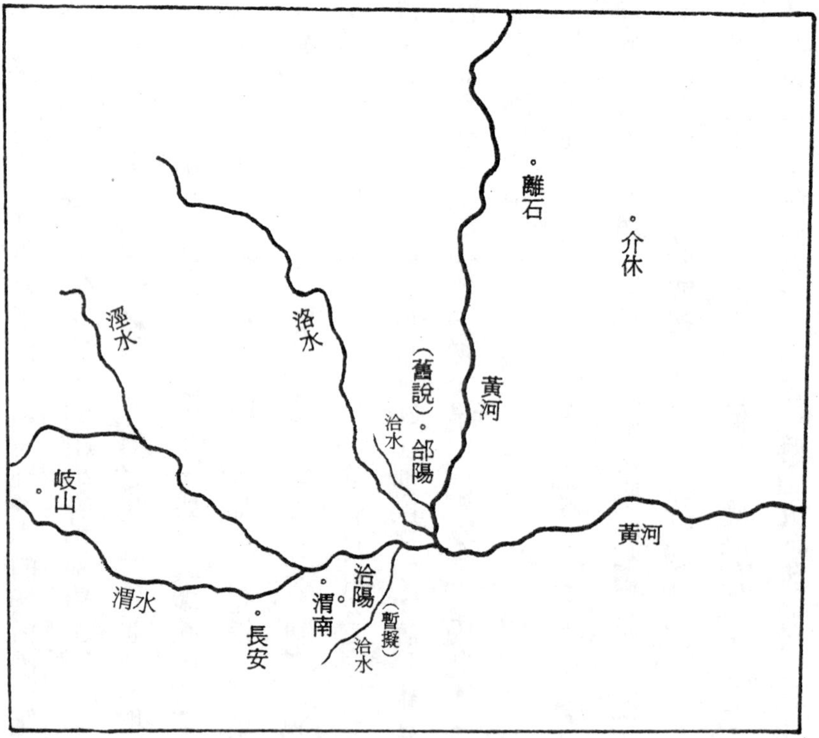

附圖八：洽陽地望圖

明在洽水之北、而洽水卻在渭水之北，郃陽不在洽水與渭水之間，而在渭水與黃河之間，詩文的「在洽之陽，在渭之涘」如何能說得通呢？顯見得古人對洽陽地望的說法大有商榷的餘地。

再說，《詩經》下文又有「親迎于渭，造舟爲梁」的句子，明明是文王來到渭水邊，用船做橋，親迎來自對岸的新娘子。根據《史記．周本紀》周自古公亶父遷於岐山下，一直到文王去世的前一年才又遷都豐。文王親迎應該是遷豐以前的事，因此文王定是從岐山出發，前往洽水之陽。但是，如果照傳統的舊說，岐山在渭北，郃陽也在渭北，從岐山到郃陽，可以經過涇水、也可以經過洛水，就是不可能經過渭水，然而詩文卻偏偏要說「親迎于渭」，這不是很奇怪的事嗎？陳啓源《毛詩稽古篇》看到了這個疑點，他提出的解釋是：

岐州即今鳳翔府岐山縣，在府城東五十里，有古莘城。二國皆在渭水之北，所謂「親迎于渭」者，當是循渭而行，非渡渭也。「造舟爲梁」，不知過何水？《傳》、《箋》無明文，嚴《緝》以爲渡渭，恐非是。

陳啓源頗有考據家的實證求眞精神，「親迎于渭」不知道是應該渡過什麼河，他就老老實實地說「不知過何水」；但他說「親迎于渭」只是循渭而行，卻不能令人滿意。《詩經》雖是一部文學作品，但卻是非常記實的，它沒有孫綽「臥游天臺」的架空筆法，從杜水往漆水走，《詩經》就說是「自土沮漆」（《大雅．綿》），沿著淮水走，《詩經》就說是「率彼淮浦」（《大雅．常武》）。準此，「親迎于渭，造舟爲梁」無論怎麼看也不像是「循渭而行」的意思。說「造舟爲梁」不知是渡何水，更是沒有道理，因爲如果只是在渭水邊親迎，男女雙方沒有一方要渡河，那又何必造舟呢？而人已經在渭水邊了，造舟不是爲了渡過渭水，那還會是渡過什麼水？《詩經》連洽水這樣一條戰國秦漢間就已經湮滅了的小河都記下來了，怎會不記特地「造舟爲梁」以求渡過的河水呢？所以他的說法並沒有把這個問題解決。

魏源也見到了這個問題，《詩古微・十三》云：

曰：「周在岐山、莘在洽陽，皆國渭北，而言『親迎于渭、造舟爲梁』者何？」曰：「循渭而行，本非渡渭，自莘至周，當逾洛涇，百兩迓送，造舟爲梁，其洛涇之濱歟？」

其說與陳啓源同，而逕謂「造舟爲梁」是渡過洛水、涇水，則又比陳啓源大膽，但卻沒有任何根據。如果眞的是渡過洛水、涇水，《詩經》爲什麼不直接說「親迎于洛（涇），造舟爲梁」呢？

近人錢賓四先生也見到了這個疑點，他以地名遷徙說來解決這個難題。他認爲岐山本在渭水之南，後來隨著周公被封而遷到渭北，他在《古史地理論叢・周初地理考》中說（每段之所附的數字是原書的章節號）：

蓋古人遷徙無常，一族之人，散而之四方，則每以其故居迻而名其新邑，而其一族相傳之故事，亦隨其族人足跡所到而播遷以遞遠焉。（一、二，〈總說〉）

以今考之，周人蓋起於冀州，在大河之東。后稷之封邰，公劉之居豳，皆今晉地。及太王避狄居岐山，始渡河而西，然亦在秦之東境，渭洛下流。（一、一，〈總說〉）

〈禹貢〉有之，曰：「既載壺口，治梁及岐。」王應麟《困學紀聞》說之曰：「治梁及岐，若從古訓，則雍州山，距益州甚遠，壺口大原不相涉。晁以道用《水經注》，以爲呂梁狐岐。蔡沈依之，謂梁、岐皆冀州山。梁山、呂梁山也，在今石州離石縣東北，岐山在今介休縣，狐岐之山，勝水所出，東北流注於汾。」此岐爲晉山是也。

岐之爲山不可猝而指，請先言岐陽！《詩·皇矣》：「度其原隰，居岐之陽，在渭之將。」此文王之所居也。《逸周書·和寤》：「王乃出圖商，至于鮮原。」孔晁注：「鮮原近岐周之地。」《路史·國名紀》云：「鮮原在今咸陽，與畢陌接，所謂畢程。程大昌《雍錄》云：孟子言文王卒於畢郢，即畢程，郢即程也。」《方輿紀要》：「畢原在咸陽縣北五里，亦謂之畢陌，南北數十里，東西二、三百里，即九嵕諸山之麓也。」朱右曾《詩地理徵》：「咸陽西北去岐山三百里，而得謂之岐陽者，蓋岐山迤邐東出，盡於涇水，隨地異名，九嵕谷口，亦岐之支派也。」以今論之，鮮原畢陌皆稱岐陽，岐本在東不在西。朱氏之說，猶未是耳。（五、三十八，〈四、二十二，〈公劉篇〉）

太王篇〉）

岐陽之地望既得，請再言岐周！《逸周書·大匡解》：「維周王宅程三年。」孔晁

注：「程，地名，在岐周左右，後以爲國。初王季之子文王因焉，而遭饑饉，乃徙豐。」《雍錄》：「豐在鄠縣，程在咸陽東北。」又〈作雒解〉：「王既歸，乃歲十二月，崩鎬，肂於岐周。元年夏六月，葬於畢。」孔晁注：「肂攢塗。」惠曰：「殯曰肂。」朱右曾云：「岐周在鎬西北三百餘里，畢在鎬東數十里，不應殯遠而葬近，蓋謂鎬京之周廟耳。」今案：周廟豈得謂之岐周？朱氏不得其解而強說之，非也。當如孔晁注，岐周本與程近，故文王居岐周而武王殯焉。其地與畢原豐鎬皆邇，非遠在扶風也。《呂氏春秋．順民》：「文王處岐事紂。」夫文王居畢程，而云處岐者，岐即岐周，非扶風之岐山也。又〈誠廉篇〉：「伯夷叔齊西行如周，至於岐陽，則文王已歿矣。」文王亦歿於畢程。夷齊自東方往，何以遠踰豐鎬而至扶風岐山之下？以此論之，岐周與岐陽之與鮮原畢程，同屬一地，明矣。（五、四十一，〈太王篇〉）

夫「摯仲氏任，自彼殷商，來嫁于周，曰嬪于京」，此王季之婦，文王之母也。「在洽之陽，在渭之涘。于周于京，纘女維莘」，此文王之妻，武王之母也。兩世之娶，皆在東土，未嘗遠及鳳翔岐山之偏也，魏源《詩古微．卷十三》：「周在岐山，莘在洽陽，皆國渭北，而言親迎於渭，造舟爲梁者何？……造舟爲梁，其洛涇之濱乎？」既云洛涇之濱，何捨洛涇而言渭？若依余說，岐周在渭南。詩辭極晰，無煩

強釋矣。（七、五十七，〈文王篇〉）

錢穆先生不愧是一代大儒，他所提出的「古史地名遞播說」，確實可以解決古史地名中「一名多地」的現象。依照這個理論，又參考其他資料，他認為岐山本來在山西省介休縣，后稷、公劉都是崛起於這一帶，其後太王避狄徙居，於是把咸陽附近的峨山也叫岐山，王季、文王的活動地區都在這裡。後來周公被分封了一塊采邑，地點在陝西鳳翔，於是周公也把鳳翔附近的山叫作岐山。後人不察，以為太王、王季、文王所住的岐山都是鳳翔的岐山。這個說法非常巧妙，但是還有一些疑點：一、他所引的資料，如《逸周書》、《路史》、乃至孔晁注、王應麟說，有些眞僞駁雜、疑信參半，有些時代較晚，可信度較低。二、古史地名遞播當然是非常正確的理論，但是同一地名如何遞播，那一個地名相當於那一個地方，卻要有更精審的考證。在資料不足的時候，寧可保留一點。文王活動的地方如果眞是在現在的咸陽一帶，何以後人一致誤認為現在的陝西鳳翔，恐怕不是容易能論定的。當現有的文獻資料無法論定的時候，只有等待新資料了。從民國四十三年到民國六十八年，大陸地區陸續出土了不少西周甲骨，學者對這些資作過討論的單篇論文及書不在少數，根據王宇信的《西周甲骨探論》，目前所知道的西周甲骨共有：一九五四年山西洪趙縣坊堆村出土周初有字甲骨一塊；一九五六年西周腹地豐鎬遺址陝西張家坡出土西周有字甲骨一塊；一九七五年北京昌平白浮村出土周初燕國有字甲骨兩塊；一九七七年陝西鳳雛村南出土西周甲骨一萬七千餘塊，有字的有二百九十二片；一九七九年陝西扶風齊家村出土西周甲骨二十二塊，有字的六片。其中最令學術界振奮的是一九七七年陝西岐山鳳雛村出土的一萬七千餘片，其中第一片（鳳雛H11：1）說：（隸定採寬式，用通行楷體）

癸巳，彝文武帝

乙宗。貞：王其卲祭

成唐（湯）……

徐中舒先生〈陝西岐山鳳雛村西周甲骨文概論〉以爲：「文武乃殷代後期帝王通用的美稱，頗似後代帝王的徽號。宗與廟同，甲骨文凡稱先公先王廟皆稱爲宗。此周原文武帝乙宗乃文王所立以崇祀殷先王，以示爲殷之屬國。」嚴一萍先生〈西周甲骨〉則以爲「文武帝乙即帝乙。」案：殷金文《亞獏四祀邲其卣》（見《金文總集》第5492號）中也有「乙巳、王曰，尊文武帝乙宜」的句子，「文武帝乙」指帝乙。由此可見這一批周原甲骨的時代是在殷末周初時，已確無可疑。又第七片（鳳雛H11：84）說：

貞：王其桒又

大甲，冊周方

伯，口叀足，

不（丕）左于受

又（有）又（佑）

李學勤、王宇信〈周原卜辭選釋〉云：「此片王祭太甲，自應爲商王。王與周方伯同版，在此卜辭外，又見於另一片周原卜甲，很顯然與周方伯不是一個人。王和周方伯在卜辭中的地位也是大不相同的。王是主持祭祀的人，而周方伯則是冊的對象。……古書載，與帝辛同時的周君是文王昌，他是商朝的西伯。本辭的周方伯應即是文王。」據《呂氏春秋・順民》篇：「文王處岐事紂，冤侮雅遜，朝夕必時，上貢必適，祭祀必敬，紂喜，命文王稱西伯。」是文獻記載與周原甲骨實物互相吻合，當然可信。學者大致同意本片甲骨是殷紂王冊周文王的實錄（註二四）。

由以上的證據可以證明，在今陝西岐山鳳雛村出土殷紂王冊周方伯的甲骨，則周文王活動的區域當就是現在陝西岐山，而不是在咸陽，而岐山正在渭北，並不在渭南。錢穆先生用古史地名遞播說以爲文王活動的區域是在今咸陽一帶，已可證明是錯的，而他把岐周搬到渭北，也頓失依據，絕不可信。

岐既在渭北，傳統所說的洽陽又在河、洛之間（也在渭水的北方），那麼文王要如何「

造舟爲梁，親迎于渭」呢？文王所娶的是「纘女維莘」，因此要從有莘國的地望談起。傳統上對有莘的地望大致有山東、河南、陝西三說，分見於以下八條（參陳槃先生《春秋大事表列國爵姓及存滅表譔異》）：

一、《水經注・四・河水注》以爲在今陝西郃陽縣（已見前引）。

二、《路史・國名紀・丁・莘》：「硤石鎭西十五（里），莘原也。」注：「在陝州陝縣，即今河南陝縣。」

三、《春秋經・莊公十年》：「荊敗蔡師于莘。」杜預《左傳》注：「莘，蔡地。」其地在今河南汝陽縣。

四、〈殷本紀〉正義：「《陳留風俗傳》云：陳留外黃有莘昌亭，本宋地，莘氏邑也。」地在今河南杞縣東六十里。

五、〈殷本紀〉正義：「《括地志》云：古莘國在汴州陳留縣東五里故莘城是也。」

六、錢穆先生曰：「鯀娶有莘氏女而生禹，有莘國亦在河南嵩縣，與伊水地望相近。」陳槃先生案：有莘國在今河南嵩縣之說，未詳所出。

七、《左傳・宣公十六年》：「宣姜與公子朔構急子，公使諸齊，使盜待諸莘，將殺之。」杜注：「莘，衛地。陽平縣西北有莘亭。」

八、《元和郡縣志・十二・曹州濟陰縣》：「莘仲故城，在縣東南三十里，蓋古之莘國也。」地在今山東曹縣西北。

以上這麼多莘，到底那一個是《詩經・大明》篇的莘呢？依文獻資料，誰也不敢說，陳槃先生說：「古代不可能有如許多莘國，當由莘國不恆厥居故耳。……若太姒母家莘國之在陝西郃陽，又學者所習知者也。」所謂學者習知，也只是舊說如此吧。

一九七五年，陝西省渭南縣陽郭南堡村出土了五十二件銅器，其中有銘的三件，分別是：

《父己鼎》：「亞鹿父己。」

《父乙尊》：「尊父乙。」

《辛邑阦矛》：「辛邑阦。」

前二器姑且不論，第三器明白標識「辛邑」，應該和莘國有很密切的關係，甚至於可能就是莘國鑄造的銅器，所以考古報告人左忠誠在〈渭南縣南堡村發現三件商代銅器〉一文中說：

辛邑阦矛，是有莘國的器物，有莘國在夏末已見其名，商湯的助手伊尹就是有莘國嫁女時的陪臣。《詩經・文王》（案：當爲〈大明〉）：「大邦有子，纘女維莘。」有莘之女成了文王之妻、武王之母，可見有莘是商王朝的一個方伯，又與周族有著婚姻關係。據《陝西省通志》載，莘國之邑在郃陽縣莘城村，其活動範圍『在洽之

陸、《大雅・大明》「在洽之陽」古義新證

陽，在渭之涘』，大約在大荔、郃陽一帶流動，到了西周時期已不見書。稍晚渭南爲驪戎所據，郃陽、大荔也教諸戎佔了。直到春秋時期，衛、蔡兩國各有辛邑，這似乎可以推斷有莘國不是在武王伐紂、周公東征時遷諸東方，就是在西周時爲諸戎滅亡。郃陽無有莘銅器出土，渭南陽郭出土辛邑矛，這對研究商周和有莘歷史提供了重要線索。

左文對辛邑矛爲有莘國銅器的推斷應該是可信的。但他囿於傳統莘在郃陽的說法，所以明明知道「郃陽無有莘銅器出土，渭南陽郭出土辛邑矛」，卻仍然把有莘國的地望定在郃陽，這是非常可惜的。辛邑矛的出土地渭南，地理位置在渭水南岸，這和《詩經．大明》所述「在洽之陽，在渭之涘」的地理要求完全可以配合，也就是說，〈大明〉篇「洽陽渭涘」的地理位置應該就在今陝西渭南附近。以地下出土文物配合傳統文獻，廓清舊說之誤，使湮霾二千餘年的古代邦國重見天日，使〈大明〉篇舊說的疑點一掃而空，誠爲人生一大快事，唯一的遺憾是洽水的舊址無法找到。古代河流的改變，比古史地名的變遷還要劇烈，而洽水在戰國秦漢之際就已經湮滅，大概是不可能考出來的。這兒只能依照《詩經》的文句，訂在渭水及渭南的南方了。

柒、《大雅·大明》「其會如林」古義新證

（原詩見前篇）

本詩本句的「會」有會聚、旌旗、發石三說。主「會聚」說者以《傳》、《箋》、《疏》爲主：

毛《傳》：「如林，言衆而不爲用也。」

鄭《箋》：「般盛合其兵衆。」

孔《疏》：「殷商之衆，其會聚之時如林木之盛也。」

主「旌旗」說者，主要從《說文》及馬融〈廣成頌〉立論：

王先謙云：「齊、韓《詩》『會』作『旝』。齊、韓『會』作『旝』者，《說文》：『旝，建大木，置石其上，發以機，以追敵也。《詩》曰：其旝如林。』馬融〈廣成頌〉『旃旝摻其如林』本此。據下魯作會，此爲齊、韓文。《風俗通義·十》：

「《詩》云：「殷商之旅，其會如林。」林，樹木之所聚生也。」《呂覽・務本篇・高注》：『言天臨命武王伐紂，必克之，不敢有疑也。』此皆魯說。」（《詩三家義集疏》）

主「發石」說的人較少，主要是依據《說文》：

《說文・七篇上》：「旝，建大木，置石其上，發以機，以追敵也。《春秋傳》曰：『旝動而鼓。』《詩》曰：『其旝如林。』」（旭昇案：此據小徐本。段注以爲非許書之舊，依《韻會》引小徐本改爲：「旝，旌旗也。从㫃會聲。《詩》曰：『其旝如林。』《春秋傳》曰：『旝動而鼓。』一曰：建大木，置石其上，發以機，以槌敵。」注云：「槌，依小徐及《五經文字》。大徐作追，非也。……此條大小徐二本皆作『建大木，置石其上，發以機，以追敵也。《春秋傳》曰：「旝動而鼓。」《詩》曰：「其旝如林。」』此非許書之舊，今依《韻會》所據小徐本，乃許書之舊也。前一說旝爲旌旗，故廁於旂、旞、旓三篆間。」）

「發石」一說，何楷《詩經世本古義》採用了，但只引了《說文》，並沒有另作疏解。陳子展《詩經直解》也採用了此說，他把「殷商之旅，其會如林」語譯爲：「殷商的師旅很盛，他們的砲石如林。」並注云：「其會如林者，《說文・七篇上》：『旝，建大木，置石其上；發以機，以追敵也。《詩》曰：「其旝如林。」』此本三家《詩》說。則知旝爲上古之世，木石所製，利用機械抛射遠攻之重武器也。其解說詳見沈欽韓《春秋左氏傳補注》（桓五年《傳》，旝動而鼓），《詁經精舍文集》五、徐緄《砲考》，劉仙洲《中國機械工程史料》八、兵工砲類。」但是，砲石可以如雨，似乎少有人以爲如林，砲石如林，畢竟不是很高明的比擬，而且殷末以車戰爲主，牧野之戰，文獻未聞有砲石如林。因此馬瑞辰曾特爲辨析「發石」說之非，馬瑞辰《毛詩傳箋通釋》云：

《說文》旝字注：「一曰：建大木，置石其上，發其機，以槌敵也。」（嚴可均曰：「旝即後世劈歷車。《說文》不言大木建於何所，必有脫文。唐《類苑》、《太平御覽》載魏武帝令，引《說文》『旝，發石車也。』則古本建大木上有『發石車也』四字，今脫去。」）據《左傳·正義》引賈逵曰：「旝，發石也，一曰飛石。」《范蠡兵法》曰：「飛石重二十斤，爲機發，行三百步。」許君引《春秋傳》及《詩》說，蓋本賈逵，以許君从賈逵受古學也。三家《詩》或亦有作旝者，馬融〈廣成頌〉「旃旝森其如林」，即本此詩，是馬融《詩》傳亦作旝，然以旃旝連言，仍以旝爲旌旗。《左傳》杜注：「旝，旃也。」《說文》：「旝，旌旗也。」引《詩》「其旝如林」。《春秋傳》曰：「旝動而鼓。」是三家《詩》有作旝者，自以爲旃，不以爲發石也。發石之制初見《范蠡兵法》，恐非商時所有。且以爲如林，則可以言旌旗，不可以狀發石也。

案：發石車之解，馬瑞辰已經辨析排除了，雖然他的辨析有點小小的缺點，發石之法雖初見於《范蠡兵法》，但在人類戰爭兵器史上，以石球爲武器，起源非常早，中國在舊石器時代就已經有了石球、飛石索、彈弓，當然也可能有比較原始的發石車。《中國古代兵器圖集》云：「石球可能是最早的專用狩獵工具，它起源於狩獵中使用的拋擲石塊。最初原始人用手拋擲石頭，經過長期實踐發明了飛石索，大大增加了投擲距離和打擊強度。爲了提高拋擲的準確性，原始人又對石頭進行整修，使之變得渾圓規整。」（見第七頁）又云：「飛石索又稱投石帶，它是人類使用的最古老的遠射器具。用飛石索拋射的石球曾在舊石器時代和新石器時代遺址中大量的發現，但主要用繩索和皮條制作的飛石索卻腐朽不存。」（見第十六頁）又云：「在新石器時代的一些遺址中，與石球一起出現了一些較小的石質或陶質的彈丸，它們可能是用彈弓發射的。從民族學材料與甲骨文的□（彈）字可以看出，彈弓與一般的弓很相似，古人說：『弓生於彈。』（《吳越春秋》），即射箭之弓源於射彈之弓。無疑，到處存在的小石子應是彈弓的常用彈丸。」（見第十七頁）據以上資料可見發石車未必在商朝不會產生。當然，這不妨礙馬氏對「其會如林」的看法，「且以爲如林，則可以言旌旗，不可以狀發石也」一句，已足辨明釋「旝」爲發石車一說之不可從了。

此外，「會聚」、「旌旗」二解，仍無法論定其優劣。以近人的著作而言，屈萬里先生的《詩經釋義》用的是前說：「會，聚也。如林，言其多也。」而由程俊英先生語譯、趙沛霖先生解析的《詩經楚辭鑑賞辭典》則採用後說：「會，借爲旝，意爲旌旗。」那一說對呢？以戰爭的場面而言，似乎「旌旗」說較合理，因爲在戰爭中打仗的馬車上應該有旗子，「殷商之旅」既多，則其旌旗多如森林，似乎是非常傳神的戰爭場面的描繪，所以大陸地區的《詩經》著述大都採用這一個說法。但是，我們要考慮的是：「旝」是一種什麼樣的旗子？在商周牧野之戰中，殷商之旅可不可能「其旝如林」？

旝字在先秦文獻中只有《左傳·桓公五年》用過一次，杜預注：「旝，旃也。」其餘文獻未見用此字。通行本大小徐《說文》釋爲大木發石，因此許多學者並不贊成杜注。其次，即使我們同意旝有旌旗的意義，那麼我們不免要進一步問，在戰爭中，旝是在什麼情況下用的呢？楊伯駿《春秋左傳注》云：「旝音檜，大將所用軍旗，執以爲號令者也，通用一絳帛，無畫飾。」這個說法是出自杜注「旝，旃也。」先把旝通爲旃，然後揉合了《周禮》及鄭注對旜的解釋，再加上楊氏個人的看法，實際上並沒有多少堅強的依據。《周禮·司常》：「通帛爲旜。」（旜通旃）鄭注：「通帛謂大赤，從周正色，無飾。」楊氏謂「通用一絳帛，無畫飾」本此。《周禮・夏官・大司馬》又說：「中秋治兵，如振旅之陳，辨旗物之用：王載大常，諸侯載旂，軍吏載旗，師都載旜。」鄭注：「師都，遂大夫也。」楊注說旜是「大將所用軍旗，執以爲號令者也」應該本此，但遂大夫畢竟不是大將軍。我個人曾對《周禮》九旗作過一點小考證，寫了一篇〈九旗考〉，發表在民國七十二年的《中國學術年刊》第五期，據《儀禮・鄉射禮》有龍旜、《儀禮・聘禮》「使者載旜」、《左傳・昭公二十年》「旃以招大夫」、《左傳・定公四年》「分康叔以旃旌」、《穀梁傳・昭公八年》「置旃以爲轅門」、《孟子・萬章下》「招庶人以旃」、金文《番生簋》「錫朱旂、旜」，說明周代自諸侯至大夫都有旃，而不是像《周禮》說的只是「孤卿建旜」。其形制，既名龍旜，當有龍飾，可見得旜也不是如鄭注所說的「大赤無飾」。再進一步想，我們即使同意周代制度非常複雜，《左傳》的旝有其獨立的背景，不必和周代其他文獻相吻合，但我們也要了解，旗幟是戰爭的耳目，代表主將所在，並傳達主將對其部屬士卒的指麾訊息，其數量很有限，在一場大戰爭中，大將所用的旝不可能多到「如林」的。《國語・吳語》中有一段對戰爭佈陣的精采描述：

> 吳王昏乃戒，令秣馬食士，夜中乃令服兵擐甲，係馬舌，出火竈，陳士卒百人，以爲徹行百行，行頭皆官師，擁鐸拱稽，建肥胡（韋注：肥胡，幡也。），奉文犀之渠。十行一嬖大夫，建旌提鼓，挾經秉枹；十旌一將軍，載常建鼓，挾經秉枹。萬

人以爲方陳，皆白裳、白旂、素甲、白羽之矰，望之如荼。王親秉鉞，載白旗，以中陳而立。左軍亦如之，皆赤裳、赤旟、丹甲、朱羽之矰，望之如火。右軍亦如之，皆玄裳、玄旗、黑甲、烏羽之矰，望之如墨。爲帶甲三萬，以勢攻。

照這一段記載，吳軍三萬，分爲中、左、右三軍，每軍一萬人，百人爲行，行有官師，建幡；十行一嬖大夫，建旌；十旌一將軍，建常。將軍的旗幟不過三面，如何能成林？官師的旗幟有三百面，倒是可以成林，但官師建幡，不是建旝。而《詩經·大明》的旝，從來沒有人以爲是幡的。由此看來，鄭《箋》、孔《疏》明知道三家《詩》的「其會如林」有作「其旝如林」的，而鄭、孔二家並不採用旝旃之說，未嘗不是經過一番深思熟慮的。

當然，古代的旗幟無法保留下來，先秦的戰爭也許有各種制度，以上的推論也許還不能完全令人信服。因此，「其會如林」的確解究竟如何，似乎還需要堅強的證據才能論定。

一九七七年，河北省文物管理處在平山縣中七汲村發掘戰國時期中山國墓地，在一號墓中出土了一件《胤嗣好蚉壺》（《總集》5803、《邱集》6456），是由中山國的胤嗣庶子名叫蚉的所作的一個壺，全銘二百零四字，主要敘述了中山國在賢佐司馬賈（註二五）的輔佐下，大敗燕師的歷史，全銘如下：

胤嗣好蚉敢明易告，昔者先王慈愛百每，篤胄亡疆，日夕不忘，大去刑罰，以憂氏民之隹（罹）不辜，或得賢佐司馬賈而重任之邦。逢燕亡道易上，子之大[illegible]不宜（義），反臣其宗。維司馬賈訢詻戰恕，不能寧處，率師征郾，大啓邦宇，方數百里，維邦之幹。維朕先王，茅蒐田獵，于彼新土，其逾（會）如林，馭右和同，四牡汸汸，以取鮮槁，饗祀先王，德行盛旺，[illegible]逸先王。於虖、先王之德，弗可復得，潸潸流涕，不敢寧處，敬命新地，雨（雩）祠先王，世世毋絕，以追庸先王之功烈，子子孫孫，毋有不敬，寅祗承祀，十三苿、左史車，嗇夫孫固，工[illegible]。重一石三百卅九刀之重。

考釋這一銅器的文章很多（註二六），以上是參考諸家之說後的隸定。其中有一段[illegible]的先王田獵的句子：「維朕先王，茅蒐田獵，于彼新土，其逾（會）如林，馭右和同，四牡汸汸，以取鮮槁。」很明顯地，文句多襲自《詩經‧小雅‧車攻》：「我車既攻，我馬既同。四牡龐龐，駕言徂東。」而「其逾如林」一句，更是與《大雅‧大明》全同，惟其字作逾。中山國所出銅器逾字一共三見，另外二見分別是《中山王嚳鼎》（參《總集》1331、《邱集》1444）的「齒長於逾同」；及《中山王嚳方壺》（參《總集》5805、《邱集》6458）的「而退與諸侯齒長於逾同」，「逾同」即「會同」。由此看來，戰國時代的中山國所見《詩經‧大明》「其會如林」句中的「會」，應該是理解爲「會聚」，而不是「旃旝」。雖然中山國銅器的異體字很多，但並不是漫無條例，適一律當會解，因爲都與行動有關，所以加上辵部，也還算合理。

以上本文通過古代戰爭建旗的制度、未經傳鈔的戰國時期中山國銅器銘文，析論《詩經·大明》的「殷商之旅，其會如林」應從毛《傳》、鄭《箋》、孔《疏》釋爲「殷商之衆，其會聚之時如林木之盛也」，「會」字不應從三家《詩》作「旝」，也不應釋爲「發石」或「旌旃」。

捌、《大雅·大明》「會朝清明」古義新證

（原詩見前篇）

「會朝清明」一句，歷來解釋非常複雜，由於大部份說法都是由《傳》、《箋》推出來的，因此我先把《傳》、《箋》、《疏》的說法列在下面：

《傳》：「肆，疾也。會，甲也。不崇朝而天下清明。」

《箋》：「肆，故今也。會，合也。以天期已至，兵甲之強，師率之武，故今伐殷，合兵以清明，《書·牧誓》曰：『時甲子昧爽，武王朝至于商牧野，乃誓。』」

《疏》：「王肅云：『以甲子昧爽與紂戰，不崇朝而殺紂，天下乃大清明，無復濁亂之政。』《傳》云『會甲』，肅言『甲子昧爽』以述之，則《傳》言『會甲』，長讀爲義，謂甲子日之朝，非訓會爲甲，孫毓云：『經傳訓詁未有以會爲甲者。』失毛旨而妄難說耳。《定本》云『會甲兵』，則與『會甲子』義異。……（《箋》）

易《傳》曰，以會者遇值之辞，言會朝清明，正是會清明之朝耳。詩無甲子之文，不當横爲『會甲』，且清明與昧爽文協，故易之。」

先釋「會朝」。毛《傳》「會，甲也」的意思很不好懂，鄭《箋》說「合兵以清明」，是把「會」解爲合，「兵」字是鄭玄另外添加的字，「朝」大概與「清明」同義，所以直接用「清明」取代了「朝」，引〈牧誓〉文當是說明「朝」、「清明」即是「昧爽」。這是第一種說法：「於黎明時會兵」。孔《疏》所引王肅以爲「會朝」即「會甲朝」，即「甲子朝」，即「甲子日的黎明」，這是第二說。

或釋爲「一朝」，這是第三說：

惠棟《九經古義》：「甲朝者，一朝也。古皆以甲爲一，如：第爲甲第、觀爲甲觀、令爲甲令、夜爲甲夜，《書》曰：『壹戎殷。』言役不再籍也。《戰國策》張儀曰：『昔者紂爲天子，帥天下，將甲百萬，以與周武爲難。武王將素甲三千（漢京本《皇清經解》誤刻爲兵，據《戰國策》改）領，戰一日，破紂之國，禽其身，據其地。』高誘曰：『一日，甲子之日也。太公望爲號。到牧野便克紂，故曰一日。』毛公以意說《詩》，故訓『會朝』爲『甲朝』，又云『不崇朝而天下清明。』崇朝者，不終朝也。」

或釋爲「甲子日的早上」，即十干中「第一日的早上」，這是第四說：

段玉裁《毛詩故訓傳》：「會，古外切。甲與會雙聲。凡器之蓋曰會，日之首曰甲，二者演之爲居首之稱。〈貨殖傳〉『蓋一州』，《漢書》作『甲一州』，詩之甲朝（《皇清經解》本誤刻作『里明』，據陳奐《詩毛氏傳疏》改），一謂甲子日，一謂第一日，天下清明也。《定本》作『會甲兵』，坐不知由音以推義耳。」

或釋爲「天比明尚未大明之際」，這是第五說：

馬瑞辰《毛詩傳箋通釋》：「會朝猶言會明，會明猶言遲明、黎明，皆比明之義也。……比猶及也、至也。會即比及之義。《廣雅》：『會，至也。』會明、黎明、遲明，皆謂比明、至明。是知會朝亦謂比及於朝，即始朝也。……會朝爲天比明尚未大明之際。」

或釋爲「不終朝」，即「不到一個早上」，這是第六說：

陳奐《詩毛氏傳疏》：「甲朝猶〈彤弓〉云一朝耳。甲者十之首，一者數之始，《傳》恐人不曉甲朝之義，故又申釋之云：『不崇朝而天下清明。』崇，終也。不終朝，一朝也。〈蝃蝀〉、〈采綠〉傳皆云：『自旦及食時爲終朝。』終朝，朝之終；甲朝，朝之始，不終朝即是甲朝。」

以上六說，究以何者爲是呢？如果我們同意毛《傳》對「清明」的解釋（毛《傳》釋爲「天下清明」，除了鄭《箋》外，其他人大致都採納了這個解釋），那麼「會朝」似應從惠棟釋爲「一朝」，也就是一個早上。「會」訓「合」是常解，「合」即全部，因此合朝即一整個早上。先秦文獻中說周武王只花了一個早上便滅紂克殷的很多，此不贅引，這裡只舉一個地下出土的實物以爲證明。

一九七六年三月陝西臨潼縣零口公社西段大隊發現一處西周銅器窖穴，出土銅器六十餘件，有銘者五件，其中最重要的是《利簋》。由於本器是迄今所知西周最早的銅器，爲武王時代絕對可靠的標準器，而且銘文中明確地記載著武王伐紂的史事，爲探討武王克殷供了最可靠的證據。所以自出土以來，就廣爲學界所重視，考釋文章數十篇（註二七）。由於各家的考釋還有不少歧見，這些歧異關係到對武王克殷的了解，所以以下引完銘文之後，我先把銘文略加考釋疏通，以助解讀。

珷征商，隹甲子朝，歲
鼎，克聞（昏），夙又商，辛未、
王才闌自，賜又事利
金，用作旜公寶障彝

本器著錄見《錄遺》273、《總集》2885、《邱集》2671、《銘文選》1.17（22），器高28、口徑22、方座縱20.3、橫20公分。以下是分句考釋，引號中先引銅器原銘，後附語譯。

〔珷征商〕：武王征伐商

*唐蘭云：「珷字從王武聲，爲周武王所造的專用字。」

*于省吾云：「珷爲武王的簡稱。西周金文中文王武王的文武，往往從王作玟珷，見於《盂鼎》、《㓨尊》、《宜侯夨簋》和《芇伯簋》。」

*張政烺云：「珷、武王二字合文。周代銅器銘文中數見，當讀武王二音。……較晚銘文如《盂鼎》、《夨簋》皆于珷下又加一王字，說明當時漢字越來越走上一字一音了。」

*馬承源云：「珷、係武王二字合書，西周金文中特指周武王。他銘亦有作『珷王』者，當是一種敬稱的寫法。」

旭昇案：「珷」字，唐蘭云周武王的專用字，于省吾云爲武王的簡稱，張政烺說「珷」爲「武王」二字合文，各得一體。從古文字的立場而言，商代王號往往用合文，如：上甲作⊞、雍己作[illegible]等（參《甲骨文編》五七七頁合文部份），因此「武王」合文作「珷」，非常合理。但成王五年的《何尊》有「復爯（？）珷王豐福自天」、「肆玟王受茲大令」、「隹珷王既克大邑商」等句，似乎不以玟珷爲合文；而康王廿三年的《大盂鼎》則有「不顯玟王受天有大令，在珷王嗣玟作邦」，似乎用「玟王」和「玟」沒有太大的不同。從銅器文字上看，西周銅器銘文除了「上下」、「□月」、「□朋」、「□匹」、「□十」、「□百」、「□千」、「小子」、「小臣」、「小牛」、「小大」、「無疆」、「⿰阝尊簋」、「彤弓」、「彤矢」、「入門」、「⿱曰廾（鄧）白」、「寶用」、「寶尊」等十九種合文外，未見其它合文問題，可見周代文字原本就是一字一音，並沒有較晚時期才走上一字一音的演化過程。（據高明《古文字類編》所收，殷代甲骨文的合文有二百八十多個例子，佔殷代文字的十分之一左右，因此殷代文字是否全部是一字一音，的確是一個值得探討的問題。）因此「珷」、「玟」等字可以看成「武王」、「文王」的專用字，也可以看成殷代合文的孑遺。

〈隹甲子朝〉：在甲子日的早上

「甲子朝」是銘文第一件事發生的時間，即甲子日的昧爽到食時。《鄘風・蝃蝀・毛傳》：「從旦至食時爲終朝。」據甲骨、金文資料，昧爽之後是明（如《小盂鼎》：「昧爽，三左、三右、多君入服酉。明，王各周廟。」）；明之後是大食日、或稱食日、大食（《英國所藏甲骨》第一一〇一號：「丙申卜：翌丁酉酢伐啓日。明，雺。大食日，啓。一月。」《小屯南地甲骨》第四二號：「自旦至食日不雨。」《甲骨文合集》第三〇九六一號：「丙戌卜：三日雨？丁卯，隹大食雨。」）旦當與明相當，《說文》：「旦，明也。」漢人稱食日爲日食時或食時（饒宗頤〈釋紀時之奇字：卣、杲與丮（埶）〉）。陳夢家以「明」爲一日之卯時，約當今五至七時；大食爲一日之辰時，約當今之七至九時（《卜辭綜述》第二二三頁），當可從。但他把昧爽、旦、明放在一起，恐怕值得商榷。照《大盂鼎》，昧爽應該比明要早，我們不妨把昧爽往前推一個時辰，即在一日之寅時，約當今之三至五時。《小盂鼎》中的三左、三右、多君在昧爽時就入服酉，這是符合周代的上朝制度的。《詩・小雅・庭燎》：「夜如何其？夜未央，庭燎之光。君子至止，鸞聲將將。」《傳》：「央，旦也。」可以爲證。綜上所述，本銘的「隹甲子朝」是說在甲子日的五點到九點。

武王克商，甲子日於牧野決戰，經籍記載如下：

*《尚書・牧誓》：「時甲子昧爽，王朝至于商郊牧野，乃誓。」

*《逸周書・世俘解》：「越五日甲子朝至，接于商，則咸劉商王紂。」

*《漢書・律曆志》引〈武成〉：「粤五日甲子，咸劉商王紂。」

*《史記・殷本紀》：「周武王於是遂率諸侯伐紂。紂亦發兵距之牧野。甲子日，紂兵敗。紂走入，登鹿臺，衣其寶玉衣，赴火而死。」

*《史記・周本紀》：「（周武王十二年）二月，時甲子昧爽，王朝至于商郊牧野，乃誓。」

本銘云武王征商於「甲子朝」，使文獻所記時日，得到最佳驗證。

〔歲鼎〕：歲星正當天的上方

＊唐蘭：「歲，此處當讀爲奪或敓，戉與奪音近可通用，《孟子》：『殺越人於（旭昇案：當作于）貨。』是說殺人奪貨，可證。此說『戉鼎』即奪鼎。」

＊商承祚云：「『甲子朝歲』的歲字在此用作時字解，即在甲子那天早晨的時候，亦即武王與商紂進行決戰的關鍵時刻，不是一般的日子。」

＊于省吾云：「銘文的『歲貞』，歲指一歲言之。……『歲貞』指貞問一歲之大事爲言。《周禮・大卜》：『凡國大貞，卜立君，卜大封，則眡高作龜。』鄭司農云：『貞，問也，國有大疑，問于蓍龜。』又：『國大遷、大師，則貞龜。』」

＊杜正勝云：「我們以爲『歲』是歲星，『鼎』是貞問，分別二事，蓋指陣前禱祠歲星，並問吉凶。先秦占星家認爲歲星是戰爭利殃的象徵，……牧野之戰之前夕，武王率領的西方軍隊可能祭祀過歲星的。」

＊張政烺云：「歲、歲星，即木星。鼎、讀爲丁，義即當。……『歲鼎』意謂歲星正當其位，宜于征伐商國。」

＊嚴一萍云：「銘文中的『歲』字應當解釋作歲星，與『朝』字連讀，《淮南子・兵略

訓》「武王伐紂，東面而迎歲」。「迎歲」猶言『朝歲』。《禮記·玉藻》『玄端而朝日於東門之外。』孔《疏》說：『即春迎日於東郊。』所以銘文之『朝』非朝暮之朝，『朝歲』猶〈玉藻〉之『朝日』；《淮南》之『迎歲』即《利簋》之『朝歲』。」

以上諸家之說，唐蘭以歲戉同字，讀爲越奪，歲鼎即奪取傳國寶鼎。據《逸周書·克殷解》，武王是在入商都之後才命南宮百達、史佚遷九鼎，而《利簋》一開頭就說越鼎，似乎把鼎的作用抬得太高了，杜正勝先生《古代社會與國家》云：「殷周之際鼎有沒有國家的象徵，仍待證明，就文義而言，將最後結果寫在前面似亦不順，故不取（唐說）。」（第三一七頁）因此唐說不可信。商承祚讀至歲斷句，鼎字屬下句，而釋歲爲時，「隹甲子朝歲」即在甲子日早上的這個時刻，由於文獻沒有釋歲爲時的例子，故亦不可取。于省吾以歲爲年歲，歲鼎爲貞問一歲之大事，不符合臨陣情況。杜正勝先生引了很多資料，證明古人臨戰有卜、有誓、有禱，但這些都是戰爭出發前行動，本銘一開始說「隹甲子朝」，是周師已經集結完畢，大戰即將展開，其後的「歲鼎」如果是祭祀歲星，並問吉凶，時間上也嫌太晚了些。武王伐紂前是卜問過的，《論衡·卷二十四·卜筮》：「周武王伐紂，卜筮之逆，占曰大凶，太公推蓍蹈龜而曰：『枯骨死草，何知而凶？』」文獻並未聞武王伐紂前卜得吉兆，《利簋》是戰後的追述，沒有理由只提沒有吉兆的占卜，而不提對自己有利的天象吉徵（即歲星當頭，說見下）。嚴說與張說相近，但斷讀不如張說好。張說釋爲歲星正在天空的前方，文獻中的證據如下：

＊《國語・周語》記伶州鳩答周景王之問，云：「昔武王伐殷，歲在鶉火，月在天駟，日在析木之津，辰在斗柄，星在天黿。」韋昭注：「歲、歲星也。鶉火，次名，周分野也。」

＊《荀子・儒效》篇：「武王之誅紂也，行之日以兵忌，東面而迎太歲。」

＊《淮南子・兵略》訓：「武王伐紂，東面而迎歲。」

《國語・周語》：「歲之所在，則我有周之分野也。」韋昭注：「歲星在鶉火。鶉火，周分野也。歲星所在，利以伐之也。」《左傳・昭公三十二年》：「夏，吳伐越，始用師於越也。史墨曰：不及四十年，越其有吳乎！越得歲而吳伐之，必受其凶。」由這兩段敘述看來，周人以爲「歲星所在」、「得歲」是戰勝的一種吉兆。《利簋》記述戰勝經過，特別寫下「歲星所在」，是相當合理的。

〔克聞（昏），夙又商〕：打敗紂王，一個早上就征服了商朝

＊容庚《金文編・1926號》：「聞，《說文》古文從昏作䎽，《古文尚書》作[illegible]，與婚通。」

＊唐蘭：「昏指商王紂。《書・立政》：『其在受德昏。』受德是紂，昏就是紂字。……

……所以，克昏即指戰勝商紂。」

*于省吾云：「銘文的『克聞』，聞作動詞用，但沒有被聞的主詞，自是用省語所致。……『歲鼎克聞』，是說武王伐商之前，從事歲貞而言，已爲上帝所聞知。」

*張政烺：「此處聞讀爲昏暮之昏。夙之義爲早，即黎明前。昏夙是從初昏到黎明前，指一個夜晚，猶旦暮指一個白天。……《逸周書・世俘解》：『商王紂于商郊，時甲子夕，商王紂取天智玉琰五，環身厚以自焚』。《史記・周本紀》記載商的軍隊失敗以後，紂自焚而死，『武王持大白旗以麾諸侯，諸侯畢拜武王。……遂入，至紂死所，武王自射之，三發而後下車，以輕劍擊之，以黃鉞斬紂頭，懸大白之旗。……其明日，除道，修社及商紂宮。……』，可見周武王在這一夜間做了不少事情。『克昏夙有商』是說一夜就得以占有商國。」

*戚桂宴：「『昏夙又商』與『夙夜在公』、『夙夜匪懈』同。『昏夙』是古代習用語，《詩・召南・行露》：『豈不夙夜』，鄭玄據《儀禮・士昏禮》箋云：『行事必以昏昕』，孔《疏》『夙即昕也，夜即昏也』，那麼昏夙就是昏昕，也就是夙夜，即日未出夜未盡之時。」

旭昇案：「[illegible]」，容庚釋爲聞，古文《尚書》通昏，確不可移。于省吾釋「歲貞克聞」爲

「歲貞克聞于上帝」的簡語，其不可信已如上段所述。戚桂宴說「昏夙」是古代習用語，但文獻中並未見一這個詞。張政烺讀「聞」爲「昏」，依《逸周書・世俘解》暨《史記・周本紀》之記載，說「昏夙」爲「一個夜晚」，最爲諸家所採信。但其中也有一些可以商榷的地方。依〈世俘〉篇，武王甲子朝攻商，甲子夕紂自焚，即已征服商朝了。〈世俘〉篇又說戊辰這一天才「立政」（從甲子算起第五天），究竟怎樣才算「有商」？依《史記》，紂自焚之後，「武王持大白旗以麾諸侯，諸侯畢拜武王，武王乃揖諸侯，諸侯畢從武王至商國，商國百姓咸待於郊，於是武王使群臣告語商百姓曰：『上天降休。』商人皆再拜稽首，武王亦答拜。遂入至紂死所，武王自射之，三發而後下車，以輕劍擊之，以黃鉞斬紂頭，縣大白之旗。已而至紂之嬖妾二女，二女皆經自殺，武王又射三發，擊以劍、斬以玄鉞，縣其頭小白之旗。武王乃出復軍。其明日，除道修社。」（旭昇案：以上大致依照《逸周書・克殷》），如果紂自焚是在甲子夕，武王要摸黑集合諸侯、訓戒殷民，然後斬紂及二嬖妾頭，似乎也不太合理。《逸周書・克殷》和《史記》都沒有說紂自焚是在夕時，〈世俘〉篇說紂自焚在夕時，也是在全篇之末、乙卯日告周廟時附帶提到的，原文是這樣的：「（四月）乙卯，武王乃以庶國祀馘于周廟：『翼予沖子。』斷牛六、斷羊二，庶國乃竟，告于周廟曰：『古朕聞文考，脩商人典，以斬紂身，告于天于稷。』用小牲羊、犬、豕于百神水土，于誓社曰：『維予沖子，綏文考至于沖子。』用牛于天、于稷五百有四，用小牲羊、犬、豕于百神、水、土、社二千七百有一。商王紂于商郊，時甲子夕，商王紂取天智玉琰五環身厚以自焚，凡厥有庶告焚玉四千，五日，武王乃俾千人求之，四千庶玉則銷，天智玉五在火中不銷，凡天智玉武王則寶與同，凡武王俘商舊寶玉萬四千、佩玉億有八萬。」（據朱右曾《逸周書集訓校釋》本）

這一段文字從「于誓社曰維予沖子綏文考至于沖子」以後都零零碎碎的，很像是此零星補充的記錄，其中難免有些訛誤（〈世俘〉篇記日多誤，屈萬里先生已有考證，見《書傭論學集》中的〈讀周書世俘篇〉和〈世俘篇著成的年代〉。）武王和紂王在牧野決戰，〈克殷〉篇說「王既誓，以虎賁戎車馳商師，商師大崩」、《尚書·武成》篇說「甲子昧爽，受率其旅若林，會于牧野，罔有敵于我師，前徒倒戈攻于後，以北，血流漂杵，一戎衣天下大定」，並沒有鏖戰太久，應當可以在一個早上滅商，如果此說可以成立，那麼「克聞（昏），夙又商」的解釋以唐蘭之說爲最爲好，即「打敗紂王，一個早上就征服了商朝」。

〔辛未，王才闌𠂤〕：辛未這天，王在闌𠂤

闌𠂤，地名，離商都城不遠，在今何處未詳。諸家討論雖多，但證據都還嫌不夠。

〔易又事利金〕：賞賜給有司利以銅

＊唐蘭：「有事即有司。《詩·十月之交》：『擇三有事。』毛萇《傳》：『擇三有事，國

之三卿。」按三卿指司徒、司馬、司空，但其它掌管具體職務的官吏，也都可稱有事。」

〔用乍旜公寶隮彝〕：因此作紀念旜公的寶彝器

＊唐蘭：「在《說文》裡，旜字是旃的或體。此銘左旁雖不詳，但說『[illegible]』公，應是國名而並爲氏族名。當即檀伯達之檀。」

＊于省吾：「旜字不見於後世字書。《姜鼎》的亶字作[illegible]。《番生簋》的旜字從亶，與《姜鼎》的亶字形同。或釋爲旃，可備一說。」

＊張政烺：「旜公當是有司利之先世。」

旭昇案：「旜」字从蟺，蟺字古音在元部開口三等（*djian），旜字通旃，旃與檀上古音都在元部開口一等（*dan），因此旜、檀幾乎同音，唐蘭以爲是檀伯達之檀，很有可能。據成公十一年《左傳》：「晉郤至與周爭鄇田，王命劉康公、單襄公訟諸晉。郤至曰：『溫、吾故也，故不敢失。』劉子、單子曰：『昔周克商，使諸侯撫封，蘇忿生以溫爲司寇，與檀伯達封于河。』」杜解：「蘇忿生與檀伯達封于河內。」高士奇《春秋地名攷略》以爲在今河南濟源縣境，與克殷之地相去不遠。《論語．子張》：「周有八士，伯達、伯适、仲突、仲忽、叔夜、叔夏、季隨、季騧。」《逸周書．克殷》篇：「乃命南宮忽振鹿臺之財、發巨橋之粟；命南宮百達、史佚遷九鼎三巫。」陳逢衡曰：「伯達亦是尹氏八士之一，與适、忽俱賜氏南宮，故曰南宮伯達。《左·成公十一年·傳》……檀伯達既與司寇蘇公同時，則此南宮伯達矣。蓋檀是其封邑，故又曰檀伯達。」（以上請參陳槃先生《春秋大事表列國爵姓及存滅表譔異》冊五第壹貳陸·檀）唐蘭《史徵》云：

利爲檀公之後，因受賜而作簋，在西周銅器中是最早的。賜銅之日爲甲子後七日，即武王立政，也僅第四天，可見利在當時是有功的官吏，在論功行賞的前列。《左傳·成公十一年》說：「昔周克商，使諸侯撫封，蘇忿生以溫爲司寇，與檀伯達封于河。」這個利可能就是檀伯達，利是名，伯達是字，爲檀公之長子。檀伯達與忿生同時被封，蘇忿生是司寇，比司徒、司馬、司空的地位略低，檀伯達可能是三卿之類的有司，與利的身份正合。銘中把「越鼎」列在「克昏」之前，這是很突出的。這固然可以說奪取王權象徵之鼎比打勝殷紂更重要。但如設想檀伯達即是南宮伯達，就是他和史佚帶領人去遷九鼎的，那他在器銘中首先談「越鼎」，就更容易理解了。

旭昇案：據《左傳》，檀伯達是始封之君，而唐蘭以爲檀伯達就是《利簋》的利，但在《利簋》中利已稱其父爲旜公，這應該是利受封之後對父親的追尊。檀的地望在河南，而本器出在陝西，大概是利爲周八士之一，經常追隨周王，留居京師的緣故吧。

據以上所引《利簋》的銘文，各家解釋容或不同，但結論都是武王伐紂一個早上就滅了商朝。因此「會朝」之解，似以「一個早上」爲最好。

至於「清明」，毛《傳》釋爲：「不崇朝而天下清明。」文義可從。但鄭《箋》並不採用此說，而改釋爲「合兵以清明」，改得並不好。因爲如此一來，「朝」和「清明」變成同意相犯，反不如毛《傳》。此外，近人還有二種新解：

一、林義光釋為天氣清明

《詩經通解》：「會讀如會伐平林之會，『會朝清明』，言適會早晨清明之時也。〈牧誓〉云：『時甲子昧爽，王朝至于商郊牧野，乃誓。』《周語》伶州鳩言武王伐殷，以二月亥夜陳未畢而雨。然則夜陳而朝誓師者，必以遇雨未獲畢陳，至朝而清明乃復陳之也。」

又於本章標題標云：「牧野本待朝晴而畢陳。」

于省吾先生從林義光釋爲「晴明」，指天清晏然無雲。《詩經楚辭新證》云：「《周語》泠州鳩言武王伐殷以二月亥夜陳未畢而雨，……《呂氏春秋・貴因》稱武王伐紂，『天雨日夜不休』；《韓詩外傳》卷三稱『武王伐紂，到于刑丘，楯析爲三，天雨三日不休』；《說苑・權謀》稱武王伐紂『風霽而乘以大雨』。以上各書言武王伐紂遇雨事，雖然有些出入，但當有所本。林義光解會朝清明爲『適會早晨清明之時』，是對的。《韓詩》清作瀞，《說文》謂「瀞，無垢薉也，从水靜聲」，段注謂「此今之淨字也，古瀞今淨，是之謂古今字」，「古書多假清爲瀞」。國差𦉜言「俾旨俾瀞」，以瀞爲清，清與淨音義並相因，古文只作瀞，後世因用各有所當，遂致分化。《韓詩》作瀞，猶存古本之眞。「會朝清明」猶言「會朝晴明」。《漢紀・孝成帝紀》稱「天清宴然無雲」，《孝武帝紀》作「天晴晏然無雲」。是古言清明猶後世之言「晴明」。上句言「肆伐大商」，毛《傳》訓肆爲疾，武王伐紂以少擊衆，利于速戰速決，其言「會朝晴明」，謂得天時之助。」

二、袁寶泉、陳智賢釋為盟晴，即祈求上天使天氣變晴

《詩經探微・會朝清明解》云：「周人對天的迷信程度不下於商人，至少到文、武王時仍如此。……武王伐紂是有偷襲性質的，要出其不意，攻其不備，宜速戰速決。如果僵持不下，曠日持久，等紂王將主力調回，戰爭結局很可能就會改觀。武王兵車多，正是爲速決戰而設計的。而天雨將放慢戰爭進程，其後果周人是深知的。誰知決戰的這天竟然雨過天晴，這顯然大大的激勵了武王軍隊的士氣，因此詩人於最後一章特意標明，會戰之朝天氣放晴，也就是說，「清明」中的「清」應是「晴」的假借字。……這個「晴」是怎麼得來的呢？是「明」的結果，是向上天祈求的結果。由此可見，周人在牧野之戰前夕曾向天求晴，結果如願以償，周人以爲是天助我周，故詩人要特別加以說明。……所

以，這個『明』正是『告其事於神明』之『明』，應作『盟』解。換言之，『清明』應是『晴盟』，亦即向上天祈求而使天氣變晴。『清明』本爲『明清』，與《大雅．雲漢》一詩之『恭敬明神』應是同一句式，而現在採用倒裝句完全是爲了押韻。」

以上二說都持之有故，雖然未能言之成理。〈大明〉全詩寫周殷牧野之戰，這是周人滅殷的決勝關鍵，因此詩人特別用力描繪，「牧野洋洋，檀車煌煌，駟騵彭彭。維師尚父，時維鷹揚；涼彼武王，肆伐大商，會朝清明」，場面是多麼地壯偉，如果在費了這麼多的力氣之後，沒有把戰勝的結果寫出來，那是多麼煞風景的一件事，照于、袁之說，本詩動員了這麼多力量，最後詩人卻只說決戰那天天氣放晴了，然後便戛然而止，那是非常不可思議的，也不合戰爭文學的要求。不過，林義光及于省吾說雖不可取，但也不可全廢，因爲他提出了牧野之戰前夕天大雨，在決戰之際突然放晴，這顯是一個好兆頭，因此詩人把這個好兆頭用雙關的手法寫進詩中，也未嘗沒有可能，換言之，詩人也許是有意地用「清明」這個詞來寫天下清明和天氣清明這兩重意義。否則戰勝敵人的詞彙很多，詩人爲什麼偏偏選了這麼一個語意含混的詞呢？訓詁學上的含混，往往可以產生文學上的朦朧之美。這樣解釋，或許能探觸到詩人心中的一點靈明吧！

玖、《大雅．江漢》「淮夷來求」古義新證

江漢浮浮，武夫滔滔。匪安匪遊，淮夷來求。
既出我車，既設我旟，匪安匪舒，淮夷來鋪。
江漢湯湯，武夫洸洸。經營四方，告成于王。
四方既平，王國庶定。時靡有爭，王心載寧。
江漢之滸，王命召虎，式辟四方，徹我疆土。
匪疚匪棘，王國來極。于疆于理，至于南海。
王命召虎，來旬來宣；文武受命，召公維翰。
無曰：予小子，召公是似。肇敏戎公，用錫爾祉。
釐爾圭瓚，秬鬯一卣，告于文人。錫山土田，
于周受命，自召祖命。虎拜稽首，天子萬年。

虎拜稽首，對揚王休。作召公考，天子萬壽。
明明天子，令聞不已；矢其文德，洽此四國。——《大雅·江漢》

《毛詩·序》：「〈江漢〉，尹吉甫美宣王也。能興衰撥亂，命召公平淮夷。」全詩寫召伯虎平淮夷之功，氣勢宏偉，雍容有節，頗能表現出宣王時的中興氣象。其中的「淮夷來求」一句，歷代的解釋不太切，「淮夷來鋪」一句，也有略加辨析的必要。「淮夷來求」，毛《傳》云：「淮夷、東國，在淮浦而夷行也。」並沒有解釋「求」字。鄭《箋》：「主爲來求淮夷所處。據至其境，故言來。」詩中沒有「所處」二字，鄭玄增字解經，極爲明顯，而所增「所處」二字，又未必是詩義所當有。孔《疏》爲《箋》疏通之云：「『淮夷來求』，正是來求淮夷，古人之語多倒，故《箋》言『來求淮夷所處』，倒其言以曉人也。凡言來，據自彼至此之辭，今命將始往，而言來求，故解之，據至淮夷之境，故言來。」孔《疏》已經看出了鄭《箋》有問題，但本著《疏》不破《箋》的原則，所以曲爲之解。實則，鄭、孔二氏對「淮夷來求」的解釋是有問題的。

馬瑞辰《毛詩傳箋通釋》云：

《箋》：「主爲來求淮夷所處。據至其境，故言來。」瑞辰按：《箋》讀「來」爲行來之「來」，不若王尚書訓「來」爲詞之「是」，「來求」猶「是求」也、「來鋪」猶「是鋪」也、「王國來極」猶「是極」也。《箋》云「主爲來求淮夷所處」，「所處」猶言「所坐」，《漢書》嘗言「坐某罪」是也。故《正義》釋之云：「本爲淮夷來求討伐之故。」然必於「求」字外增成其義而後明，非詩義也。「求」與「糾」古同聲通用，《論語》「桓公九合諸侯」，即僖二十六年《左傳》所云「桓公是以糾合諸侯而謀其不協」也，成二年《左傳》「今吾子求合諸侯，以逞無疆之欲」，「求合」亦即「糾合」之異文，是知「求」之言「糾」，「糾」者繩治之名，與「討」同義。《說文》、《廣雅》並曰「討，治也」，「淮夷來求」猶云淮夷是糾是討耳。「討」爲治，「撥」與「平」亦爲治，訓「求」爲討，正與《序》言「撥亂」與「平淮夷」義合。「求」之義又轉爲「誅求」《說文》：「誅、討也。」凡討責通可曰「誅」，亦可通言「求」矣。《孟子》「有求全之毀」，求全猶云責備也。文十二年《左傳》：「趙穿曰：『裹糧坐甲，固敵是求。』」宣十二年《左傳》：「趙同曰：『率師以來，惟敵是求。』」均與詩「來求」義相同。

馬氏這一段考證很明確地指出了鄭、孔的滯礙處，非常精闢，他把「求」讀爲「糾」，由「糾」訓爲「討」，在詩義上可以說得通，但在訓詁卻上嫌迂曲了些。因爲在甲骨文中，「求」字本來就有征討、災害的意義，本詩「淮夷來求」用的正是這種最古老的本義。

甲骨文中有一個[古文字]字（以下以△代替），孫詒讓釋爲希（《契文舉例．上》廿六葉下）。羅振玉從王國維釋求，以爲就是《說文解字》所說的「裘」字的古文：「卜辭中又有作△者，王君國維謂亦裘字，其說甚確，蓋[古文字]爲已製爲裘時之形，△則尚爲獸皮而未製時之形，字形略屈曲，象其柔委之狀，《番生簋》及《石鼓文》作[古文字]、《齊子仲姜鎛》作[古文字]，並與此同。△既爲獸皮而未製衣，是含求得之誼，故引申而爲求丐之求，卜辭中又有作[古文字]，亦求字。」（見《增訂殷虛書契考釋》．中．四十二葉下）案：羅氏從王國維釋△爲求，釋字非常正確，釋形、釋義則有可商，而他把[古文字]（裘）、△（求）、[古文字]（㚔）混在一起，尤其對後學造成了不少困惑。再加上孫詒讓釋[古文字]爲希（當釋𣏂，銅器中都作蔡國的蔡用），裘、求、㚔、𣏂、蔡、希等字攪成一團，頗不易釐清。現在我把晚近學者對這幾個字比較合理的解釋列在下面：

裘：甲骨文作[古文字]（見《甲骨文編》第一〇四二號），羅振玉釋爲裘：「《說文解字》裘古文省衣作[古文字]，《叉卣》作[古文字]，此省又作[古文字]，象裘形，當爲裘之初字。許君表字注：『古者衣裘，故以毛爲表。』段先生曰：『古者衣裘，謂未有麻絲，衣羽皮也。衣皮時毛在外，故裘之制毛在外』。今觀卜辭與《叉卣》裘字，毛正在外，可爲許說左證。」案：羅說釋[古文字]爲裘，非常正確，但是說甲骨文[古文字]字是[古文字]形省又，完全違背了文字的歷史發展。甲骨文裘字作[古文字形]，从衣、象皮裘毛在皮外之形，是非常象形的一個字。後來因爲字形與[古文字形]（衣）接近，所以加上聲符「又」（見《次卣》、《次尊》），四訂《金文編》第一四○一號），以資區別。既有聲符，字形又很明顯了，於是裘形就類化爲从衣，作[古文字形]形（見《芇伯簋》、《庚壺》、《衛簋》，同前）。其後爲了讓聲符更接近，又把「又」聲改爲「求」聲（見《衛盉》、《衛鼎》、《大師虘簋》，《金文編》同前），字形的演變非常清楚。

求：甲骨文作△（見《甲骨文編》四一一號，但此書把△（求）和[古文字形]（杀、蔡）混淆在一起），唐蘭釋爲求字，謂即蛷字的初文：「……有一個六足的蟲形，是『求』字，也就是『蛷』的原始字。《說文》：『䖪，多足蟲也。』或體作蛷，這是後人已不知『求』就是多足蟲的象形，所以加上虫或䖵的偏旁。《說文》把『求』字反當作了『裘』的古文，學者間早都知道它是錯的，就只不曉得，『求』就是《周禮·赤犮氏·注》的『肌求』，也就是多足蟲的『蛷』，這個字正象『蠷螋』的形狀。」（《中國文字學》第六十四頁）其後裘錫圭先生在《古文字研究》第十五輯〈釋求〉一文中又證成了這個說法。

桒：甲骨文作[古文字形]（見《甲骨文編》第一二五九號），羅振玉誤釋爲求（已見前引），孫海波《甲骨文編》始釋爲桒，學者多從之。這個字的初形本義還不太能確定，但它和「求」字不同是可以肯定的。

杀：甲骨文作 [glyph]（見《甲骨文編》第四十五號，隸定作「蔡」、第四一一號第一形，隸定作殺），唐蘭以爲字从大（見《殷虛文字記》）；金文作 [glyph]（見四訂《金文編》第八十號），容庚始釋爲蔡字。裘錫圭先生云：「（三體）《石經》『蔡』字古文的寫法跟《說文》『殺』字古文全同。『蔡』、『殺』古音相近。近人大都認爲金文和《三體石經》假借『殺』字爲蔡國之『蔡』，這應該是正確的。所以『殺』字古文較原始的寫法是 [glyph]，《說文》和石經的古文的形體已有訛變。……智龕在〈蔡公子果戈〉一文中指出，見於傳世兵器銘文中的 [glyph] 字也應該讀爲『蔡』，[glyph] 當是這種寫法的簡體（《文物》一九六四年七期三三頁）。」（見〈釋求〉）案：《說文》「殺」字的古文作 [glyph]，更正確地說，應該是「殺」从杀从殳，「杀」的古文才作 [glyph]，這個字也就是甲骨文的 [glyph]、金文的 [glyph]、[glyph]，先秦典籍中蔡國的「蔡」，在銅器中都用這一形體，而不用「蔡」字（「蔡」在《說文》中的本義是「艸丰也」）。至於「希」字，甲骨、金文未見（《金文總集》第三九八九號爵銘中有一個 [glyph] 字，可能是「希」，但也有可能是「杀」、即蔡的變體），它的來源還待考。

以上肯定了△字應該釋爲「求」之後，我們就可以從甲骨文來探求它的原始用法了。「求」

字在甲文中的用法可以分爲以下三種：

一、**動詞，有災害義**：

貞：多匕（妣）弗△王？　《合》六八五正

案：這一類意義的△字，孫詒讓讀爲希（《契文舉例．上》二十六葉下）、郭沫若讀爲祟（《甲骨文字研究》上冊〈釋蝕〉一葉，修訂本刪去此篇；《卜辭通纂》第八十七葉下亦有此說），裘錫圭先生讀爲咎（《古文字論集．釋求》第六七頁）。恐皆可商。△字既是𧖅（蛷）字的初文，那麼蛷是什麼呢？《說文解字》十三篇下：「𧖅，多足蟲也。从䖵求聲。蛷，或从虫。」段注：「《周禮．赤犮氏》：『凡隙屋除其貍蟲。』鄭曰：『貍蟲，蟅、肌求之屬。』按：蟅，見《本艸經》，一名地鼈，今俗所謂地鼈蟲也，似鼠婦。肌求，本或作蛷，多足之蟲，今俗所謂蓑衣蟲也。《通俗文》曰：『務求謂之蚑蛷。』《廣雅》曰：『蛷螋，蟰蛷也。』玄應曰：『關西呼蛷螋爲蚑蛷。』蚑蛷即鄭所謂肌蛷也。陶隱居、陳藏器作蠼螋。」《本草．山蛩蟲》：「《釋名》『蠼螋』，陳藏器曰：狀如小蜈蚣，色青黑，長足，能溺人影令發瘡，如熱痱，而大若遶腰，匝不可療。時珍曰：蠼螋喜伏氍毹下，故得此名，或作蛷螋。」王念孫《廣雅疏證》：「《博物志》云：蠼螋蟲溺人影，隨所著處生瘡。《本草拾遺》云：蠼螋蟲能溺人影，令發瘡如熱沸，而大繞腰。蠼螋、蛷螋亦聲之轉耳。今揚州人謂之蓑衣蟲，順天人謂之錢龍。」在動物學上的學名叫 Anisolabia maritima，屬昆蟲類直翅類，體扁平狹長，約長六、七分，色黑褐，無翅。觸角絲狀，腹部至尾端漸膨大，尾端有角質之鋏狀物一對，能刺螫。據以上敘述，蛷本是一種害蟲，古人傳說它能溺人影，當然是荒誕了些，但它能爲害人類，應該是毫無疑問的，而且古人不知道它是如何咬人的，所以以訛傳訛，以爲它能溺人影，一定具有某種神祕的害人能力。傳之既久，「求」（蛷）字就由名詞轉化爲動詞，帶有災害、危害的意義了。所以商王會常常卜問是否被「求」，這應該是由「求」的本義引申出來的用法，大概不會是假借。卜辭「求」字的這種用法和「𡆥」字的用法相類似，「𡆥」字像腳踏到蛇，蛇也是古人最常遇到的害蟲，「𡆥」字因此有害的意義，卜辭也經常卜問是否「亡𡆥」。至於「求」字當本義「蛷」的用法，甲骨文中還未見到。

二、動詞，有侵伐、征討義：

壬寅卜：収……㞢往，王于不呼比△，弘……　勿呼比△于不　（《合》八九一反）

己亥卜王：△方我　（《乙》九〇八〇）

案：第一條卜辭應該是卜問要不要求「不」這個國家？「不」應該是一個方國名，見《丙編》第一片考釋。第二條卜辭是卜問要不要求「方」這個國家？「我」字裘錫圭先生讀爲「宜」，「求方宜」應解釋爲尋求與方作戰的適宜機會（《古文字論集·釋求》第六二、六三頁）。《詩經·大雅·江漢》「淮夷來求」的「求」用的就是這一個意義。

三、動詞，祈求、索求

乙卯卜：王△雨于土　《合》三四四九三

貞：王△牛于夫？貞：勿△牛于夫？　《合》九四〇正

案：第一條卜問求雨，第二條卜問牛，意義都非常明白。「求」由蛷螋引申爲災害，再引申爲征討，征討必有所求，可能因此引申出索求的意義。當然也有可能「索求」只是「求」字的假借義，因爲這種意義比較抽象，很難造字。二說那一個對，很難判斷。

明白了「求」字的本義之後，《詩經·大雅·江漢》「淮夷來求」的「求」其實非常簡單，「求」即「征討」的意思。「淮夷來求」者，淮夷是討也。

《小雅·桑扈》篇也有和本詩相似的一句，末章云：「兕觥其觩，旨酒思柔。彼交匪敖，萬福來求。」其中「萬福來求」一句，鄭《箋》云：「萬福之祿，就而求之。」其意似是君子求萬福之祿，與全詩贊頌君子的口吻不太吻合。朱子《詩集傳》說：「我無事於求福而福反來求我也。」其說雖避開了鄭《箋》的缺點，但仍然不合理，福祿怎會來求人呢？王引之《經義述聞》：「求與逑同，聚也。言萬福來聚也。凡《詩》言萬福攸同、福祿既同、百祿是遒、百祿是總，並與此同義。《說文》：『逑、聚斂也。』……《爾雅・釋訓》：『速速、蹙蹙、惟逑鞫也。』《釋文》：『逑、本亦作求。』是逑、求古字通。宣十六年《左傳》：『武子歸而講求典禮。』《周語》作『講聚三代之典禮』。……是求與聚亦同義。《箋》曰：『萬福之祿，就而求之。』即是來聚之義，而《正義》未加訓釋，《集傳》曰：『我無事於求福而福反來求我。』則與鄭異義矣。」旭昇案：王引之的解釋非常精闢，應可從。只是他說鄭《箋》釋「求」也有聚義，似是屈鄭從己，爲賢者諱，實可不必。據此，〈桑扈〉的「來求」是用假借，與〈江漢〉不同，二者不必等量同觀。

知道了「淮夷來求」的意義之後，同篇「淮夷來鋪」的意義也很容易地可以解決了。〈江漢〉「淮夷來鋪」句，毛《傳》：「鋪，病也。」鄭《箋》：「主爲來討伐淮夷也。」這個解釋，于省吾先生不同意，以爲「鋪」字應讀爲金文的**戟**，即迫也、危也。于氏於釋《小雅・雨無正》「淪胥以鋪」條下云：

毛《傳》：「淪，率也。」鄭《箋》：「胥，相。鋪，眾也。言王使此無罪者見牽率相引而眾得罪也。」王引之《經義述聞》引王念孫説：「《詩》言淪胥以敗，淪胥以亡，則此篇淪胥以鋪，鋪字當訓爲病，不當訓爲眾。《韓詩》作痡，本字也，《毛詩》作鋪，借字也，……淪胥鋪謂相率而入於刑，入於刑則病苦。」按《傳》、《箋》之説曲戾難通，王氏之説較《傳》、《箋》爲優，但謂「入於刑則病苦」，亦係附會之詞。「淪胥以鋪」與〈江漢〉稱「淮夷來鋪」、〈常武〉稱「鋪敦淮濆」，三個鋪字本應同訓，而毛《傳》於〈江漢〉的「鋪」字訓病，《韓詩》於〈常武〉的鋪字作敷訓「大」，並不可據。鋪與薄伐之薄並諧甫聲，古通用，應訓爲迫，金文作戟或搏，説詳林義光《詩經通解》。「淪胥以鋪」應讀爲「淪胥以薄」，《國語．吳語》稱「今會日薄矣」，韋注訓薄爲迫，薄訓迫乃典籍中的常詁。「舍彼有罪，既伏其辜；若此無罪，淪胥以鋪」，舍應讀爲予，詳孫詒讓《札迻》卷四《管子．四稱篇》。毛《傳》訓舍爲除，殊誤。這是説：予彼有罪者，已伏其辜，而若此無罪者，也相牽率而入於危迫，迫與危義相因。〈小旻〉稱「無淪胥以敗」，〈抑〉稱「無淪胥以亡」，危迫與敗、亡之義本相因。總之，《詩經》中「鋪」字凡三見，舊説或讀鋪爲痡訓病，或謂借爲敷訓大，皆非達詁。——《詩經楚辭新證．淪胥

以鋪》第一二二頁

于氏之說引金文、經傳互證，自是非常精審。但以〈江漢〉本詩而言，「淮夷來鋪」的「鋪」，毛《傳》釋爲病，當動詞用，自有迫害的意思，所以鄭《箋》易以「討伐」二字，頗得毛《傳》之旨意，其用法與「淮夷來求」完全相同，不需要讀爲戭、迫，也完全可以通。于氏的改讀可以列爲一說，但不必因此揚棄毛《傳》。

拾、《魯頌・閟宮》「三壽作朋」古義新證

閟宮有侐，實實枚枚。赫赫姜嫄，其德不回。上帝是依，無災無害；彌月不遲，是生后稷。降之百福，黍稷重穋，稙稚菽麥。奄有下國，俾民稼穡。有稷有黍，有稻有秬。奄有下土，纘禹之緒。

后稷之孫，實維大王；居岐之陽，實始翦商。至于文武，纘大王之緒。致天之屆，于牧之野。無貳無虞，上帝臨女。敦商之旅，克咸厥功。

王曰：叔父！建爾元子，俾侯于魯；大啓爾宇，爲周室輔。乃命魯公，俾侯于東；錫之山川，土田附庸。周公之孫，莊公之子，龍旂承祀，六轡耳耳。春秋匪解，享祀不忒；皇皇后帝，皇祖后稷，享以騂犧。是饗是宜，降福既多。周公皇祖，亦其福女。秋而載嘗，夏而楅衡。白牡騂剛，犧尊將將。毛炰胾羹，籩豆大房；萬舞洋洋，孝孫有慶。俾爾熾而昌，俾爾壽而臧。保彼東方，魯邦是常。

不虧不崩，不震不騰。三壽作朋，如岡如陵。

公車千乘，朱英綠縢，二矛重弓。公徒三萬，貝冑朱綅，烝徒增增。戎狄是膺，荊舒是懲，則莫我敢承。俾爾昌而熾，俾爾壽而富。黃髮台背，壽胥與試。

俾爾昌而大，俾爾耆而艾。萬有千歲，眉壽無有害。

泰山巖巖，魯邦所詹。奄有龜蒙，遂荒大東，至于海邦。淮夷來同，莫不率從，魯侯之功。

保有鳧繹，遂荒徐宅，至于海邦。淮夷蠻貊，及彼南夷，莫不率從。莫敢不諾，魯侯是若。

天錫公純嘏，眉壽保魯；居常與許，復周公之宇。魯侯燕喜，令妻壽母，宜大夫庶士，邦國是有。既多受祉，黃髮兒齒。

徂來之松，新甫之柏，是斷是度，是尋是尺。松桷有舃，路寢孔碩。新廟奕奕，奚斯所作。孔曼且碩，萬民是若。——《魯頌．閟宮》

《毛詩．序》：「〈閟宮〉，頌僖公能復周公之宇也。」於三百篇中爲最長篇，文辭美熟，而敘事稍冗，語重義複，開西漢揚、班之先聲。同爲祝福壽考，既稱「俾爾壽而臧」、又稱「三壽作朋，如岡如陵」、「俾爾壽而富。黃髮台背，壽胥與試」、「俾爾耆而艾。萬有千歲，眉壽無有害」，可謂繁富已極。其中「三壽作朋」一句，舊說頗有可商。

毛《傳》：「壽，考也。」

鄭《箋》云：「三壽，三卿也。」

二家對「作朋」都沒有解釋。孔《疏》申之云：「老者尊稱：天子謂父事之者爲三老，公卿大夫謂其家臣之長者曰室老，諸侯之國立三卿，故知三壽即三卿也。言『作朋』者，謂常得賢人，僖公與之爲朋。」是孔《疏》以爲鄭《箋》此句是講政治，希望有三老賢人，與之爲朋；而不是祝壽之詞。

以上之說是否恰當呢？由於「三壽」一詞其它文獻上從來沒有出現過，所以連博學如朱子，也對本句束手無策，朱子《詩集傳》說：

三壽，未詳。鄭氏曰：三卿也。或曰：願公壽與岡陵等而爲三也。

馬瑞辰《毛詩傳箋通釋》云：

據下言「如岡如陵」，是祝其壽考，則「壽」從《傳》訓「考」爲是。考，猶老也。三壽猶三老也。《晉姜鼎》銘：「保其子孫，三壽是利。」昭三年《左傳》：「三老凍餒。」杜注：「三老，謂上壽、中壽、下壽。皆八十以上。」《文選》李善注引《養生經》黃帝曰：「上壽百二十，中壽百年，下壽八十。」皆三壽即三老之證。

《箋》訓爲三卿，失之。

馬氏指出舊說之誤，而且能提出新說，又能引據銅器《晉姜鼎》的銘文以爲證明，可以說是論證精詳，所以大部份的學者都接納了這個講法。但是，祝人長壽，尤其祝的是魯僖公，詩人的最高領袖，爲什麼不祝他活到一百二十歲，而要含糊籠統地祝人從八十歲到一百二十歲？甚至於我們要奇怪，詩人爲何不祝僖公「萬年無疆」（〈七月〉）、「胡不萬年」（〈鳲鳩〉）、「壽考萬年」（〈信南山〉），所以這樣的祝壽詞也令人覺得有點納悶。

林義光因此又回到《箋》、《疏》的解釋上頭來，《詩經通解》云：

昭三年《左傳》：「三老凍餒。」杜注：「三老，謂上壽、中壽、下壽。」……僖公三十二年《左傳》秦穆公謂蹇叔爲中壽，則古人壽自有三等之分。朋，《說文》云：「倗，輔也。」朋、倗同。三壽作朋，言以三壽之人爲輔佐也。任用老人以安國，《詩》、《書》中屢言之，如〈蕩〉篇云：「雖無老成人，尚有典型，曾是莫聽，大命以傾。」《書·文侯之命》云：「即我御事，罔或耆壽俊在厥服，予則罔克。」之類是也。此詩自「黃髮台背」以下，始爲祝壽之詞，而「保彼東方」至「如岡如陵」數語，則但言保國，而與祝壽無涉，猶《宗周鐘》云：「降余多福，福余口孫，三壽惟利，割其萬年，畯保四國。」言保國而不及壽。《晉姜鼎》云：「

用祈綽綰眉壽，作惠爲極，萬年無疆。」此爲祝壽之詞，而下文云：「用享用德，畯保其孫子，三壽是利。」亦言保孫子而不及壽也。解詩者徒見經有「三壽」二字，遂謂爲祝壽考，則過矣。《宗周鐘》、《晉姜鼎》之「利」字讀爲賴，「三壽惟賴」、「三壽是賴」，言依賴老壽之人以保國保孫子，與詩之「三壽作朋」同意，朋之言憑也，憑亦賴也。朋訓爲輔，亦憑賴之引伸義耳。

林說當然是不足信的，徐中舒《金文嘏辭釋例》評之云：

三老五更爲壽老者之稱，則無可疑（更當是叟之訛字）。《左傳》之三老，杜注云：「謂上壽、中壽、下壽皆八十以上」。……〈閟宮〉之「不虧不崩」即〈天保〉之「不騫不崩」，同一。〈閟宮〉以崗陵譬壽，〈天保〉以南山譬壽，同二。據此言之，〈天保〉爲祝壽之詞，則〈閟宮〉亦是祝壽也。〈閟宮〉之詩，上文云「俾爾壽而臧」；此後云「三壽作朋」者，前云壽，此云八十以上之壽，文義正相承。林義光……，案三壽僅備咨詢，本無職位，不足與保國之事。而林氏此說以釋《巽中壺》、《者減鐘》，亦不可通，知非達詁。

以上諸說，從文獻不易斷其是非，只有靠新材料才能解決。所幸，銅器銘文中除了《晉姜鼎》、《宗周鐘》之外，還有其他兩件銅器用到這個詞，爲了方便討論，我把這四件銅器銘文一起引在下面：

一、**《晉姜鼎》**（《總集》1318、《邱集》1432）

維王九月乙亥，晉姜曰：「余維司朕先姑君晉邦，余不叚妄寧，巠雝明德，宣𠨘我猶，用召匹辝（予）辟，敏揚厥光剌（烈），虔不墜，魯覃京師，薛我萬民，嘉遣我，易鹵責千兩，勿廢文侯顋令，卑貫通引征緐湯驪，取厥吉金，用乍寶尊鼎，用康𨡬，妥懷遠邇君子，晉姜用旂綽綰眉壽，乍疐爲亟（極），萬年無疆，用享用德，畯（允）保其孫子，三壽是利。」

二、**《真中乍倗生飲壺》**（《總集》5733、《邱集》6377）

真中乍倗生飲壺，丏三壽懿德萬年。

三、**《者減鐘》**（《總集》7112、《邱集》7920）

維正月初吉丁亥，工吳王皮然之子者減擇其吉金，自乍口鐘，不帛不𦍒，不濼不彫，敦𤇾于我霝龠，卑龢卑孚，用祈眉壽繁釐，于其皇祖皇考，若召公壽，若參壽，卑女口口口口，龢龢倉倉，其登于上下，聞于四旁（方），子子孫孫永保是尙。

四、**《𠑇鐘》**（舊名《宗周鐘》，《總集》7176、《邱集》7985）

王肇遹省文武、堇疆土，南或服孳敢陷處我土，王敦伐其至，撲伐厥都，服孳迺遣閒來逆卲王，南夷東夷具見，廿又六邦，維皇上帝百神，保余小子，朕猶又成亡競，我維司配皇天，王對乍宗周寶鐘，倉倉悤悤，雉雉雝雝，用卲各丕顯祖考先王，先王其嚴在上，䨻䨻數數，降余多福，福余囗（順）孫，參壽隹利，㝬其萬年，畯保四或。

林義光說《晉姜鼎》、《宗周鐘》的「三壽」不是祝壽詞，在這兩件器上也許還不容易辨析，但是另外兩件銅器銘文內容就很清楚了，《㠱中乍倗生飲壺》的「㠱中乍倗生飲壺，丏三壽懿德萬年」，無論如何不能說不是祝壽詞；《者減鐘》的「用祈眉壽繁釐，于其皇祖皇考，若召公壽，若參壽，卑女囗囗囗囗」，更是明白地說是要向皇祖皇考祈求長壽，而且把「三壽」寫成「參壽」，和「若召公壽」並列，其爲祝壽祈年之詞，已斷無可疑了。那麼，「三壽」或「參壽」是什麼意思呢？魯師實先先生《金文講義》云：

《者減鐘》：「若召公壽，若參壽」，召公指燕召公奭，壽一百八十，見《論衡．氣壽篇》：「卲公，周公之兄也，至康王時尚爲太保，出入百又餘歲矣。……傳稱老子二百餘歲，卲公百八十。」「參」則爲星名，指參星，二十八宿之一，永垂不墜，故以「參壽」喻人之長壽也。古人以星之永墜不朽祝長壽，又見《荀子．富國篇》：「則國安于磐石、壽於旗翼。」旗、翼亦星名。鄭氏解爲三卿，失之。朋，比也。

郭沫若《兩周金文辭大系考釋》亦云：「參壽即《魯頌・閟宮》『三壽作朋』之三壽。……謂壽如參星之高也。」（見《宗周鐘》篇下）又《莊子・大宗師》：「彭祖得之，上及有虞、下及五霸。傅說得之，以相武丁，奄有天下，乘東維、騎箕尾，而比於列星。」東維，箕、尾都是星名，取義亦相近。

綜上所述，「三壽」指「參星的年壽」，而「三壽作朋」指「和參星一樣長壽」。下句「如岡如陵」和《小雅・天保》「如岡如陵」完全相同，指「像岡陵一樣的長存而不崩陷」。三壽和岡陵都是比喻永存不壞，前後文義是一致的。

拾壹、《詩經》「以」字古義新證

「以」是《詩經》中非常常見的一個字，但是，由於它的來源很古，而且使用頻率非常高，因此它在《詩經》中所顯示的字義相當複雜。加上由於對「以」字的本義的隔閡，有些帶有「以」字的詩句傳統的解釋並不是很恰當，因此全面探討《詩經》「以」字的用法，對於了解《詩經》、欣賞《詩經》應該可以有一些幫助吧！

根據本系陳郁夫教授編的《電腦十三經全文檢索》，「以」字在《詩經》中一共出現三〇七次，其用法很多，以下是目前所能見到的舊說，前十三條是從向熹先生編的《詩經詞典》中引出來的（註二八），後面四條則是我增補《詩經詞典》所未收的，因為要呈顯《詩經》「以」字用法的繁多及歷代解釋的紛歧，所以這十七條的解釋有很多互相抵觸的地方，本文都先不加任何更動，留待把以字的本義、引申義、假借義探討完後，最後再全部整理：

一、動詞，用。

《周頌．載芟》：「侯彊侯以。」毛《傳》：「以，用也。」

二、**介詞，用，表工具**。

《大雅．韓奕》：「以先祖受命，因時百蠻。」《詩毛氏傳疏》：「以，猶用也。」

三、**原因，緣故**。

《邶風．旄丘》：「何其久也，必有以也。」《詩集傳》：「以，他故也。……言何其久而不來，意其或有他故而不來也。」

四、**因；因為；由於**。

《大雅．蕩》：「爾德不明，以無陪無卿。」《正義》：「汝王之德所以不光明者，以其無陪貳大德之公，無幹事明哲之卿故也。」

五、**動詞，與**。

《邶風．谷風》：「宴爾新昏，不我屑以。」《詩集傳》：「以，與。……不以我為法而與之耳。」

六、**給予**。

《小雅．小明》：「神之聽之，式穀以女。」《詩集傳》：「則神之聽之，而以穀祿與女矣。」

七、為。

《大雅·韓奕》：「奄受北國，因以其伯。」《詩集傳》：「錫之追貊，使爲之伯。」

八、介詞，與。

《邶風·擊鼓》：「不我以歸，憂心有忡。」《箋》：「以猶與也。」

九、連詞，連接兩個名詞，相當於「與」、「和」。

《大雅·皇矣》：「不大聲以色，不長夏以革。」《毛詩傳箋通釋》：「以、與古通。聲以色，猶云聲與色也；夏以革，猶云夏與革也。」

十、連詞，連接兩個動詞或動詞性的詞組。

《邶風·谷風》：「習習谷風，以陰以雨。」

十一、連詞。連接兩個動詞詞組，表示後一行為是前一行為的目的，可譯為「以便」。

《鄘風·定之方中》：「升彼虛矣，以望楚矣。」

十二、指老弱的人。

《周頌·載芟》：「侯亞侯旅，侯彊侯以。」郭沫若〈從周代農事詩論到周代社會〉：「以與強（彊）爲對文，應讀爲駛或駘，即是不強的人。」一說：受僱幫工的人。毛《傳》：「以，用也。」鄭《箋》：「以，謂閒民，今時傭賃也。」

十三、通「台」，何，何處。

《召南・采蘩》：「于以采蘩？于沼于沚。」《正義》：「言夫人往何處采此蘩菜乎？于沼池、于渚沚之旁采之也。」

十四、使

《邶風・谷風》：「涇以渭濁，湜湜其沚。」《詩經釋義》：「以，猶使也。涇流入渭，言涇使渭濁。」

十五、助詞，無實義。

《召南・采蘩》：「于以采蘩？于澗之中。」《詩毛氏傳疏》：「于以，猶薄言，皆發聲語助也。」

十六、傭賃

《周頌・載芟》：「侯亞侯旅，侯彊侯以。」鄭《箋》：「彊，有力者。《周禮》曰：『以彊予任民。』以謂閒民，今時傭賃也。《春秋》之義：『能東西之曰以。』成王之時，萬民樂治田業。……父子餘夫俱行，彊有餘力者相助，又取傭賃，務疾畢，已當種也。」

十七、紀之假，綱紀也

《周頌・載芟》：「侯亞侯旅，侯彊侯以。」于省吾：「按彊，古疆字。金文眉壽無彊之彊，不从土。以、巳古通。《禮記・內則》『由命士以上』，《釋文》：『以，或作巳。』《論語・先進》『毋吾以也』，《釋文》：『以，鄭本作巳。』又巳、己二字形近，故易訛。己即紀之本字。金文《紀姜簋》、《紀侯鐘》，紀並作己，不从系。〈節南山〉『式夷式巳』，巳傳讀巳，箋讀紀。《廣雅・釋言》：『己，紀也。』己各本訛作巳。〈角弓〉『至于巳斯亡』，巳《韓詩外傳》以爲人己之己，《唐石經》巳作己，是巳、己互誤之證。《晉語》『禮以紀政』注：『紀，理也。』〈棫樸〉『綱紀四方』箋：『理之爲紀。』然則『侯彊侯以』應讀作侯疆侯紀，應訓爲維疆維理。古人多以疆理相對爲文。〈信南山〉『我疆我理』，〈綿〉『迺疆迺理』，〈江漢〉『于疆于理』，《左傳》成二年『先王以疆理天下』，是疆理古人謰語互文皆用之也。自以、巳之通，巳、己之訛不辨，而疆紀之故訓，遂無有發其覆者矣。」——《詩經楚辭新證・侯彊侯以》第八六頁。

在以上這麼多解釋中，一般都以「用」爲「以」字的本義，據大徐本《說文解字・十四篇下》：「㠯，用也。从反巳。賈侍中說：『巳、意巳實也。象形。』」據此，《說文》對「以」的本義提出兩種說法，似乎許叔重也無法肯定那一說爲是。段玉裁或許是見到這一點，所以對大徐本的文字做了一些更動，段注本《說文解字．十四篇下》：「㠯，用也。从反巳。賈侍中說：『己意巳實也。象形。』」段注云：「己，各本作巳，今正。己者，我也。意者，志也。己意巳實，謂人意巳堅實，見諸施行也。凡人意不堅實則不見諸施行，吾意巳堅實，或自行之，或用人行之，是以《春秋》傳曰：『能左右之曰以。』謂或左或右，惟吾指撝也。賈與許無二義。云象形者，巳篆上實下虛，㠯篆上虛下實，由虛而實，指事亦象形也。一說：象己字之上而實其下。」案：段氏費了許多力氣調和賈許，但對賈說的「象形」仍未能妥善圓滿地解決，不但擅改了《說文》的文字，提出一個很難有人接受的「指事亦象形」說，而且最後仍然要來個「一說」。由此看來，「以」字的初形本義，許、段二家並未能確知。許、段之外，說文諸家，意見紛紛，也大都沒有確證，無法成爲定論。

從古文字來看，甲骨文中有個 ð 字，隸定作「㠯」，高田忠周以爲象語氣終盡而停止之意；林義光以爲象物上端之形；徐中舒以爲象耜形；張與仁以爲象蛇形；田倩君以爲像一個一切生物的胚胎；蔣鴻禮以爲巳㠯同字，象子未成形，在胞衣之中，即始之初文；周法高先生以爲：「徐中舒、高鴻縉說㠯象耜形，其說較佳。」（註二九）近代學者多半同意徐中舒的說法，以爲「㠯」象耜形。但是，考古挖掘出土的耜和古文字的「㠯」（以）實在沒有一點相類似的地方（參附圖九），所以徐說並不可信。（註三〇）

甲骨文中另外有一個[illegible]字（為了書寫方便，以下以△代替），孫詒讓釋為似字，讀為㠯，訓為用；華石斧釋氏，通作地；郭沫若初釋挈，後改釋以（註三一）；唐蘭釋氏，讀為眡、提，與氏為同源分化字；李旦丘以為字从人厶，決為「以」字無疑；于省吾初釋氏，讀為厎，訓致，後改釋氐，仍讀為致（註三二）；魯師實先初從唐、于二家，以為氏氐一字，讀為厎、提、抵，後改釋氏，以為與氏不同字（註三三）；金祥恆先生釋㠯，以為㠯△一字，㠯為△之省體（註三四）。以上眾說紛陳，不外釋以、釋氏、釋氐三途。以甲骨文例和偏旁通作來看，△即是「以」字，㠯和△應該是一個字，即㠯是△的省體。裘錫圭先生〈說以〉云：

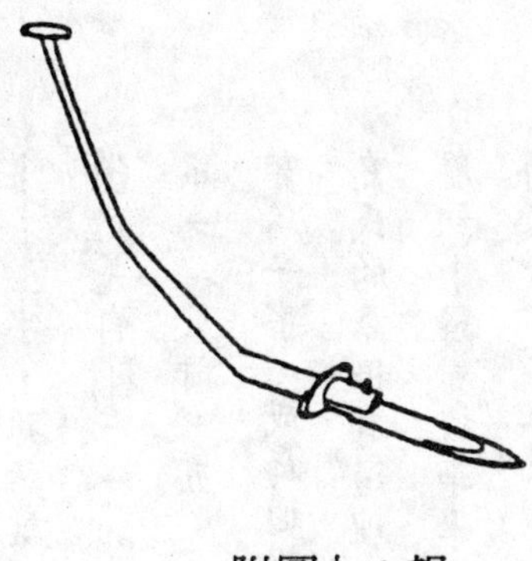

附圖九：耜

△和「㠯」在甲骨文裡都是常用字，並且二者在句子裡的用法完全相同。凡是對甲骨文比較熟悉的人，都瞭解這一點。在某些種類的卜辭裡，如在𠂤組卜辭裡，「△」、「㠯」二字都使用。在另一些種類的卜辭裡，則使用二者之一。如賓組、出組卜辭只用△，歷組卜辭和所謂三、四期卜辭（李學勤同志稱為無名組卜辭）只用「㠯」。

這種只用「△」或「㠯」的卜辭，占了已發現的卜辭的絕大部分。從上述情況可以看出來，「△」和「㠯」非常可能是同一個詞的不同書寫形式。很難想像在商代殷都的語言裡會出現這種現象，即同時存在著兩個用法相同的常用詞，而且一部分人專用其中的一個詞，另一部分人則專用其中的另一個詞。

日本學者島邦男在《殷虛卜辭研究》裡根據「△」、「㠯」用法相同的現象，肯定了釋△爲「以」的說法，他說：

……△字，孫詒讓釋作以，解爲「用」之義（《舉例》下三三）。徵之卜辭，則「𠂤△羌自⊞」（《卜》二三五），又作「𠂤□羌用自⊞」（《粹》八一），「△眔」（《前》五・二〇・二）又作「□眔」（《粹》一一七八），可知△、□實爲一字，或爲通假字。而「□」即「㠯」，所以孫釋至確。

島氏的話很有道理。他所舉的用△字的卜辭都是賓組卜辭，用「㠯」字的卜辭都是歷組卜辭。據李學勤同志研究，賓組卜辭和歷組卜辭有一部分是同時的。島氏所舉的《卜》二三五和《粹》八一兩辭的全文如下：

己卯卜賓貞：翌甲申用射𠂤△羌自⊞。八月　　《明》二三五（《明》即《卜》）

癸酉貞：射𠂤㠯羌用自⊞于甲申。　　《粹》八一（《京津》三九六六）

我們在〈論歷組卜辭的時代〉一文裡，已經指出這兩條卜辭所占卜的是同一件事。前一辭的△和後一辭的「㠯」，顯然應該是同一個詞的不同寫法。賓組卜辭用△歷組卜辭用「㠯」，跟賓組卜辭用「㞢」（有）歷組卜辭用「又」（有），是同類的現象。「㞢」和「又」代表同一個詞，「△」和「㠯」也必定是代表同一個詞的。

以上裘氏從甲骨文例說明「△」和「㠯」必定是代表同一個詞的，遺憾的是他又舉了「㞢」和「又」代表同一個詞爲例子，來旁證「△」和「㠯」應該是代表同一個詞。這個例子舉得並不好，因爲「㞢」和「又」雖然是代表同一個詞，但幾乎所有的甲骨學者都同意「㞢」和「又」不是同一個字（註三五），它們的情形與「△」和「㠯」顯然是不完全相同的。

此外，裘氏又從字形本義及偏旁現象說明「㠯」和「△」是同一個字的繁簡體：

……𠃌應該是由△簡化而成的，「△」和「㠯」是繁簡體的關係，而不是通假字的關係。「似」字从人「㠯」聲。△則象人手提一物，與「似」無關，應是「以」的初文。

《春秋・僖公二十六年》：「公以楚師伐齊，取穀。」《左傳》解釋說：「凡師能左右之曰以。」這種「以」字的用法，跟甲骨卜辭裡「王往以眾黍于冏」、「乎㠯眾伐𢀛」等辭裡的「以」和「㠯」十分相似。△象人手提一物，其本義大概是提挈、攜帶這一類意思。「以」、「㠯」的上述意義和「致送」之義，都可以看作從這一本義引申出來的意義。孫詒讓把卜辭裡的「以」訓爲「用」，就卜辭裡「以」字的主要用法來看，是不妥當的。

△應該是「以」字而不是「氏」字，還可以卜辭裡以「△」爲偏旁的字得到證明。一、二期卜辭裡的受祭對象有三司，又有三㚸；有龔司，又有龔㚸。饒宗頤先生認爲「㚸」即見於甲骨文的「[illegible]」字之省，「三㚸」即「三司」，「龔㚸」即「龔司」。這些意見都是正確的。有一條二期卜辭說：

□□卜即（貞）：□又于龔[illegible]。《明後》二〇八七

「龔[illegible]」跟「龔㚸」、「龔司」無疑是同一名稱的異寫。

「㚸」字，余永梁釋作「辝」。「台」字从「口」「㠯」聲。上古「㠯」、「台」、「司」（司）音近，作爲聲旁可以通用。金文「台」字往往加「司」作「[illegible]」，「姒」字（亦即「始」字，上古二字不分）有「姛」、「始」、「娟」、「[illegible]」、「[illegible]」等寫法。「辝」字也有兼从「㠯」、「司」二聲而作[illegible]的，皆其明證。偏旁「𢆉」變作「辛」，也是古文字裡習見的現象，金文「辝」字就是从「𢆉」的。所以余氏釋「㚸」爲「辝」極爲可信。「辝」、「司」古音至近。《說文》以「辝」

爲「辤」之籀文，以「𤔲」爲「辭」之籀文。「辤」、「辭」同音，本由一字分化。「𤔲」、「司」古通。由此可見「辝」、「司」二字關係之密切。把△釋作「以」，[illegible]便可以釋作「辝」，「龏司」、「龏[illegible]」又可以寫作「龏[illegible]」的原因，也就完全明白了。……如果把△釋爲「氏」爲「氏」，[illegible]字的結構以及「龏[illegible]」又作「龏[illegible]」的原因，就都無法解釋了。（註三六）

以上各家，從甲骨、金文的字形、文例、偏旁來看，△字即後世的「以」字，字从人，象提挈之形，又可簡寫爲[illegible]，隸定作「㠯」、「以」，這種說法大體上應該是可以成立的了。至於[illegible]字的筆劃已經夠簡單了，爲什麼還要簡化爲[illegible]？鄙意以爲文字現象未必完全是多麼理性的，例如大陸現行的簡化字中「來」字作「来」，「來」字只有八劃，省爲「来」之後仍舊有七劃，但在中國大陸頒行的簡體字表中「來」字就是這麼規定的，既然要省，省一劃也好嘛。以今律古，甲骨文中「△」省爲「㠯」，應該是同一心理的反映吧！此字在甲骨文中的用法，大約有以下五種：

一、提挈、率領

1.丁未卜爭貞：勿令𠷎△衆伐舌？　《合》二六（《粹》一〇八二）

2.癸未卜爭貞：令[illegible]以多子族𢦏周，𠙵王事？　《合》六八一四

二、夾帶著

3.……丙……隹大……雨自北㠯風……雨，戊寅不雨？《合》二一〇一三

4.癸巳卜：往[illegible]㠯雨？《合》三四一八二（《南明》四二九）

5.……宁（毌？）征馬二丙，辛巳雨，△雹。《合》二一七七七

三、致送

6.癸亥貞：[illegible]方㠯牛，其烝于來甲申？《合》三三一九一

7.壬寅卜𣪊貞：興方△羌，用自⊞至下乙？《合》二七〇正

8.庚子卜亘貞：乎取工芻，△？《英》七五七

四、祭名

9.……旅……丑其𠱠于且乙？其△毓且乙？《合》二三九二九（《明》四五六）

10.王往于田，弗△且丁眔父乙，隹止？《合》一〇五一五（《乙》六三六九）

五、方名

11.貞曰：△來，迺往于𡴘？《前》四．三五．一

以上五種解釋，第一、三種，學者大致沒有不同的意見，第二種是從第一種引申而來的，因為是自然界的現象，不好解釋為「提挈」，所以鄙意以為可以解釋為「夾帶著」。第四、五

種是採用魯師實先〈卜辭姓氏通釋之一〉對𠂤（氏）字的解釋，及徐中舒先生《甲骨文字典》一五九三頁對「㠯」字的解釋。由於甲骨文的省略現象非常普遍，有些辭例的解釋各家容或有所不同，但所幸四、五兩種解釋在本文以下的敘述中並不會涉及，因此這兒就不予深究了。

從文獻也可以看到「以」（同「㠯」）當作「率領」解的這種早期用法，時代較早的，如：

12.《尚書・盤庚》：「盤庚作，惟涉河以民遷。……今予試將以汝遷。」屈萬里先生《尚書今註今譯》：「盤庚起來，計劃著渡過黃河帶著民眾遷移，……現在我打算帶著你們遷徙。」

13.《周易・歸妹》：「初九，歸妹以娣，跛能履，征吉。……六三，歸妹以須，反歸以娣。」高亨《周易古經今注》：「《集解》引虞翻曰：『歸，嫁也。』王注：『妹者少女之稱也。』《說文》：『娣，女弟也。』古人嫁女媵以娣，《詩・韓奕》：『韓侯取妻，汾王之甥，蹶父之子，韓侯迎止，于蹶之里，諸娣從之，祁祁如雲。』即其證。歸妹以娣，謂嫁女以其娣爲媵也。」又釋〈六三〉爻辭云：「《釋文》：『須，荀、陸作嬬，陸云：「妾也。」』《音訓》：『晁氏曰：「子夏、孟京作嬬，媵之妾也。」』《說文》：『嬬，下妻也。』是歸妹以須者，歸妹而媵以女僕也。此解固通，而實不然。須疑借爲嬃，姊也。《說文》：『嬃，女字也。《楚辭》曰：「女嬃之嬋媛。」賈侍中說：「楚人謂姊爲嬃，从女、須聲。」』是嬃有姊義。歸妹以須，謂歸妹而媵以姊也。反歸以娣者，謂被出而與其娣反歸母家也。」案：高氏所釋大體可從，「歸妹以娣」，意思是嫁女而帶著妹妹一起嫁過去當媵妾；「歸妹以須」，意思是嫁女而帶著姊姊一起嫁過去當媵妾。當然，這個妹妹或姊姊多半不是嫡生的。

14.《春秋．僖公二十六年》：「公以楚師伐齊。」

《左傳》釋云：「凡師能左右之曰以。」杜注：「左右，謂進退在己。」孔《疏》引杜預《春秋釋例》云：「凡師能左右之曰以，謂求助於諸侯，而專制其用，征伐進退，帥意而行，故變『及』、『會』之文而曰『以』。施於匹敵相用者，若伯主之命則上行於下，非例所及也。吳雖大國，順蔡侯之請，自將其衆，唯蔡侯之命，故亦言『以吳子』也（旭昇案：見《春秋》定公四年經）。傳例稱師，則諸不言師者皆不用『以』爲例也。『以』之於言，所涉甚多，劉、賈、許、潁既不守例爲斷，又不能盡通諸『以』，唯雜取『晉人執季孫以歸』（旭昇案：見《春秋》昭公十三年經），『劉子、單子以王猛居於皇』（旭昇案：見《春秋》昭公二十二年經）、『尹氏、毛伯以王子朝奔楚』（旭昇案：見《春秋》昭公二十六年經），隨示以義，數事而已。又云：『諸稱「以」皆小以上、下以上。』非其宜也。尋案『晉侯以季孫歸』，又非下以上也；『荊以蔡侯歸』（旭昇案：見《春秋》莊公十年經），亦非小以大也。」旭昇案：《春秋》、三《傳》的「以」字，《春秋》家有很精微難明的義理，但歸根究柢，都是從「提挈」、「率領」等「以」的本義推出來的。杜預《春秋釋例》所辨大體可信，只有說「以」字唯「施於匹敵相用者」，推之太過，並不可從。「以」字當然不是用於「下以上」、小以大；相反的，它大多用於「大以小、上以下」，或者至少有「以我爲主」的意味。此外，在周代最可信的地下文獻——銅器銘文之中，也可以看到這種用法，如：

15.《毛公鼎》：「王曰：父厝……命女䊷司公族、雩（粵，用爲與）參有司、小子、師氏、虎臣、雩朕褻事，以乃族干（扞）吾王身。」（《總集》1332、《邱集》1445）

16.《小臣謎簋》：「叡！東夷大反，白懋父以殷八師征東夷。」（《總集》2760、《邱集》2982）

從以上所引的這些周代文獻中，我們可以很清楚的看到「以」字在春秋以前，作爲「提挈」、「率領」等本義解，是很常見的。這一用法不太可能是從《說文》所解釋的「用」這一意義引申而來，因此這也可以證明甲骨文裡的「以」字的本義確實是「提挈」、「率領」。其它的意義都是由這裡引申、假借出來的。

探討完本義之後，我們可以了解爲什麼《詩經》中的某些「以」字，前人的解釋都說得不太明朗。以下，本文依本義、引申義、假借義的次序，把《詩經》中「以」字的用法依序羅列於下，附上相關詩篇，並且隨文探討詞義、詩旨。除需要全篇引述以探討詩義的篇章外，其餘只引關鍵性的一、二句。前人詮釋已經明確可從的，不另加解釋。

一、提挈、率領

17. 江有汜，之子歸，不我以。不我以，其後也悔。

江有渚，之子歸，不我與。不我與，其後也處。

江有沱，之子歸，不我過。不我過，其歗也歌。——《召南・江有汜》

《毛詩・序》：「〈江有汜〉，美媵也。勤而無怨，嫡能悔過也。文王之時，江沱之間有嫡不以其媵備數，媵遇勞而無怨，嫡亦自悔也。」後世的異說大致有二種：

方玉潤《詩經原始》：「商婦爲夫所棄而無懟也。此必江漢商人遠歸梓里而棄其妾，不以相從。始則不以備數，繼不與偕行，終且望其廬舍而不之過，妾乃作此詩以自歎而自解耳。否則詩人託言棄婦，以寫其一生遭際淪落不偶之心，亦未可知。」

屈萬里《詩經釋義》：「此蓋男子傷其所愛者捨己而嫁人之詩。」

從「以」字的本義來看，本詩的「之子歸，不我以」和《易經・歸妹》的「歸妹以娣」、「歸妹以須」是同一類事情，說的是女子出嫁時不肯帶著本該爲媵的人一起出嫁。清顧廣譽《

學詩詳說》反對此說，他的理由是：「蓋偕行而不使其御於君，非竟不與偕行也。古者天子至士，媵妾皆有一定之數，非嫡所得專主，其或逮下，或擅寵，則存乎嫡之性行耳。《箋》、《疏》謂嫡不與偕行，《集傳》承用其義，恐非事實。」說似有理，而實不然。如果《詩》三百所述都合於禮制，大概有一半以上都不必作了。正是當事人不依禮而行，所以詩有怨誹，以發抒人情吧。首章的「以」字解爲「帶領」，是「上以下」的字眼。鄭《箋》：「以，猶與也。」不切。陳奐《詩毛氏傳疏》：「以，用也。不我以，不用我。」程俊英《詩經譯注》承之云：「不我以是倒文，即不用我，不需要我了。」咸非本義。只有朱子《詩集傳》引《左傳》的用法，說得比較切近：「能左右之曰以，謂挾己而偕行也。」次章爲了換韻，所以換了一個比較平等的「與」字。同樣的，第三章也是爲了換韻而改用「過」字。一般的注解都把「過」字解爲「過訪」，與前二章不同科，顯然是有問題的。朱子《詩集傳》解爲「過我而與俱」，雖是增字解經，但很明顯地他已看出了這裡應該有「與俱」的意思，換句話說，「過」字應該和「以」、「與」同意。竊疑「過」字當讀爲「裹」、「何」（荷）、「搴」等攜帶義的字。凡詩有數章者，多以首章爲正，因此本詩詩旨舊說並無滯礙，就連排《序》最力的朱子、姚際恆都遵從《詩序》之說。屈萬里先生把本詩解爲男子爲女子所棄，就「以」字的本義來看，恐不可從。方玉潤之說最爲近代不信《詩序》的人所採納，從訓詁的角度來看，方說也不可從。方說把「歸」字由「出嫁」改釋爲「歸梓里」，其餘角色全部替換，其實並沒有證據。吳宏一先生在《白話詩經》本篇中說得對：「舊說只要說得通，是不應該棄而不顧的。」

18. 擊鼓其鏜，踊躍用兵，土國城漕，我獨南行。
從孫子仲，平陳與宋，不我「以」歸，憂心有忡。
爰居爰處，爰喪其馬，于以求之，于林之下。
死生契闊，與子成說，執子之手，與子偕老。
于嗟闊兮，不我活兮！于嗟洵兮，不我信兮！——《邶風・擊鼓》

《毛詩・序》：「〈擊鼓〉，怨州吁也。衛州吁用兵暴亂，使公孫文仲將而平陳與宋，國人怨其勇而無禮也。」鄭《箋》：「將者，將兵以伐鄭也。平，成也。將伐鄭，先告陳與宋，以成其伐事。《春秋傳》曰：宋殤公之即位也，公子馮出奔鄭，鄭人欲納之。及州吁立，將修先君之怨於鄭，而求寵於諸侯，以和其民。使告於宋君曰：君若伐鄭，以除君害，君爲主，敝邑以賦與陳蔡從，則衛國之願也。宋人許之，於是陳、蔡方睦於衛，故宋公、陳侯、蔡人、衛人伐鄭是也。伐鄭在魯隱公四年。」以上舊說，也有不少學者反對（註三七），但大體同意這是一首衛國戰士久戍思歸之詩。然而，如果只是用一般的久戍思歸來看這一首詩，還不夠深刻，本詩說「從孫子仲，平陳與宋，不我以歸，憂心有忡」，因此詩旨是指孫子仲已經回去了，但不肯帶著我回去，而讓我留戍在外，詩中主角的怨誹所以格外深。鄭《箋》說：「以，猶與也。」說得不夠切。

19.《邶風．谷風》：「宴爾新昏，不我屑以。」

《毛詩．序》：「〈谷風〉，刺夫婦失道也。衛人化其上，淫於新昏而棄其舊室，夫婦離絕，國俗傷敗焉。」此詩歷來的異說不多，唯對「不我屑以」句的解釋不夠清楚。「以」應該也是用本義「帶領」來解。「不我屑以」是說「不屑再帶著我」。鄭《箋》：「以，用也。言君子不復絜用我當室家。」釋義大致不差，但增字解經，而且不合「以」字本義。

20.旄丘之葛兮，何誕之節兮！叔兮伯兮，何多日也？

何其處也？必有與也。何其久也？必有以也。

狐裘蒙戎，匪車不東。叔兮伯兮，靡所與同。

瑣兮尾兮，流離之子。叔兮伯兮，褎如充耳。——《邶風．旄丘》

《毛詩．序》：「〈旄丘〉，責衛伯也。狄人迫逐黎侯，黎侯寓於衛，衛不能修方伯連率之職，黎之臣子以責於衛也。」「何其處也」，「處」字與下句「久」字義近，當釋爲「止」（註三八）。「必有與也」《傳》：「言與仁義也。」「必有以也」《傳》：「必以有功德。」

毛氏對這二句的解釋非常費解。從本詩的句法來看，「以」和「與」應該意義相近，馬瑞辰《毛詩傳箋通釋》云：「《公羊傳》云：『能左右之曰以。』（旭昇案：當爲《左傳》句）是古者用他國之師謂之以，謂可以隨其所用也。此詩蓋言衛臣之久不來，必乞師於他國，有可爲其所以者，即謂以他國之師也。《傳》、《箋》謂『以功德』，失之。『以』、『與』同義，『與』謂與國，即下章『靡所與同』之『同』，《傳》謂『與仁義』，亦非。」此說合於「以」的本義，應是比較合理的解釋。

21.《衛風・氓》：「以爾車來，『以』我賄遷。」

鄭《箋》：「以汝車來迎我，我以所有財賄就汝也。」釋義可從，但並沒解釋「以」字。其實本詩的第二個「以」字與上引各例一樣，當釋爲「提挈」。「以人」爲率領，「以物」爲提挈。「以爾車來，以我賄遷」可以還原爲「女以爾車來，我以我賄遷」。民歌〈杭州姑娘〉有這樣的句子：「帶著百萬家財，領著你的妹妹，跟著我馬車來。」「以我賄遷」即「帶著我的嫁粧」，至於「以爾車來」的「以」字，本義也是「提挈」，但用在車馬時，本文另立一義「駕」，見下文第二十八條。

22.九罭之魚，鱒魴。我覯之子，袞衣繡裳。

鴻飛遵渚。公歸無所，於女信處。

鴻飛遵陸。公歸不復，於女信宿。

是以有袞衣兮，無「以」我公歸兮，無使我心悲兮。——《豳風．九罭》

《毛詩．序》：「〈九罭〉，美周公也。周大夫刺朝廷之不知也。」孔《疏》：「……毛以刺成王也。周公既攝政而東征，至三年罪人盡得。但成王惑於流言，不悅周公所爲，周公且止東方，以待成王之召。成王未悟，不欲迎之，故周大夫作此詩以刺王。……鄭以爲周公避居東都三年，成王既得雷雨大風之變，欲迎周公，而朝廷群臣猶有惑於管、蔡之言，不知周公之志者，及啓金縢之書，成王親迎周公反而居攝，周大夫乃作此詩，美周公、追刺往前朝廷群臣之不知也。此詩當作在歸攝政之後。」旭昇案：本詩美周公，歷代學者多無異議，但是否有刺朝廷之義，還有待商榷。孔《疏》申述毛、鄭二家之意，史事部份相當複雜。《尚書大傳》：「周公攝政，一年救亂，二年克殷，三年踐奄，四年建侯衛，五年營成周，六年制禮作樂，七年致政成王。」（註三九）二年克殷，指伐管、蔡、王子祿父；三年踐奄，指征討奄、徐、熊、盈，事見《逸周書．作雒解》，罪人斯得，指此時。本年秋，天大雷電以風，禾盡偃，大木斯拔，成王開金縢之書而悟，於是迎周公，事見《尚書．金縢》。被派去迎接周公的人應該是唐叔，《書序》：「唐叔得禾，異畝同穎，獻諸天子。王命唐叔歸周公于東，作歸禾。」（註四〇）根據以上的史實，本詩是描述周公東征，第二年秋成王派唐叔迎接周公，東人或同去的周人希望周公能多留在東方。「無以我公歸兮」，意思是「不要帶著我們敬愛的周公回去吧」。毛《傳》解爲：「無與公歸之道。」釋「以」爲「與」，又增「之道」二字，不夠正確。

徐中舒〈豳風說〉以爲本詩寫的是魯昭公失國圖歸之事：

〈九罭〉之詩一則曰「公歸無所」，再則曰「公歸不復」，三則曰「無以我公歸兮」。公爲國君之稱，乃春秋時之通誼。《春秋》書法，於魯君無不稱公。《魯頌・泮水》云：「從公于邁」，公亦謂魯君。〈九罭〉之詩又云：「我覯之子，袞衣繡裳」，袞衣繡裳，亦是國君之服。如《秦風・終風》之詩云：「君子至止，錦衣狐裘，顏如渥丹，其君也哉」；又云「君子至止，黻衣繡裳」。詩兩稱「君子至止」，皆指國君，是知繡裳爲國君之服。又《大雅・韓奕》之詩詠文王錫韓侯以玄袞赤舄，又《小雅・采菽》之詩詠諸侯來朝，王錫以玄袞及黻，即國君服袞衣之證（銅器錫袞衣者亦不少，但此均王室卿士，故不涉及）。詩之本事，似是傷魯君流離失所不得復歸。案春秋之世魯昭、哀皆失國，惟魯昭自二十五年遜於齊，至三十二年薨乾侯，中間屢圖復國，如叔孫昭子從公於齊將安眾而納公，左師展將以公乘馬而歸，齊、晉、宋、衛之諸侯，亦謀納公，《左傳・昭三十二年》云：「公薨于乾侯，言失其所也」。尤與此詩「公歸無所」之言相應；若哀公自二十七年由邾如越之後，魯人即立其子悼公，無復作再歸之計。故此如爲魯詩，則必作於昭公之世。

旭昇案：銅器中賜玄衮的一共五見（參《青銅器銘文檢索》第1386號），受賜的人未必都是國君，這一點徐氏已經很清楚地指出了，但他很快地又說那些都是「王室卿士，故不涉及」。如果從國君到王室卿士都可以穿衮衣，那麼以周公的地位爲什麼不可以穿衮衣呢？徐氏並未深入解釋。其次，〈九罭〉之詩說「無以我公歸兮，無使我心悲兮」，這明明是不希望公回去，有挽留之意，如果是魯昭公失國，有誰不想魯昭公回國呢？除非是把昭公趕走的季平子、郈昭伯等人吧！但如果是這些人寫的詩會被收進《詩經》裡嗎？徐氏大概是把「無以我公歸兮」看成和「公歸無所」、「公歸不復」同意，所以有此誤解。《詩經》文字的本義不明，影響詩義之大，於此可以想見。

23.《小雅．無羊》：「爾牧來思，以薪以蒸，以雌以雄。」

鄭《箋》：「此言牧人有餘力則取薪蒸、搏禽獸以來歸也。麤曰薪，細曰蒸。」以，帶著。

24.《小雅．甫田》「曾孫來止，以其婦子，饁彼南畝。」

25.《小雅．大田》「曾孫來止，以其婦子，饁彼南畝。」

鄭《箋》「以來歸」句中的「以」字用得很含混，不是本詩四「以」字的意思。

鄭《箋》：「曾孫，謂成王也。……成王來止，謂出觀農事也。親與后、世子行，使知稼穡之艱難也。」鄭釋「以」爲「與」，稍隔，「以其婦子」當釋爲：帶著他的婦子。至於曾孫是否成王，此處姑不討論。

二、夾帶

26.《邶風．谷風》：「習習谷風，以陰以雨。黽勉同心，不宜有怒。」

毛《傳》：「習習，和舒貌。東風謂之谷風。陰陽和而谷風至，夫婦和而室家成，室家成而繼嗣生。」並沒有特別解釋「以」字，學者也都不提，大約都以爲用的是最普通的意義「而」。《詩經詮釋》引吳昌瑩《經詞衍釋》謂：「以，與乃同意。」意思是「竟然」，釋得比較好。但是，從古文字的角度來看，恐怕應該解爲「夾帶著」。前引甲骨文第3、4、5三條可證。在周代文獻中也可以看到這種用法，《尚書．金縢》：「秋，大熟，未穫，天大雷電以風，禾盡偃，大木斯拔，邦人大恐。」文中「天大雷電以風」意謂：「上天打了大大的雷電，並且夾帶著大風。」其用法與甲骨文和〈谷風〉完全相同，可見這一種用法的「以」字應該釋爲「夾帶著」。另外，《邶風．綠衣》：「絺兮綌兮，淒其以風。」文中的「以」字，我懷疑也該釋爲「夾帶著」。

三、致送、賜予、給予

27.《小雅．小明》：「神之聽之，式穀以女。」

鄭《箋》：「式，用。神明若祐而聽之，其用善人，則必用女。」釋「以」爲用，不太適當。《詩經詮釋》：「式，語詞。穀，善也。以，及也。言善（謂福祿）及於汝也。」《詩集傳》：「則神之聽之，而以穀祿與女矣。」二家釋義相近，而《集傳》明白地釋以爲與，較接近「以」字的本義（注四一）。龍宇純先生〈試釋《詩經》式字用義〉一文釋「式穀」爲「楷模」，「式穀以女」謂「以女爲楷模也」。若依此說，則本句的「以」字當釋爲最平常的「用」，應歸入下面第六義。

四、駕

28.《衛風．氓》：「『以』爾車來，以我賄遷。」

「以爾車來」的「以」字，本義也是「提挈」，但用在車馬時，相當於口語中的「駕」，「以爾車來」可以語譯爲「駕著你的車子來」，「以我賄遷」句則請參上文第二十一條。

29.駉駉牡馬，在坰之野。薄言駉者，有驈有皇，有驪有黃，以車彭彭。思無疆，思馬斯臧。

駉駉牡馬，在坰之野。薄言駉者，有騅有駓，有騂有騏，以車伾伾。思無期，思馬斯才。

駉駉牡馬，在坰之野。薄言駉者，有驒有駱，有騮有雒。以車繹繹。思無斁，思馬斯作。

駉駉牡馬，在坰之野。薄言駉者，有駰有騢，有驔有魚，以車祛祛。思無邪，思馬斯徂。」——《魯頌・駉》

《毛詩・序》：「〈駉〉，頌僖公也。僖公能遵伯禽之法，儉以足用，寬以愛民，務農重穀，牧于坰野，魯人尊之，於是季孫行父請命于周，而史克作是頌。」學者大體同意這種說法。全詩贊頌在駉野所飼牧的馬兒種類繁多，駕起車子強健有力，希望馬兒永遠這麼好。四章中的「以車△△」句中的「以」字，《傳》、《箋》都沒有講，一般也都理解爲「用」，全句釋爲「用來駕車是那麼地強健有力」，用這樣的解釋必須把「車」字轉爲動詞才行，但文獻中並沒有把「車」字當動詞的這種用法，其實，此處的「以」字也是從「提挈」的本義引申來的，也可以直接解成「駕」。高亨《詩經今注》說：「以車，猶拉車。」意思已經說到了。

五、為

30.《大雅・韓奕》：「奄受北國，因以其伯。實墉實壑，實畝實籍。」

《詩集傳》：「錫之追貊，使爲之伯。」旭昇案：本句眞正的含義還不太能完全理解，曾運乾先生《毛詩說》云：「（因以其伯）此句屬下讀，伯讀爲賦。」釋義很有啓發性，但因爲該書是「在先生逝世以後匆促完成的。當時無暇校對，不免有些顛倒錯亂」（註四二），本詩本句只有短短的一句解釋，其根據、理由何在都無從推究，所以本文只在這兒提出他的說法，至於全文仍然暫時採用傳統大多數人所接受的朱子之說，雖然此說在訓詁上也還有待推敲，「以」訓爲「爲」，似乎也沒有文獻上的根據（註四三）。

六、用

31. 投我以木瓜，報之以瓊琚。匪報也，永以爲好也。
投我以木桃，報之以瓊瑤。匪報也，永以爲好也。
投我以木李，報之以瓊玖。匪報也，永以爲好也。——《衛風・木瓜》

這是西周以後文獻所見「以」字最常見的用法，即《說文》所釋「以」字的意義。

七、因；因為；由於

32. 《大雅・蕩》：「爾德不明，以無陪無卿。」
《正義》：「汝王之德所以不光明者，以其無陪貳大德之公，無幹事明哲之卿故也。」

八、連詞，連接兩個名詞，相當於「與」、「和」。

33. 《大雅・皇矣》：「不大聲以色，不長夏以革。」
《毛詩傳箋通釋》：「以、與古通。聲以色，猶云聲與色也；夏以革，猶云夏與革也。」

九、連詞，相當於而

34.《邶風．燕燕》：「瞻望弗及，佇立以泣。」

十、通「台」，何，何處

35.《召南．采蘩》：「于以采蘩？于沼于沚。」

《正義》：「言夫人往何處采此蘩菜乎？于沼池、于渚沚之旁采之也。」楊樹達《詞詮》謂：「以，假借爲台，何也。」

十一、傭賃，為「駷」或「駘」的假借

36.《周頌．載芟》：「載芟載柞，其耕澤澤。千耦其耘，徂隰徂畛，侯主侯伯，侯亞侯旅，侯彊侯以。」

毛《傳》：「彊，彊力也。以，用也。」《周頌．載芟》：「侯亞侯旅，侯彊侯以。」鄭《箋》：「彊，有力者。《周禮》曰：『以彊予任民。』以謂閒民，今時傭賃也。《春秋》之義：『能東西之曰以。』成王之時，萬民樂治田業。……父子餘夫俱行，彊有餘力者相助，又取傭賃，務疾畢，已當種也。」毛、鄭二家之說不同，馬瑞辰《毛詩傳箋通釋》調和二家云：「彊，指彊有力者，既自治其田，復有餘力治人之田；『以』則傭賃，專爲人用。」這是第一解。此外，專採鄭玄之說的學者之中，有的以爲「以」是「予」的假借，曾運乾《毛

詩說》：「以當作予，予與旅韻。馬曰：『以彊予任甿。』『彊』爲詩之『侯彊』，『予』爲詩之『侯以』。彊、予二字平列。」這是第二解。有人以爲「以」是「駃」或「駘」的假借，郭沫若〈從周代農事詩論到周代社會〉：「以與強（彊）爲對文，應讀爲駃或駘，即是不強的人。《傳》、《箋》均當作雇傭講，那可講不通，被雇傭者力當強，何以乃別出於『強』之外而成對立呢？當時假如已能有雇傭存在，主、伯、亞、旅何以還要親參加呢？」這是第三解。有人則以爲「以」是「伮」的假借，高亨《詩經今注》：「以，當作伮。伮是古奴字，指女奴。」旭昇案：「伮」是「奴」的古文，見《說文解字．十二篇下》，但是，「以」字爲什麼當作「伮」，高亨完全沒有解釋。以上這些說法，那一說比較精當呢？郭沫若很聰明地從「彊」、「以」對文解決了這個問題，因此本詩的「以」字應該是「駃」或「駘」的假借。

于省吾謂彊爲疆之本字，以當讀爲紀。「侯彊侯以」與〈信南山〉「我疆我理」、〈綿〉「迺疆迺理」、〈江漢〉「于疆于理」同義。旭昇案：于說也是從「彊」和「以」對文的觀點來探討本詩的「以」字，但他的解釋一則是稍嫌迂曲，一則是本詩既說「侯主侯伯、侯亞侯旅、侯彊侯以」，前面的「主」、「伯」、「亞」、「旅」都是人稱，那麼「彊」、「以」作爲人稱解，似乎比較適當。

以上本文從古文字「以」字的本義全面探討了《詩經》中「以」字的用法，肯定了《詩經》中許多「以」字應該釋為「提挈」、「帶領」，並由此一本義引申出「夾帶」、「駕」等意義。當然，由於《詩經》的時代離現在太過久遠，有些詩文的意義並不能完全了解，如《陳風．東門之枌》「越以鬷邁」，鄭《箋》：「越，於也。鬷，揔也。於是以揔行，欲男女合行。」其意當是釋「以」字為連詞。屈萬里先生《詩經詮釋》：「越以，猶于以，爰以，語詞也。」其意以「以」字為語詞。高亨《詩經今注》：「越，發語詞，猶維。以，拿著。鬷，一種鍋。邁，遠行。帶著鍋子走，以備在路上做飯。」其意又以「以」為動詞。各家之說可以歧異到這樣的地步！加上晚近部份學者說詩，完全不用《詩序》，人人玩味詩文，各出己意，如《豳風．九罭》，《毛詩．序》以為是「美周公」；聞一多《風詩類鈔》以為「這是燕飲時主人所賦留客的詩」，但在《神話與詩》中又改為「公和公子因事來到她（詩人）這裏，她和公子發生了愛情。現在公該走了，為了不許她所心愛的人跟公走掉，她把他的衮衣藏起了，並且對他說道：咱們公一走掉，就不知去向，也不知道何年何月再回來，萬一你也跟他走掉，還不是一樣嗎？得了，讓我跟你再住一夜吧！」袁梅《詩經譯注》以為是「一個眞摯多情的女子，正熱戀著新婚的丈夫，難捨難分，可是，對方卻不解其衷情，想離她而去，使她心中淒然」，藍菊孫《詩經國風今譯》以為「據我看這似乎是一首戀歌」，同一詩篇，各家之說、甚至於一人的前後之說可以歧異到這樣的地步！眞是令人訝異。

拾貳、《詩經》「彼其之子」古義新證

《詩經》「彼其之子」句，在《王》、《鄭》、《衛》、《唐》、《曹》風中一共出現十四次，歷代學者對它的解釋並不一致，最近林慶彰先生、余師培林先生把句中的「其」釋爲姓氏，但是苦無確證。此外，殷周銅器中有個㠱（字或作其）國，又有個己國，從前的學者認爲是同一個國家，一九五八年，王獻唐作〈黃縣㠱器〉，力主㠱、己是不同的兩個國家。一九六九年，山東煙臺上夼村發掘了一座西周古墓，其中有一件《㠱侯鼎》和一件《己華父鼎》同時出土，發掘報告又據此指出㠱（其）和己應該是同一國家。上述這兩樁學術公案，彼此之間頗有關聯，筆者以爲，《詩經》「彼其之子」的「其」字應該解爲氏名，而銅器中的㠱（其）、己是同一個國家，也就是《詩經》「彼其之子」的「其」氏之所自出。《詩經》此句中「其」字多有異文，和銅器中「㠱」或作「其、己」的情形相似；而銅器中㠱氏散播遷徙之廣，也和《詩經》相彷彿，二者可以互相印證。本文試圖從商周銅器銘文的研究來探討這個問題，或可聊備一說吧。

甲、《詩經》「彼其之子」舊說的檢討

「彼其之子」一句，《詩經》中一共出現十四次，分別見於：

揚之水，不流束薪；彼其之子，不與我戍申。懷哉懷哉，曷月予還歸哉。
揚之水，不流束楚；彼其之子，不與我戍甫。懷哉懷哉，曷月予還歸哉。
揚之水，不流束蒲；彼其之子，不與我戍許。懷哉懷哉，曷月予還歸哉。——《王風・揚之水》

羔裘如濡，洵直且侯，彼其之子，舍命不渝。
羔裘豹飾，孔武有力，彼其之子，邦之司直。
羔裘晏兮，三英粲兮，彼其之子，邦之彥兮。——《鄭風・羔裘》

彼汾沮洳，言采其莫，彼其之子，美無度、美無度，殊異乎公路。
彼汾一方，言采其桑，彼其之子，美如英、美如英，殊異乎公行。
彼汾一曲，言采其藚，彼其之子，美如玉、美如玉，殊異乎公族。——《魏風・汾沮洳》

椒聊之實，蕃衍盈升，彼其之子，碩大無朋。椒聊且，遠條且。
椒聊之實，蕃衍盈匊，彼其之子，碩大且篤。椒聊且，遠條且。——《唐風・椒聊》

彼候人兮，何戈與祋，彼其之子，三百赤芾。

維鵜在梁，不濡其翼，彼其之子，不稱其服。

維鵜在梁，不濡其咮，彼其之子，不遂其媾。

薈兮蔚兮，南山朝隮，婉兮孌兮，季女斯飢。——《曹風・候人》

以上《詩經》該句在其他典籍中有些異文：《左傳・僖公二十四年》引《曹風・候人》作「彼己之子，不稱其服」、〈襄公二十七年〉引《鄭風・羔裘》作「彼己之子，邦之司直」、《晏子春秋・內篇雜集上・第三章》引〈羔裘〉、《韓詩外傳・二》引〈羔裘〉、〈汾沮洳〉都作「彼己之子」、《禮記・表記》引《曹風・候人》作「彼記之子」（註四四）。

毛《傳》對「彼其之子」沒有解釋，鄭玄說：「之子、是子也。其、或作記、或作己，讀聲相似。」（〈揚之水〉《箋》）陸德明說：「其、音記，詩內皆放此。或作己，亦同。」（〈羔裘〉《釋文》）二氏都沒有解釋它的用法。後世對本句「其」字的解釋可以分為三類：

一、語詞

孔穎達：「彼記之子，不稱其服者，記是語辭。」（《禮記・表記・疏》）朱子：「其、語助辭。」（《詩集傳・羔裘》首章注）

馬瑞辰：「《箋》『其、或作記、或作己，讀聲相似』，瑞辰按：〈嵩高〉《箋》『迈、聲如彼記之子之記』（註四五），〈叔于田〉《箋》「忌、讀如彼己之子之己」、〈表記〉引〈候人〉云「彼記之子，不稱其服」，《釋文》「記、本亦作己」，《史記》、《韓詩外傳》、顏師古《漢書》注、李善《文選》注，俱引《詩》彼己之子，是《箋》或作記、或作己之證。其、又讀姬（《書・微子》「若之何其」，鄭注：「其、語助也，齊、魯之間聲近姬。」），姬、通作居（《禮記・檀弓・鄭注》：「居、讀如姬姓之姬。」）東晳〈補亡詩〉「彼居之子」即《詩》「彼其之子」也。李注解為居處之居，失之。彼者對己之稱，其、語詞，猶《論語》「彼哉彼哉」、《左傳》「夫己氏」也。」（《毛詩傳箋通釋・揚之水》）

王引之：「其、語助也。或作記、或作忌、或作己、或作近，義並同也。《詩・揚之水》……《箋》曰……〈羔裘〉彼其之子、襄二十七年《左傳》及《晏子・雜記》並作己；〈候人〉彼其之子、〈表記〉作記（《釋文》、《唐石經》及各本並同，《監本》改作其，非，僖二十四年《左傳》及《晉語》並作己，文十四年《左傳》「齊公子元不順懿公之為政也，終不曰公，曰夫己氏」，《杜解補正》曰：「夫己氏，猶言彼己之子。」（夫，猶彼也。《疏》讀己為甲己之己，非是）《詩・大叔于田》曰：「叔善射忌。」《傳》曰：「忌，辭也。」《箋》曰：「忌，讀如彼己之子之己。」〈嵩高〉曰：「往近王舅。」〈

箋》曰：『近、辭也，聲如彼記之子之記。』毛居正《六經正誤》以近為迈之訛。」（《經傳釋詞》）

二、指稱詞

裴學海：「彼其、彼己、彼記，皆是複語。其為本字，記、己為借字，均當讀渠之切，釋《詩》者自毛、鄭以下，皆讀彼其之子之其為記，而解為語助詞，誤甚。」（《古書虛字集釋》卷五頁三七五）

三、姓氏

林慶彰先生：「筆者以為，如將彼其之子之其釋作語詞，則在前引各詩中總是扞格不入，詩義也隱晦不彰。如將其字作為姬姓之姬的假借，則頗能怡然理順。理由是：㈠、根據前引《書・微子》『若之何其』，鄭注『其、語助也。齊、魯之間聲近姬。』是知『其』與『姬』聲相近。且姬從『𦣞』得聲，𦣞、其、己等，皆在古音『之』部，諸字之音必相近，音近則可以借用。㈡、彼其之子諸句，出現於王、鄭、魏、唐、曹諸風。周為姬姓之國，王乃東周雒邑一地之詩歌。鄭為宣王母弟友所封之地；魏亦姬姓之國；唐為周成王母弟叔虞所封之地；曹為武王弟叔振鐸所封之國，以上諸國皆姬姓。其他各國風皆無彼其之子的句子，此可證明彼其之子的其，應該是姬姓的姬。㈢、根據《詩經》中與彼其之子相近的句子，如〈丘中有麻〉之『丘中有李，彼留之子，彼留之子，貽我佩玖』，『彼留之子』的留，毛《傳》解作大夫氏，亦即氏族之名。彼其之子之句法與其相同，其字似不應解作語詞。㈣、從這五首詩來判斷，這『彼其之子』顯然是貴族的身份，如作『姬』，恰好符合他的身份，且詩句也通暢無礙。《王風・揚之水》……是說姬家的青年，不跟我們一起到申的地方防守，因爲他是貴族，可以不去。《鄭風・羔裘》是說姬家的青年，服從命令而不改變。《魏風・汾沮洳》是說姬家的青年美得說不盡。《唐風・椒聊》是說姬家的青年壯碩無比。《曹風・候人》是說姬家的青年有三百件赤芾的官服。以上五首皆落實在姬姓的青年上，所指的青年並非同一人，但他們同是姬家貴族則一。如此解釋，詩中之批評或頌贊，才顯得更有意義。」（註四六）

余師培林先生：「無論把其字解爲語詞，或把彼其解爲複詞，對詩『彼其之子』這句話的意思，都沒有什麼影響，我們都不贊成。其原因之一是：無論『其』字如何解釋，『彼其之子』一語都只有『之子』二字有意思，『彼其』二字都成爲贅詞，全句講起來都不流暢。原因之二是：《王風・丘中有麻》三章說：『丘中有李，彼留之子。』『彼留之子』一語，和『彼其之子』句型相同，只是改『其』作『留』而已，《傳》說：『留、大夫氏。』……馬瑞辰說：『留、劉古通用。』……『留』既爲大夫氏，

『彼其之子』的『其』，何以不可解爲氏？原因之三是：『之子』二字如在句首，則解爲『是子』，如〈桃夭〉『之子于歸』……等皆是；如在句末，除『我邁之子』一語外，『之』字全解作口語的『的』，從沒有解作『是』的，如〈何彼襛矣〉『齊侯之子』……皆是。而〈伐柯〉、〈九罭〉、〈裳裳者華〉三篇的『我邁之子』的『之』所以解作『是』，是由於『之』上的『邁』字是動詞。再反看『彼其之子』一語，『之子』既在句末，『之』上的『其』字無論如何解釋，都不是動詞，而〈揚之水〉、〈羔裘〉、〈汾沮洳〉、〈椒聊〉、〈候人〉五篇詩，《箋》都說：『之子、是子也。』這究竟是什麼道理呢？……『彼其之子』的『其』字，應從《左傳》及《晏子》所引作『己』，古有己氏，《左傳．文公八年》說：『穆伯如周弔喪，不至，以幣奔莒，從己氏焉。』杜注：『己氏、莒女。』十四年又說：『穆伯之從己氏也，魯人立文伯。穆伯生二子於莒，而求復。文伯以爲請，襄仲使無朝聽命，復而不出。』這是古有己氏的證明。《左傳．十四年》又說：『齊公子元不順懿公之爲政也，終不曰公，曰夫己氏。』《正義》說：『夫己氏、斥懿公之名也』。『己』下明明有氏字，如何會是懿公之名？齊是姜姓，『己』氏在齊國可能不如姜姓顯貴，所以公子元不滿懿公爲政，不承認他是姜姓，而斥他爲『夫己氏』，有非我族類的意思。……《魏風．汾沮洳》

說：『彼其之子，美如玉、美如玉，殊異乎公族。』魏是姬姓，公族當然姓姬，彼其之子當然不姓姬，所以詩說他異乎公族，這不是順理成章嗎？〈揚之水〉說：『彼其之子，不與我戍申』、『不與我戍甫』、『不與我戍許』，詩在《王風》，作者當是姬姓之人，申、甫、許都姓姜，……己氏出於莒國，莒也姓姜，己氏或是姜姓所支出。今姬姓之人戍守姜姓之國，而從姜姓支出的己氏，反而不與我姬姓之人共同戍守，詩人深感不平，所以有思歸之心，這豈不是很正常嗎。」（註四七）

以上三說中，前二者的缺點，林、余二先生已經辨析得很清楚，也就是說，把「彼其之子」釋爲「這個人」，最大的缺點是不合《詩經》的用語習慣。此外，我想再補充一點，《詩經》中的「彼」當代詞時是遠指性的，意思相當於「那」；「之」當代詞時是近指性的，意思相當於「這」，照傳統的解釋，「彼其之子」應該語譯爲「那啊這個人」，在漢語中實在沒有這種講法，因此舊說之不可從應是無可置疑的了。第三說釋爲姓氏，文從句順，詩義明暢，當然比舊說合理。但是，同一句「彼其之子」，同一個「其」字，或釋爲姬姓，或釋爲己氏，二說必擇其一，那一說更合理呢？從文法上、聲韻上、詩義上來看，二家都同樣說得通。但是，以周代的習慣來看，周代男子稱氏，以表明政治所歸屬；女子稱姓，以表明血源所歸屬。以《左傳》爲例，男子的稱謂形式共有一百八十種，但是沒有一種是以姓來稱呼的；相對的，女子的稱謂形式共有四十二種，其中有三十種是搭配著娘家姓來稱呼的。原則上，姓是不能改的，而氏的來源卻非常多，有以朝代、國、族爲氏的，有以封地爲氏的，有以先人之字爲氏的，有以先人行次爲氏的，其餘如官、邑、王、公、都可以搭配爲氏稱（註四八）。據此，「彼其之子」的「其」字如果釋爲姓氏，而他又是男性，那麼「其」字似以作氏稱爲宜。

其次，《詩經》「彼其之子」共有十四句，把「其」一律說成是「己」氏，除了《左傳》、《晏子》、《韓詩外傳》的異文外，別無其它證據，說服力似乎還不大夠。在這裡，古文字的資料或許可以提供一些更堅強的證據。根據商周青銅器的銘文，殷代有個㠱國，和殷王的關係還不錯。殷亡之後，㠱國得到周的承認，仍然繼續存在。在銅器銘文上，㠱可以寫作其、也可以寫作己，先秦典籍則作紀。㠱、其、己、紀指的是同一個國家，因此《詩經》的「彼其之子」，《左傳》、《晏子》、《韓詩外傳》作「彼己之子」，《禮記．表記》作「彼記（註四九）之子」，其實都是一回事。㠱（其、己、紀）是姜姓之國，與周王室有婚姻關係，在周代是屬於皇親國戚階層（見下文說明），所以是詩文歌詠、譏諷的對象。如前所述，周代貴族男子稱氏，氏的來源很多，其中之一便是國名，凡是國君的子孫後裔到其他國家去，都可以以國爲氏，因此，《詩經》的「彼其（己、記）之子」其實便是㠱（其、己、紀）國子孫散在它國的人，可以逕釋爲「那㠱（紀）氏之子」。以下，本文把㠱國銅器作一初步的整理，略述㠱國的興滅，以證明㠱、其、己、紀是同一國家，並據此探求《詩經》「彼其之子」的意義。

乙、㠱國銅器及㠱國的興滅

一九七六年，大陸發掘了一座殷墟婦好（音子）墓，墓中出土了青銅禮器二百多件，屬於「亞其」組的共有二十一件，這組銅器上的銘文主要是「亞其」二字（銘文清楚的見下文銅器表編號一、三、四等三組。銘文拓本舉例見附圖十）。根據近人的研究，商代甲骨、金文上常見、加在國族名、人名之上的「亞」形，是一種武職官名，擔任這一職官的通常是諸侯，其地位似在一般諸侯之上，因此「亞其」應該是商代的諸侯，甲骨文上有「戍黹其侯」（《寧》一五零八），「其侯」和「亞其」可以互相印證。（註五〇）

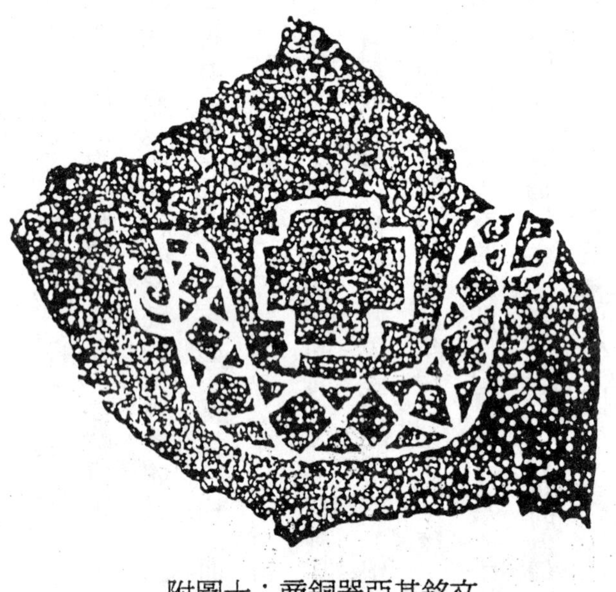

附圖十：商銅器亞其銘文

在傳世及近代出土的銅器中有一類銅器上面鐫有「亞吴」的銘文，這類銅器的時代從商代武丁一直延續到周初，在商末周初的時候，亞吴銅器的「亞」形框內往往鐫有「㠱侯」的銘刻（附圖十一），「㠱侯」，也可以寫作「亞其」（銅器表編號六六、七一、七五、例見附圖十二），因此，所有研究古文字的學者都毫無異議地贊成「㠱」、「其」爲一國。在甲骨文中，祖庚、祖甲時期貞人中有個名「吴」的（註五二），一般以爲就是銅器中的「亞吴」，這樣聯繫大致是不錯，不過，由武丁銅器就已有「亞吴」銘刻來看，祖庚、祖甲卜骨上的貞人吴恐怕是族氏名，而不是私名。

附圖十一：亞㠱侯銘文

亞㠱矦乍父乙簋

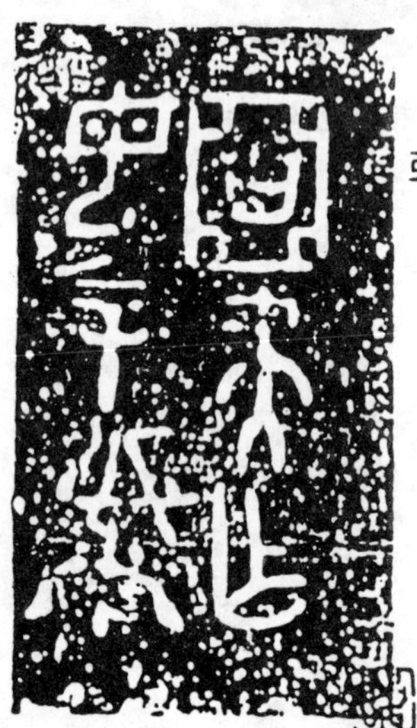

亞其矦乍母辛卣

附圖十二

甲骨文第一期武丁卜辭上有兩個「㠱」字，不過還不能斷定是否只是地名、絕對不是方名。第五期帝乙卜辭上則有「㠱侯」出現（註五二），和銅器所顯現的情況相當一致，是否可以解釋為亞矣族在商代晚期才得到「㠱」的爵稱呢？恐怕不行，因為，如果我們認為亞矣族是在晚商才得到「㠱侯」的爵稱，那麼，我們很難解釋為什麼他們會在武丁時就已膺任「亞」這麼重要的官職。而且甲骨文中人、地、國、族往往同名，武丁時的「㠱」字既有可能當地名，當然也有可能當國名。筆者比較傾向於武丁時的「亞其」就是晚商的「亞㠱侯」，「其」、「㠱」二字上古音同屬段玉裁第一部，聲韻畢同。王獻唐以為「㠱」本作「其」，加「己」只是表示標識音讀，因此「㠱」、「其」指的是同一個國家。這是很合理的解釋（註五三）。甲骨文中形聲字的比例雖然沒有後世那麼多，但純粹加注聲符的形聲字也不為少見，例如假借為「次日」用的「羽」字，也可以加「立」聲作「翌」；假借為「風」用的「[illegible]」字，也可以加「凡」聲作「鳳」；因此「其」字或加「己」聲作「㠱」，在當國名用時應該是指同一個國家。

商亡以後，㠱國得到周的承認，繼續存在。一八九七年北京蘆溝橋附近出土了一件《亞盉》，上面有這樣的銘文：「亞㠱侯矣　匽侯易亞貝乍父乙寶尊彝。」匽、就是周初召公所封的燕，本器的匽侯是燕侯旨（註五四），他賞賜貝給亞，亞於是作了這個盉。這一點對本文非常重要，因爲殷代所封的㠱國既得到周的承認，可以享國繼嗣，那麼殷㠱和周㠱便是同一國家，㠱、其、己、紀爲同一國的說法才推得下去。

一九八三年，山東省壽光縣發現了一批己國銅器（銅器表編號三六至四四），其中一件斝的形制花紋是屬於商末至西周早期的式樣，因此這批銅器的時代也應該是在商周之際，或者再稍晚一些（註五五）。此外，屬於西周初期到西周晚期的己國銅器（銅器表編號八三至八五、九十至九三），清代以來也陸續出土，出土地點都在山東省，所以清人早已論定銅器中的「己」國就是文獻中的「紀」國（註五六）。方濬益更進一步指出「㠱」國即「紀」國、亦即「己」國（註五七），近代學者多翕然從之。當然，也有人並不贊同。一九五八年王獻唐作《黃縣㠱器》，指出「㠱」和「己」是不同的兩個國家，一時間也頗有人接受此說。然而，「㠱」國與「己」國究竟是同抑異，無論是方濬益或王獻唐，其實都沒有很堅強的證據，所以這個問題也只好懸在那兒。一九六九年，山東煙臺上夼村發掘了一座西周古墓，其中有兩件鼎非常重要，一件是《㠱侯鼎》、一件是《己華父鼎》（銅器表編號八九、九一），發掘報告已經指出：這二件銅器同墓出土，證明「㠱」和「己」是同一個國家（註五八）。至於同一個國家爲什麼會有這麼多不同的名稱？陳夢家曾經說過「國族既屢遷屢分，故其姓氏亦有更易」，他並舉吳國爲例：「吳」於「頗高」時期稱「工𠭯」；於「闔閭」時期稱「攻敔」、

「吳」；於「夫差」時期稱「攻敔」、「攻吳」、「邗王」（註五九）。陳氏之說頗合理，由此看來，「㠱」國又稱「其」、又稱「己」、經傳作「紀」，並不是一件多奇怪的事。

㠱（其、己、紀）國在東周時和周王室有婚姻關係，算得上是皇親國戚。陳介祺舊藏一件《王婦㠱孟姜旅匜》，王獻唐〈黃縣㠱器〉認爲是春秋時器，可從。這大概是㠱國國君之女嫁爲王婦後所作的旅匜，旅匜是出門在外用的，王婦很少外出，即使歸寧父母，次數也很有限（註六〇），本器應該是王婦歸寧時帶回娘家山東，回王室時不帶走，留給娘家作紀念品的吧。由本器稱「㠱孟姜」可以知道「㠱」是姜姓之國，而且和王室有婚姻關係。

一九五一年，山東黃縣出土了八件㠱國銅器，六件有銘，分別是《㠱伯子安父征盨》四器同銘、《㠱伯安父征盤》一件、《㠱伯安父匜》一件（銅器表編號九六至九八）。又傳世有一件《㠱公壺》（銅器表編號九九），《大系考釋》一九九頁定爲春秋早期，《銘文選》第四冊五六三頁定爲春秋中期，《銘文選》不從《大系》的斷代，或許有其特別的考慮吧。春秋中期以後就不再有㠱國銅器，大概國家已經滅亡了。

以上是從銅器中來看㠱國。至於文獻中的資料如下：文獻中沒有㠱（其）的資料，只有紀（己）的活動。紀國不知始封於何時，《路史．後紀四》以爲紀國姜姓，炎帝參盧之後，未詳所本。西周晚期，周夷王「致諸侯，烹齊哀公於鼎」（註六一），據說是紀侯進譖的結果(註六二),從此齊、紀結爲世仇。周室東遷以後,紀曾征伐妘姓的夷國,可見其國力還頗強盛(註六三)。隨後紀、魯聯姻,又由魯國爲媒,嫁女爲周桓王后(註六四)。

西元前七〇七年,齊侯、鄭伯前往紀國,陰謀偷襲,被紀人察覺(桓公五年《左傳》)。次年夏天,紀侯與魯桓公相會,冬天又去朝魯,以謀抵禦齊國(桓公六年《春秋經》)。西元前六九三年,齊襄公呑併紀國郱、鄑、郚三地(莊公元年《春秋經》)。過兩年,紀國內部分裂,紀季將酅邑歸於齊國(莊公三年《春秋經》)。西元前六九〇年,齊國大舉入侵,「紀侯大去其國」(莊公四年《春秋經》),《公羊傳》以爲紀國從此滅亡,《穀梁》、《左傳》則以爲「大去」和「滅」不一樣,「大去」是遷國他去,而不是被滅絕。以《春秋》用字謹嚴的特性來看,《穀梁》、《左傳》的說法比較合理。配合著銅器看,馬承源把㠱公壺的時代斷在春秋中期,和《穀》、《左》之說也頗相合。至於王獻唐說㠱國到戰國初期才亡於楚(註六五),目前還看不到任何能支持這個說法的證據。

以下我把蒐集到的㠱(其、己)國銅器整理成表,按時代先後爲次,每一銅器都標出編號、器名、時代、著錄資料、可考的出土地點,以及銘文。爲了簡省篇幅,便於觀覽,著錄資料只舉最重要的一種作代表,而銘文及著錄資料相同的銅器則併爲一條(由著錄資料可以看出)。斷代參考《殷周金文集成》及馬承源的《商周青銅器銘文選》,及本文所附參考論文，沒有人斷代的銅器則由筆者根據銘文風格相似的其它銅器相比附而定其時代。銅器著錄簡稱皆從舊例，不另加注。

㠱國銅器表

編號	銅器器名	時代	出土	著錄	銘文
1	亞其爵	殷・武丁	河南安陽	殷墟婦好墓	亞其（七件）
2	亞其爵	同上		總集3674	同上
3	亞其斝	同上	河南安陽	殷墟婦好墓	同上（二件）
4	亞其觚	同上	同上	同上	同上（十件）
5	小臣缶方鼎	殷帝乙辛		集成2653	王易小臣缶湡責五年缶用乍享大子乙家祀尊 [illegible] 父乙 〔1〕
6	小臣邑斝	殷帝辛		總集 4343	癸巳王易小臣邑貝十朋用乍母尊彝隹王六祀彡日才四月亞㠱

7	臤中子弜觥	殷			中子宾弜作文父丁尊彝㝨臤
8	亞矣鼎	殷		集成1426–1431	亞矣
9	亞矣鼎	殷	傳出安陽大墓	集成1432	亞矣
10	亞矣鼎	殷		總集0163	亞矣
11	亞矣簋	殷		集成3090–3091	亞矣
12	亞矣豆	殷		總集3101–3102	亞矣
13	亞矣爵	殷		總集3383–3391	亞矣
14	亞矣爵	殷		彙編1037	亞矣
15	亞矣斝	殷		總集4280–4281	亞矣
16	亞矣尊	殷		總集4507	亞矣
17	亞矣方彝	殷		總集4943	亞矣
18	亞矣罍	殷	雒陽（前一器）	總集5529–5530	亞矣
19	亞矣瓿	殷		總集5589	亞矣
20	亞矣觚	殷		總集6000–6003	亞矣

21	亞矣觶	殷		總集6338	亞矣
22	亞矣盤	殷		總集6674	亞矣
23	亞矣鐃	殷	安陽(前二器)	集成380–382	亞矣
24	亞矣鈴	殷	安陽（一三兩器）	集成413–415	亞矣
25	亞矣戈	殷		總集7311	亞矣
26	亞矣鉞	殷		彙編1032	亞矣
27	亞矣斧	殷		總集7156	亞矣
28	亞矣農器	殷		總集7944–7945	亞矣
29	亞矣銅器	殷		總集7950	亞矣
30	亞矣小器	殷		總集7957–7958	亞矣
31	矣亞父乙爵	殷		總集4130–4131	矣亞　父乙
32	亞矣玄婦方罍	殷		總集5552–5553	亞矣　鳺婦
33	亞矣鼎	殷		總集838	亞矣宮晉 [illegible] 侯宜
34	己从父丁爵	殷	河南安陽	中原文物1985.1	己从父丁（三件）

35	己㚘爵	殷周之際		總集3517	己㚘
36	己㚘爵	殷周之際	山東壽光	文物1985.3	己㚘
37	己㚘鼎	殷周之際	山東壽光	文物1985.3	己㚘
38	己㚘觚	殷周之際	山東壽光	文物1985.3	己㚘
39	己㚘卣	殷周之際	山東壽光	文物1985.3	己㚘
40	己㚘尊	殷周之際	山東壽光	文物1985.3	己㚘
41	己刀	殷周之際	山東壽光	文物1985.3	己
42	己錛	殷周之際	山東壽光	文物1985.3	己
43	己錛	殷周之際	山東壽光	文物1985.3	己甲
44	己鑿	殷周之際	山東壽光	文物1985.3	己甲
45	亞矣征乍父辛角	周初		總集4240	丁未㚬商征貝用乍父辛彝亞矣
46	要方鼎	周初	遼寧喀左	總集1209	丁亥㚬商右正要嬰貝在穆朋二百要辰商用作母己障嬰（器壁）㠱侯亞矣（器底）
47	亞㠱侯矣㚬卣	周初		總集5443	㚬易孝用乍且丁彝亞㠱侯矣

48	亞吴簋	周初		集成3092	亞吴
49	亞辛吴方鼎	周初		總集505	亞辛吴
50	亞父乙吴簋	周初		總集1971	亞父乙吴
51	亞吴父乙觶	周初		彙編1044	亞吴父乙
52	吴父辛觶	周初		總集6497	吴父辛
53	亞吴乍父辛障觚	周初		總集6265	乍父辛障亞吴
54	亞吴[illegible]乍車彝卣	周初		總集5364	[illegible]乍車彝亞吴
55	亞吴䰜父乙觶	周初		總集6593	亞吴䰜父乙
56	吴乍白旅彝簋	周初		總集2114	吴乍白旅彝
57	亞吴妃盤	西周成王	北平琉璃河	總集6694	亞吴妃
58	亞盉	西周成王	北平蘆溝橋	總集4438	亞㠱侯吴匽侯易亞貝乍父乙寶尊彝
59	睪鼎	西周早	北京順義	文物1983.11	睪乍比辛障彝亞㠱吴
60	亞㠱卣	西周早	北京順義	同上	亞㠱父己

61	亞㠱尊	西周早	北京順義	同上	亞㠱父己
62	亞㠱爵	西周早	北京順義	同上	亞父己
63	亞㠱觚	西周早	北京順義	同上	亞父己
64	亞㠱觶	西周早	北京順義	同上	亞㠱父己
65	亞㠱矦鼎	西周早		集成1745	亞㠱矦
66	亞其矦鼎	西周早	北京琉璃河	集成2035	亞其矦乍彝
67	亞㠱矦乍父乙簋	西周早		總集2147	乍父乙亞㠱矦
68	亞㠱侯矦父乙簋	西周早		總集2148	亞㠱侯矦父乙簋
69	亞㠱侯乍父丁盤	西周早		總集6713	乍父丁寶旅彝亞㠱侯
70	亞㠱侯矦父戊簋	西周早		集成3513	亞㠱侯父戊矦
71	亞其侯矦父己簋	西周早		總集2151	亞其侯矦父己
72	亞㠱侯匕辛矦觶	西周早		總集6612	亞㠱侯匕辛矦
73	乍父丁尊	西周早		三代11.27.2-3	乍父丁寶旅彝
74	㠱母鼎	西周早	陝西扶風	總集836	㠱女（母）尊彝 亞矦

75	亞其矣乍母辛卣	西周早		總集5367–5369	亞其矣乍母辛彝
76	亞其矣卣	西周早		總集5081	亞其矣
77	亞㠱矣旅乍母辛尊	西周早		總集4808	亞㠱矣旅乍母辛寶障彝
78	亞㠱矣享乍母癸鼎	西周早	河南安陽	總集878	亞㠱矣享乍母癸
79	亞㠱矣享乍母癸尊	西周早		總集4786	亞㠱矣享乍母癸
80	亞㠱矣享乍母癸斝	西周早 西周早		總集4340	亞㠱矣享乍母癸
81	亞㠱矣享乍母癸卣	西周早		總集5398	亞㠱矣享乍母癸
82	高卣	西周早		薛氏11.106	維十又二月王初賓旁 唯還在周辰才庚申 王飲西宮烝咸釐尹易臣 維爨揚尹休高對乍 父丙寶障彝尹其亙萬 年受厥永魯亡競才 服㠱侯矣其子=孫=寶用
83	乍己姜簋	西周早	山東	總集1926	乍己姜
84	己侯壺	西周中	山東萊陽	文物1983.12	己侯乍鑄壺吏（使）小臣用汲 永寶用

85	己侯貉子簋	西周中	山東	總集2533	己侯貉子分己姜寶乍簋己姜石用[illegible]用丏萬年
86	貉子卣	西周中		總集5485-5486	唯正月丁丑王各于呂𢼸王牢于𢊁咸宜王令士道歸貉子鹿三貉子對揚王休用乍寶𢍜彝
87	㠱仲壺	西周恭懿		總集5733	㠱中乍倗生飲壺丏三壽懿德萬年
88	㠱甫人匜	西周晚	山東嶧縣	總集6861	㠱甫人余余王□虘孫茲乍寶匜子=孫=永寶用
89	㠱侯鼎	西周晚	山東煙臺	總集1511	㠱侯易弟□𤔲戜弟□師寶鼎其萬年子=孫=永寶用
90	己侯鐘	西周晚	山東壽光	總集6970	己侯虓乍寶鐘
91	己華父鼎	西周晚	山東煙臺	集成2418	己華父乍寶鼎子=孫永用
92	己侯鬲	西周晚	山東黃縣	集成600	己侯乍姜縈簋子=孫其永寶用
93	己侯乍姜縈簋	西周晚	山東	總集2394	己侯□□姜□子子孫孫永寶用
94	晉姬乍㠱齊鬲	西周晚		總集1404	晉姬乍㠱齊鬲
95	王婦㠱孟姜旅匜	春秋	山左	總集6842	王婦㠱孟姜乍旅匜其萬年眉壽用之

96	㠱白子妄父征盨	春秋早	山東黃縣	總集3064-3065	㠱白子妄父乍其征盨其陰其陽以征以行割眉壽無疆慶其允臧
97	㠱白妄父盤	春秋早	山東黃縣	總集6715	㠱白妄父媵姜無𩒨盤
98	㠱白妄父匜	春秋早	山東黃縣	總集6826	㠱白妄父媵姜無𩒨匜
99	㠱公壺	春秋中		總集5776	㠱公乍為子弔姜□盥壺眉壽萬年永寶其身它熙受福無期子孫永保用之

〔1〕、《銘文選》第十器《小臣缶方鼎》注：小臣缶，㠱侯私名。《小屯殷墟文字甲編》第二三九八片：「癸未卜，在餗貞：今巫九備，王……于㠱侯缶𠂤……」為帝乙辛時卜辭，此㠱侯缶即小臣缶。

由上述銅器及文獻資料，我們可以對㠱（其、己、紀）國作出以下的結論：

一、銅器中的「㠱侯」或作「其侯」、又作「己侯」；文獻中的「紀國」或作「己國」，而㠱、其、己、紀四者其實是同一國家，也就是《詩經》「彼其（己、記）之子」的「其（己、紀）」氏所自出。

二、㠱（其、己、紀）國最遲在殷代武丁時期應已存在，其後一直綿延到春秋中期。活動範圍則是從河南逐漸往山東、遼寧、河北遷徙，西周中期以後則似乎集中在山東一帶。

三、這一族人從商代武丁時期起就已位居顯要，周革殷命時，他們大概與周人很能合作，幫燕侯做事，得到燕侯的賞賜，可證和周王室的關係一定很好，直到春秋初年還有女兒嫁爲王婦。因此，曩（其、己、紀）雖然不是大國，但族人散布各地，擔任各種職務的一定不在少數，其中有人黽勉王事、「舍命不渝」；有人服飾耀眼、「三百赤芾」、「美如英玉」，當然一定也有人仗著曾是國戚的身分，棲遲偃仰、不戍申甫，因此被詠入詩中，這應該是非常合理的吧。

丙、《詩經》「彼其之子」的意義

以下，我們逐一分析〈揚之水〉等五詩的詩旨，以說明「彼其之子」當釋爲「那個曩（其、紀、己）氏之子」。

一、〈揚之水〉

1.《序》：〈揚之水〉，刺平王也。不撫其民，而遠屯戍於母家，周人怨思焉。

2.《箋》：怨平王恩澤不行於民，而久令屯戍，不得歸，思其鄉里之處者。言周人者、時諸侯亦有使人戍焉。平王母家申國，在陳、鄭之南，迫近強楚，王室微弱而數見侵伐，王是以戍之。

旭昇案：本詩的詩旨，歷來沒有太多異說，但是詩中的「彼其之子」一句，各家之說稍有不同。鄭《箋》：「之子、是子也。彼其是子獨處鄉里，不與我來守申，是

「思」之言也。」孔《疏》：「役人所思，當思其家，但既怨王政不均，羨其在家處者，雖託辭於處者，願早歸而見之，其實所思之甚，在於父母妻子爾。」歐陽修《詩本義》：「……周政衰，不能召發諸侯，獨使周人遠戍，久而不得代爾。彼其之子，周人謂他諸侯國人之當戍者也。」朱子《詩集傳》：「彼其之子，戍人指其室家而言也。」以上四說，鄭《箋》解釋《詩序》「思」的意思是周人埋怨之義，並沒有「思念」的意思。孔穎達誤解了鄭玄的意思，以爲是役人思念其家。但孔氏說得含含混混，朱子則明白地說「彼其之子」就是役人所思念的室家。這個解釋當然是錯的，明代蔣悌生《五經蠡測》說：「此篇彼其之子，朱《傳》釋之曰：『戍人指其室家而言也。』……國風事類考之，言『彼其之子』凡五，……見其以此等語目其室家也。又況征戍之人，初無攜室同行之理。」（註六六）根據以上的分析，本詩的「彼其之子」以歐陽修之說最好，余師培林說：「詩在王風，作者當是姬姓之人。申、甫、許都姓姜……今姬姓之人戍守姜姓之國，而從姜姓支出的己氏，理應戍守，反而不與我姬姓之人共同戍守，詩人深感不平，所以有思歸之心。這豈不是很正常嗎！」（註六七）和鄭《箋》之說比較，用鄭《箋》解釋本詩，詩義比較平淡，而且鄭《箋》對「彼其之子」的解釋，在文法方面也比較不好講。依歐陽修、蔣悌生及余師的講法則文從字順，而且詩義深刻。據此，本詩的「彼其之子」是指在王朝本當輪戍的㠱（其、己、紀）氏之子，因爲仗著本宗和王室的關係，藉故不參加戍守的任務，因而引起周人的不滿，並發之爲詩，以譏刺平王處事不公。

二、〈羔裘〉

1.《序》：〈羔裘〉，刺朝也。言古之君子，以風其朝焉。

2.《箋》：言、猶道也。鄭自莊公而賢者陵遲，朝無忠正之臣，故刺之。

3.歐陽修《詩本義》：詩三章皆上兩言述羔裘之美，下兩言稱其人之善。

4.朱子《詩集傳》：蓋美其大夫之辭，然不知其所指矣。

旭昇案：本詩字面上的意思，大家都同意是贊美，但是沒有人知道贊美誰。字面外的意思，《序》、《箋》說是諷刺當朝沒有忠正之臣。由於《序》、《箋》都沒有說清楚本詩到底是贊美誰，所以連帶地，從歐陽修起便不相信本詩是要諷刺什麼人。即使像胡承珙《毛詩後箋》、陳奐《詩毛氏傳疏》、乃至於本校故教授傅師隸樸先生的《詩經毛傳譯解》等這類極力維護毛《傳》傳統舊說的大學者及其著作，也說不清楚本詩究竟是贊美誰，所以本詩《詩序》的說法，時賢差不多都棄之不用。然而，我們如果肯平心靜氣地玩味詩文，也許我們會發覺：本詩的「彼其之子」不太像鄭人贊美本朝賢人的口吻，倒是有點像稱頌和鄭人隔得比較遠的人。因爲，如果鄭人要贊美自己朝廷的賢人，似乎應該用「烝我髦士」、「勉勉我王」等這種「我」字句式，而不應該用比較疏遠的「彼」字句式。因此，我們認爲：本詩的「彼其之子」應該解釋爲「邢㠱（其、己、紀）氏之子」，全詩是鄭人感歎當朝（依鄭《箋》、是指鄭莊公時）沒有忠正之臣，所以詩人歌詠一位㠱氏的賢臣，以譏刺當朝。㠱侯從殷代起就擔任地位崇高的武職，其後世子孫中的優秀份子能繼承這種傳統，「舍命不渝」，成爲「邦之司直」，應該不是很困難吧。「舍命」一詞，金文三見，作「舍令」，而且舍令者的地位都很高，幾乎都是周天子的左右手或心腹，詳見下節「舍命」條。依這樣解釋，既能保留《詩序》舊說、又能照顧到「彼其之子」的訓詁，詩義應該也比較明白深刻吧！

三、〈汾沮洳〉

1.《序》：〈汾沮洳〉，刺儉也。其君子儉以能勤，刺不得禮也。（註六八）（《釋文》：

其君子、一本無子字。）

2.《箋》：於彼汾水漸洳之中，我采其莫以爲菜，是儉以能勤。是子之德美無有度，言不可尺寸。是子之德美、信無度矣，雖然，其采莫之事（註六九）則非公路之禮也。

3.朱子《詩集傳》：此亦刺儉不中禮之詩。言若此人者、美則美矣，然其儉嗇褊急之態殊不似貴人也。

4.姚際恆《詩經通論》：小《序》謂刺儉，此蒙上篇之誤而爲說也。此篇不惟絕不見刺意，且亦無儉意……此詩人贊其公族大夫之詩，托言采物而見其人以起興也。當時公族之人多習爲驕貴，不循禮法，故言此子美不可量，殊異乎公族之輩，猶言超出流輩也。

5.王先謙《詩三家義集疏》：《韓詩外傳・二》：「君子有主善之心而無勝人之色，德足以君天下而無驕肆之容，行足以及後世而不以一言非人之不善，故曰：君子盛德而卑、虛己以受人；旁行不流、應物而不窮，雖在下位，民願戴之，雖欲無尊，得乎哉？《詩》曰：彼己之子，美如英、美如英、殊異乎公行。」又曰：「君子易和而難狎也，易懼而不可劫也，畏患而不避義死，好利而不爲所非，交親而不比，言辯而不亂，嗛乎其廉不可劌也，溫乎其仁厚之寬大也，超乎其有以殊於世也，《詩》曰：美如玉、

美如玉、殊異乎公族。」魏源云：「據《外傳》之言，蓋歎沮澤之間有賢者，隱居在下，采蔬自給，然其才德時出乎在位公行、公路之上，故曰：雖在下位而自尊，超乎其有以殊於世。蓋春秋時晉官皆貴游子弟，無才世祿，賢者不得用，用者不必賢也。《毛詩》因次〈葛屨〉之下，並以爲刺儉，乃以所美爲刺、所刺爲美，試思采莫、采藚，豈公卿之行；如玉、如英，非褊嗇之度，既極道其美，又何言不似貴人氣象乎？」愚案：魏說是也。《外傳》雖多推衍之詞，然皆依文順恉，從無與本詩相反者。〈汾沮洳〉果爲刺詩，《韓》在當時不容不知，何必取而曲暢其說，此智者所不爲，豈經師而昧此理邪？

6. 陳子展《國風選譯》：〈汾沮洳〉是歌頌在下位的勞動人民有最好的品質材能，絕不是在上位的公族世卿子弟所能及的一篇詩。

7. 高亨《詩經今注》：這是一首婦女贊美男子的詩。她是他的妻子或戀人，無從論定。

旭昇案：本詩的異說較多，原因在於各家把詩內云「采莫（桑、藚）」者、「彼其之子」、「公路、行、族」三種角色攪混了。本詩的「言采其莫（桑、藚）」是興，《詩集傳》已經很明確地指出來了，因此詩中的「采莫（桑、藚）」者和「彼其之子」、「公路、行、族」應該不同人。其次，本詩既說「彼其之子……殊異乎公路（行、族）」，可見作者明明把「彼其之子」和「公路（行、族）」對立起來。從「美如英（玉）」的文句來看，「彼其之子」應該是詩人贊美的對象，而「公路（行、族）」當然就是詩人諷刺的對象了。而這位被拿來諷刺本國貴族的反襯角色，剛好也選上了曾是皇戚的冥國子弟。如果用白話來表達，本詩首章可以語譯如下：

在那汾水低濕的河畔
我採著莫菜來配餐
抬頭看見那冥氏的子弟
雍容華貴美得沒法兒講　沒法兒講
我們的「公路」那裡比得上

鄭《箋》把詩中的三件事混在一起，以爲詩中的「采莫（桑、藚）」者和「彼其之子」、「公路、行、族」是同一個人，難怪後人不能接受。朱子雖然點出本詩的「言采其莫（桑、藚）」是興，但仍把「彼其之子」、「公路、行、族」說成是同一個人，因此也不被後人接受。此外，王先謙以《韓詩外傳》都是依據《詩經》原意來鋪陳故事，因而極力贊同魏源之說，認爲本詩是贊美一個隱居的賢才，陳子展的解釋也是由這裡來講的。實際上，《韓詩外傳》斷章引《詩》以證事，而不是引事以明《詩》，更談不上什麼「依文順旨、從無與本詩相反者」，這在前人早已有定論（註七〇），魏源、王先謙引《韓》破《毛》，是沒有多少說服力的。例如：《韓詩外傳・二》引《鄭風・羔裘》三章，以第一章是贊美齊國的晏子、第二章是贊美楚國的石奢、第三章是贊美衛國的蘧伯玉，那麼，《鄭風・羔裘》到底是歌詠誰？據《韓詩外傳》說《詩》，其不可信者如此。他如姚際恆、高亨等的解說，都是望文生義的無根之談，不值一駁。春秋時代，管仲「富擬於公室、有三歸反坫，齊人不以爲侈」（註七一）；晏平仲「祀其先人，豚肩不揜豆，澣衣濯冠以朝，君子以爲隘矣」（註七二）。隘、就是狹陋。漢初，蕭何爲高祖建未央宮，宮闕非常壯觀，高祖認爲太浪費，很生氣，蕭何說：「天子以四海爲家，非壯麗無以重威。」高祖乃悅（註七三）；相反地，公孫弘「布被，食不重肉」，卻被當時的名臣汲黯譏爲有詐（註七四）。由此看來，古人認爲身爲貴族而生活過於儉嗇不稱禮，也是一種不對的行爲。那麼，本詩是魏人藉著歌頌寘氏之子以刺其君子（或君）儉不中禮，應是說得通的吧。

四、〈椒聊〉

1.《序》：〈椒聊〉，刺晉昭公也。君子見沃之盛彊，能脩其政，知其蕃衍盛大，子孫將有晉國焉。

2.嚴粲《詩緝》：此詩言桓叔之強而不及昭公，其意則憂昭公之弱，而非主桓叔，意在此而言在彼也。說《詩》不用〈首序〉，則以此詩爲美桓叔亦可矣。

3.朱子《詩集傳》：此不知其所指，《序》亦以爲沃也。

4.何楷《詩經世本古義》：晉人美當時忠臣不入沃黨者，然終有寡不敵衆之慮，所以深危昭公也（此詩據《序》以爲指曲沃桓叔之事，而《韓詩外傳》引「碩大且篤」以爲贊君子之語，故特主今說）。

5.傅斯年《詩經講義稿》：疑是稱美人之子孫蕃衍，猶《周南》之〈螽斯〉。

6.屈萬里《詩經釋義》：此頌人之詩。《詩序》以爲刺昭公分國封沃之事，恐非是。

旭昇案：本詩先以花椒多子比喻曲沃桓叔的勢力蕃衍得很快，再以桓叔手下「彼其之子」的碩大篤厚來烘托桓叔勢力強大，文辭簡潔，手法高妙，所以吳闓生《詩義會通》說：「此詩刺昭，絕無可疑，《序》末三語尤能闡發詩人言外之意，朱子議之，過也。末一句詠歎淫溢，含意無窮。憂深慮遠之旨，一於紘外寄之，三代之高文大率如此。此等詩若不得《序》，則直不知其命意所在，蘊卻多少高文矣！」正因本詩簡潔高妙，無可置疑，所以連素以深具懷疑精神著稱的歐陽修《詩本義》（註七五）、姚際恆《詩經通論》、方玉潤《詩經原始》，都一致無異議地從《毛詩》之說。由於文獻散亡、難以徵考，對古人的說法，在沒有極堅強的證據之前，我們不能輕易地否定它。《禮記・檀弓・上》有一段話很可以供我們反省：「有子問於曾子曰：『聞喪於夫子乎？』曰：『聞之矣，「喪欲速貧、死欲速朽」。』有子曰：『是非君子之言也！』曾子曰：『參也聞諸夫子也。』有子又曰：『是非君子之言也！』曾子曰：『參也與子游聞之。』有子曰：『然。然則夫子有爲言之也！』曾子以斯言告於子游，子游曰：『甚哉！有子之言似夫子也。昔者夫子居於宋，見桓司馬自爲石槨，三年而不成，夫子曰：「若是其靡也，死不如速朽之愈也。」死之欲速朽，爲桓司馬言之也。南宮敬叔反，必載寶而朝，夫子曰：「若是其貨也，喪不如速貧之愈也。」喪之欲速貧，爲敬叔言之也。』曾子以子游之言告於有子，有子曰：『然，吾固曰非夫子之言也。』曾子曰：『子何以知之？」有子曰：『夫子制於中都，四寸之棺、五寸之槨，以斯知不欲速朽也。昔者夫子失魯司寇，將之荊，蓋先之以子夏，又申之以冉有，以斯知不欲速貧也。』」這是一段非常可貴的記載，明明是曾子親耳聽到孔子說的話，但卻又是那麼地不合理，如果不是子游的補充說明，那我們眞要懷疑「夫子曰：喪欲速貧、死欲速朽。」這段話是曾子揑造的。對於《詩序》，我們似乎可以用同樣的道理來考慮吧！

五、〈候人〉

1.《序》：〈候人〉，刺近小人也。共公遠君子而好近小人焉。

2.王質《詩總聞》：當是小人盛服以迎婦者也。

3.傅斯年《詩經講義稿》：言在朝者不稱其位，無已，退與季女游樂。

4.郭沫若《中國古代社會研究》：這當然是譏誚那暴發戶纔做了貴族的人。這些由奴民伸出頭來的人，在舊社會的耆宿眼裡看來，當然是說他不配的（註七六）。

旭昇案：本詩譏諷「彼其之子」，不稱其服、不遂其媾，傳統學者中除王質外，差不多都贊成《詩序》，認爲是譏刺曹共公的作品。「三百赤芾」一句，毛《傳》說：「大夫以上赤芾乘軒。」鄭《箋》：「佩赤芾者三百人。」孔《疏》引《左傳・僖公二十八》年晉文公「入曹，數之以其不用僖負羈，而乘軒者三百人也」，認爲和《詩經》「三百赤芾」說的是同一件事。但照本文的主張，「彼其之子」是指那㠱氏之子，這麼一來，在小小的曹國就用了三百個㠱氏之子，而且都當大夫，這好像也不太合理。魏源《詩古微・十》說：「左氏不言乘軒者何人，毛《傳》謂『大夫以上』。諸侯之制夫小國皆大夫五人，以蕞爾之曹，即兵車且未必三百乘，而有此乘軒赤芾之大夫，十倍王朝之數（天子二十七大夫），則盡國賦所入，不足供其半，何待晉師之入乎？考〈晉世家〉：『晉師入曹，數其不用僖負羈，而美女乘軒者三百人。』則是盛於女寵，非大夫三命，赤芾乘軒之謂也。凡經傳言芾、言韍、言韠、言韐，皆是蔽膝、女之巾，如男之韐，皆茅蒐染韋爲之，其色赤黃，故〈東門〉詩之茹藘，即女之赤芾也。齊桓公歸衛夫人以魚軒，是女乘安車也。詩中以「不稱其服」、「不遂其媾」並言，又以婉孌季女喻賢才之淪棄，皆對女寵而言。吾聞之也，楚之鐵劍利則倡優拙，令賢者何戈殳而不之卹，蝃蝀淫泆之氣恆朝隮於南山，梁鵜不濡之翼，徒粲粲其衣服，自以爲湛樂未央也。……古時曹、濮之間爲商賈之都會，貨財聲色所藪澤，陶朱、端木皆賈其間，故國小而淫，與陳、鄭相等。其後曹滅於宋，而記言宋音燕女溺志，亦其遺風餘俗歟！自毛《傳》以赤芾乘軒爲大夫，不但與《史記》、《魯詩》不符，而誦詩論世，茫如雺霧矣！」魏氏指本詩爲曹共公好近女寵，雖未必可信，但他所指出毛《傳》以下以赤芾爲大夫的不合理，卻很可供人思索。高亨《詩經今注》釋「三百赤芾」爲「一個人有赤芾的官服三百件」，以之解釋此詩，頗爲通達。即本詩旨在諷刺曹君寵幸沒有才幹的曩氏之子，而疏遠了眞正的賢才。

丁、結論

《詩經》的「彼其之子」一句，二千餘年來學者不得其解。自林慶彰先生以「彼留之子」的同文例說明「其」和「留」一樣，當釋爲「姬」姓後，這個問題的解決就已曙光乍現。其後余師培林先生提出「其」當作「己」，爲春秋時代的氏稱，這個問題的答案就已經完全明朗化了。本文再從古文字研究的角度證明在銅器銘文中「其」、「曩」、「己」原來是同一國家、也就是後來《春秋》、三《傳》裡的「紀」國。從這一點來看，《詩經》的「彼其之子」也好，《左傳》、《晏子》、《韓詩外傳》的「彼己之子」也好，用的都是本字本義，不必當作是其它字的假借才說得通。另外，《詩經》的「彼其之子」分見於《王》、《鄭》、《魏》、《唐》、《曹》等五國風，而且獲得相當的重視或寵愛，這和曩（其、己）國銅器分別出土於河南、河北、遼寧、山東，而且㠱國和殷、周關係都很好的現象也是一致的。

拾參、《詩經》「眉壽」古義新證

《詩經》中「眉壽」一詞共六見，分別出現在以下各篇：

《豳風・七月》：

六月食鬱及薁，七月亨葵及菽，八月剝棗，十月穫稻。爲此春酒，以介眉壽。

《小雅・南山有臺》：

南山有栲，北山有杻。樂只君子，遐不眉壽？樂只君子，德音是茂。

《周頌・雝》：

綏我眉壽，介以繁祉，既右烈考，亦右文母。

《周頌・載見》：

率見昭考，以孝以享，以介眉壽。永言保之，思皇多祜。

《魯頌・閟宮》：

萬有千歲，眉壽無有害。泰山巖巖，魯邦所詹。奄有龜蒙，遂荒大東，至于海邦。

《商頌・烈祖》：

亦有和羹，既戒既平。鬷假無言，時靡有爭。綏我眉壽，黃耇無疆。

毛《傳》在〈七月〉篇中注：「眉壽、豪眉也。」孔《疏》：「人年老者、必有豪毛秀出。」《小雅・南山有臺・傳》：「眉壽、秀眉也。」《魯頌・閟宮・箋》：「眉壽，秀眉亦壽徵。」

旭昇案：長壽而必以眉毛爲特徵，恐怕完全接受此說的人並不多。徐中舒先生〈金文嘏辭釋例〉引《方言・一》：「眉、老也，東齊曰眉。」以爲「此當指眉壽之眉，訓老蓋其本義。」這個說法恐怕也是說不通的，因爲眉字的本義和老並無任何關係，《方言》此處的解釋應該只是眉的假借義，而不是本義。「眉壽」在銅器銘文中都寫作「釁壽」，沒有一個寫作「眉壽」的，隨手舉二條如下：

《靜弔乍旅鼎》：「靜弔作鄦兄旅鼎，其萬年釁壽永寶用。」（《總集》1049、《邱集》1135）

《仲枏父鬲》：「維六月初吉，師湯父有司中枏父作寶鬲，用敢饗孝于皇祖考，用祈釁壽萬年，子孫其永寶用。」（《總集》1529、《邱集》1657）

其例甚多（參《青銅器銘文檢索》字頭第五八四號，共三百七十筆），可見得在周人所記錄的第一手資料中，「⿱眉貝（眉）壽」並不是藉著眉毛秀出來形容人的長壽。「⿱眉貝」字，金文作[illegible]，舊釋都以爲是「眉」字，非是。吳式芬《攈古錄金文》卷三之一第四十九葉引許印林說以爲「須沬之古文，沬眉聲同，故爲眉也。」董作賓先生〈梁其壺考釋〉、郭沬若《兩周金文辭大系考釋》亦均釋爲古沬字，象奉匜沃盥之形。李孝定先生在〈釋釁與沬〉一文中釋爲釁若沬：

> 綜觀上舉數書所列釁、沬兩字，形義俱不相涉，音讀亦若相遠，似爲截然不同之二字，但自甲骨文、金文此兩字之形體及古經籍中用此兩字之音訓，實有若干蛛絲馬跡，足以證明此兩字原爲一字，及後字義漸有引申，音讀漸生別異，遂衍爲二字耳。

因此從本義上看，作「眉壽」也好，作「⿱眉貝壽」也好，都是假借字，都無法引伸出「長命壽考」的意思。這個詞在典籍上還有其他異文，或作「麋壽」、或作「微壽」的，李孝定先生又云：

> （釁壽）爲兩周習見之嘏辭，經籍中多作眉壽，……《傳》、《疏》並以豪眉、秀眉解之，實則眉壽爲當時習慣用語，以壽考爲其本義，壽上一字，本無定字，毛《傳》以豪眉、秀眉解之，未免望文生訓，如《儀禮．士冠禮》「眉壽萬年」，鄭注：「古文眉作麋。」〈少牢饋食禮〉「眉壽萬年」，鄭注：「古文眉爲微。」則鄭氏

所見古本，固有作糜壽、微壽者矣，金文則作釁（沫）壽，蓋沫、眉、糜、微諸字，聲類本極相近，故昔人書寫此一嘏辭，除壽字有定外，其上一字，往往於糜、微、眉、沫諸音近字中，任取一字，必欲以豪眉、秀眉解眉字，則糜壽、微壽又將何說乎？釁即沫之本字，……鄭司農注《周禮》三讀釁爲徽，徽有美也、善也之訓，則釁壽一詞疑當讀爲徽，訓爲美，美善之壽猶言多壽、魯壽、永壽也，眉壽、糜壽、微壽之解並同，金文眉祿，猶言美祿也，《廣雅》、〈釋詁〉、《方言・一》並訓眉爲老，殆就眉壽一詞爲解，非朔誼也。

李孝定先生的考證引據博洽，陳義極富。但解爲徽壽、美壽，先秦文獻畢竟沒有這樣的用法，所以林潔明先生另外提出了一種看法（見《金文詁林》第二二〇六頁）：

李孝定謂釁讀爲徽、美也，則以爲尚差一間。釁讀爲徽，亦是假借義，且於古無徵。按《周禮・春官》「女巫掌歲時祓除釁浴」，鄭注：「歲時祓除，如今時三月上巳如水上之類。釁浴謂以香薰草藥沐浴。」則知釁浴爲古代一種習俗，於歲時沐浴，以祓除不潔、邪惡及禍害。引申之則釁浴有求福、求善之意。釁壽殆即用此引申義，殆即福壽、魯壽之意。

旭昇案：林潔明先生評李孝定先生的說法於古無徵，但他的說法好像於古也沒有什麼徵據，釁由「袚除不潔、邪惡及禍害」可以「引申之則釁浴有求福、求善之意」，文獻上從來沒有看到這種用法。而且眉壽和魯壽性質相近，但和福壽則並不相似（十三經、金文裡都沒有「福壽」這一個詞）。林潔明先生由福壽渡到魯壽、再由魯壽渡到眉壽，其過程太過迂曲，因此也沒有多少可信度。事實上，眉壽的訓解，傳統一致以為是長壽，和「福壽」、「美壽」、「善壽」並不完全相同，因此「眉壽」、「釁壽」、「麋壽」、「微壽」等詞的「眉」、「釁」、「麋」、「微」的本字，恐怕要從「長」的意義上去找才是。

夏淥以為「眉壽」是「瀰壽」的假借，他在〈眉壽釋義商榷〉一文中說：

> 「眉壽」，《儀禮．士冠禮》作「麋壽」，〈少牢饋食禮〉古文作「微壽」，《漢禮器碑》「永享牟壽」又作「牟壽」，都同樣是同音假借。如果再上推到殷虛卜辭文例的「湄日」，……也作「眉日」，……楊樹達《卜辭求義》：「湄蓋假為彌，彌日謂終日。」……彌，《周禮．春官．大祝》「彌祀社稷禱」，注：「彌，猶徧也。」……但是，彌的本義，《說文解字》釋為「弛弓也」，……所以「彌」訓終、徧，也是通假的用法。瀰，《詩．邶風》「有瀰濟盈」，《正義》：「瀰，深水也。盈，滿也。」《疏》云：「今有人濟此盈滿之水，……。」瀰漫周徧，由盈滿引申為徧、全、終。所以彌、眉、湄、沬、麋、微、牟等訓終，皆為瀰的通假字。……所以「眉壽」

即「瀰壽」，是「滿壽」、「全壽」、「終壽」的意思。

夏文謂「眉壽」，是「滿壽」、「全壽」、「終壽」的意思，說得相當好。「瀰」字《說文》作「瀰」，本義是「水滿也」（依段注本），由這個意思引申到「滿」、「全」、「終」當然是非常合理的。但是，人類追求長壽的欲望是永遠不會滿足的，爲人祝壽而只祝他「滿壽」，意思是「得享天年」而已，似乎誠意不大夠。況且《魯頌．閟宮》明明說「萬有千歲，眉壽無有害」、《商頌．烈祖》說「綏我眉壽，黃耇無疆」、銅器中則說「釁壽萬年」，顯然都不以「得享天年」爲滿足。因此，夏說顯然還不夠好。

魯師實先先生以爲「眉壽」應該是「镾壽」的假借用法，《文字析義．三》云：

> 卜辭之湄日，《詩》之彌月（《魯頌．閟宮》）、眉壽（《豳風．七月》，《小雅．南山有臺》，《周頌．雝》篇、〈載見〉，《魯頌．閟宮》，《商頌．烈祖》），皆镾之假借。蓋以古無镾字，故假湄、眉爲之，湄日、彌月謂終日、終月，眉壽，義同長壽、永壽。《詩．七月．傳》曰「眉壽、豪毛也」，其說失之。

魯師說「眉壽」應該是「镾壽」的假借，形義兩洽，說理無滯。縱然「镾」字有可能是後造本字，但它能確切地表達出「長壽」的意義，不致使人誤解，這應該是人類語文史上的進步吧！

拾肆、《詩經》「四國」古義新證

《詩經》中「四國」一詞共十四見，分別見於下列十一首詩，每首詩的後面附上傳統《傳》、《箋》、《正義》的解釋：

《曹風．鳲鳩》：

鳲鳩在桑，其子在棘。淑人君子，其儀不忒；其儀不忒，正是四國。

鄭《箋》云：

執義不疑，則可爲四國之長，言任爲侯伯。

孔《疏》云：

僖元年《左傳》曰：「凡侯伯救患、分災、討罪（註七七），禮也。」是諸侯之長，侯伯也。

《曹風．下泉》：

芃芃黍苗，陰雨膏之。四國有王，郇伯勞之。

毛《傳》云：

諸侯有事，二伯述職。

《豳風·破斧》：

既破我斧，又缺我斨。周公東征，四國是皇。哀我人斯，亦孔之將。

既破我斧，又缺我錡。周公東征，四國是吪。哀我人斯，亦孔之嘉。

既破我斧，又缺我銶。周公東征，四國是遒。哀我人斯，亦孔之休。

毛《傳》云：

四國，管、蔡、商、奄也。皇，匡也。

鄭《箋》云：

周公既反攝政，東伐此四國，誅其君罪，正其民人而已。

《小雅·十月之交》：

日月告凶，不用其行。四國無政，不用其良。

鄭《箋》云：

四方之國無政治者，由天子不用善人也。

《小雅·雨無正》：

浩浩昊天，不駿其德。降喪饑饉，斬伐四國。

鄭《箋》云：

昊天下此死喪饑饉之災，而天下諸侯於是更相侵伐。

《小雅·青蠅》：

營營青蠅，止于棘。讒人罔極，交亂四國。

《大雅·皇矣》：

維此二國，其政不獲；維彼四國，爰究爰度。

毛《傳》云：

二國，夏、殷也。四國，四方也。

鄭《箋》云：

二國，謂今殷紂及崇侯也。四國，謂密也、阮也、徂也、共也。

《大雅·民勞》：

民亦勞止，汔可小息。惠此京師，以綏四國。

《大雅·抑》：

哲人之愚，亦維斯戾。無競維人，四方其訓之；有覺德行，四國順之。

鄭《箋》云：

有大德行，則天下順從其政。

《大雅・崧高》：

維申及甫，維周之翰。四國于蕃，四方于宣。

申伯之德，柔惠且直。揉此萬邦，聞于四國。

鄭《箋》云：

四國，猶言四方也。

《大雅・江漢》：

明明天子，令聞不已；矢其文德，洽此四國。

孔《疏》云：

施布其經緯天地之文德，以和洽此天下四方之國。

以上資料顯示，傳統對「四國」的解釋有二，大部份的詩篇是解釋成「四方」（這其中包括含含混混地說「四方之國」、「天下諸侯」、「諸侯」、「天下」等，只要是數不出四個國家的，都應該屬於這一類）；比較特殊的有兩篇，一是《豳風・破斧》篇，毛、鄭一致認爲詩中的「四國」是四個國家，另一篇是《大雅．皇矣》，毛認爲「四國」是「四方」，鄭認爲是四個國家。以下，我們先從《豳風．破斧》篇看起。

《毛詩．序》：「〈破斧〉，美周公也。周大夫以惡四國焉。」這個講法，除了徐中舒先生不同意外，其他學者大體上都能接受。歧異的關鍵在「周公東征」及「四國是皇（吪、遒）」等句。

舊說「四國」指四個國家，除了前舉的毛、鄭外，如最富懷疑精神的姚際恆也是這麼主張的，雖然他的四個國家和毛《傳》的不同，《詩經通論》云：

> 四國，商與管、蔡、霍也。毛氏謂管、蔡、商、奄，非也，其時奄已封魯矣。

這個解釋其實是錯的。徐中舒〈豳風說〉云：

> 〈破斧〉之詩有「周公東征，四國是皇」之言，舊說以《豳風》爲周公之詩，當以此爲最大根據。毛、鄭於此更附益以周初之史事。如毛《傳》云……，鄭《箋》云……。此其爲說，雖若信而有徵；但《詩》詞簡略，欲其無疑蘊，自非通觀全書詞例不可。例如「四國」一詞，《詩》中屢見，其在〈崧高〉云：「四國于蕃，四方于宣」；〈抑〉云：「無競維人，四方其訓之，有覺德行，四國順之」；此以四國與四方相爲文，四國即四方。〈大明〉之詩曰：「以授方國」，方國同義，故得連

言（甲骨文凡稱方者，如某方即後人稱某國之義）。古蓋以四國爲東國、西國、南國、北國之總稱。如《詩・崧高》云「南國是式」；《左傳・成十六年》云：「南國蹙」；《詩・韓奕》云：「奄受北國」；《書・康誥》云：「作新大邑于東國洛（自西土言則洛亦爲東國洛）」；《公羊・僖四年傳》云：「古者周公東征則西國怨，西征則東國怨」；銅器《戉鼎》云：「廣伐南國東國」；《宗周鐘》云：「南國𠬝子」；《師寰簋》云：「弗迹我中國」。凡此所稱四國，猶之後世言東、南、西、北四方。……故此詩言四國乃爲泛稱之詞，絕不能以爲管、蔡、商、奄四國。因而〈破斧〉之詩所稱「周公東征」亦不必即爲周初之周公。《史記・魯周公世家・索隱》云：「周公元子就封魯，次子留相王室，代爲周公。」案《左傳》載春秋之世周公黑肩、周公忌父、宰周公、周公閱、周公楚等，並有周公之稱。疑〈破斧〉之周公或即與齊桓會於葵丘之宰周公。《春秋經・僖九年》：「夏，公會宰周公、齊侯、宋子、衛侯、鄭伯、許男、曹侯于葵丘。」此會爲當時最有名之史蹟。蓋五霸以齊桓爲盛，當時宰周公以王室之卿士東來蒞盟，彰彰在人耳目，其時魯侯亦與會盟，故魯人得以歌詠其事。

余師《詩經正詁》（上）云：

四國，四方、天下也。舊謂指管、蔡、商、霍，然《孟子．滕文公》謂：「周公誅紂伐奄，滅國者五十。」何僅四國！二《雅》中「四國」一詞多矣，豈能皆指出國名？

案：二家說四國不指四國家，甚是。西周的「四國」意義等同「四方」，除了徐、余二家指出的《詩經》內證、銅器銘文之外，西周青銅器中還有一些絕好的證據，即銅器銘文中稱國家爲「邦」，稱疆域爲「或（即域、國之初文）」，二字同見一銘，可見「或（國）」絕不得釋爲「邦」。《㝬鐘》（舊稱《宗周鐘》，《總集》7176、《邱集》7985）云：

王肇遹省文武、堇疆土，南或服孳敢陷處我土，王敦伐其至，撲伐厥都。服孳迺遣閒來逆卲王，南夷、東夷具見，廿又六邦。維皇上帝百神，保余小子，朕猶又成亡競，我維司配皇天。王對作宗周寶鐘，倉倉悤悤，雉雉雝雝，用卲各丕顯祖考先王，先王其嚴在上，𧷤𧷤數數，降余多福，福余□（順？）孫，參壽維利，㝬其萬年，允保四或。

南或服孳，意謂南方的服孳，由下文「服孳迺遣閒來逆卲王，南夷、東夷具見，廿又六邦」，可知南方的國家不只一個，國、邦分用，意義明顯地不同。《中甗》（《總集》1668、《邱集》1808）云：

王令中先省南或貫行，埶应在曾，史兒至、以王令曰：「余令女使小大邦，厥又舍女圳量至于女，庚小多□。」中省自方，復造□邦，在丕自次，白買父以自厥人戍漢中州，曰段、曰𢆶，厥人□廿夫，厥貫粦言曰：賓□貝，日傳□王□休，肆肩又羞余□□□，用作父乙寶彝。

本銘先稱「省南或（國）」，後稱「使小大邦」，也可說明「南國」有許多「小大邦」。又如《保卣》（《總集》5495、《邱集》6097）稱：「乙卯、王令保及殷東或五侯，征眖六品……。」「東或（國）五侯」意義相當於「東方五侯」；《克鼎》（《總集》1327、《邱集》1440）稱：「天子其萬年無疆，保辪周邦，允尹四方。」稱周天子的國家爲「周邦」，而要「允尹四方」，即《宗周鐘》的「允保四或（國）」，可見得「四國」和「四方」是同義的，絕不能釋爲四個國家。

至於徐氏稱〈破斧〉之詩爲魯詩，詠魯僖公與宰周公、齊侯、宋子、衛侯、鄭伯、許男、曹侯于葵丘。《左傳·僖公九年》述其事云：

夏，會于葵丘，尋盟且脩好，禮也。王使宰孔賜齊侯胙，曰：「天子有事于文武，使孔賜伯舅胙。」齊侯將下拜，孔曰：「且有後命，天子使孔曰：『以伯舅耋老，加勞，賜一級，無下拜。』」對曰：「天威不違顏咫只，小白敢貪天子之命，無下拜？恐隕越于下，遺天子羞，敢不下拜。」下拜，登受。秋，齊侯盟諸侯于葵丘，曰：「凡我同盟之人，既盟之後，言歸于好。」宰孔先歸，遇晉侯，曰：「可無會也。齊侯不務德而勤遠略，故北伐山戎，南伐楚，西爲此會也。東略之不知，西則否矣。其在亂乎，君務靖亂，無勤于行。」

整個葵丘之盟是由齊桓公主導，魯國並沒有什麼値得稱道的事情，詩人何以要大事歌詠之？宰孔不過是奉周天子之命賜胙，此外也沒有什麼作爲，更沒有「東征」之事，詩人又何以要歌頌「周公東征，四國是皇」、「周公東征，四國是吪」、「周公東征，四國是遒」。再說，本詩每章之首有「既破我斧，又缺我斨」等句，跟葵丘之盟實在沒有任何關係，徐說恐不可從。

其次考慮《大雅．皇矣》篇毛、鄭之說的不同。〈皇矣〉篇的部份詩文如下：

皇矣上帝，臨下有赫；監觀四方，求民之莫。

維此二國，其政不獲；維彼四國，爰究爰度。

上帝耆之，憎其式廓。乃眷西顧，此維與宅。……

帝謂文王：無然畔援，無然歆羨，誕先登于岸。

密人不恭，敢距大邦，侵阮徂共。王赫斯怒，

爰整其旅，以按徂旅，以篤周祜，以對于天下。……

毛《傳》云：

二國，夏、殷也。四國，四方也。

鄭《箋》云：

二國，謂今殷紂及崇侯也。四國，謂密也、阮也、徂也、共也。

鄭玄爲什麼要更動毛《傳》，原因不得而知，但他說「四國」是「密也、阮也、徂也、共也」，主要根據是本詩的「密人不恭，敢距大邦，侵阮徂共」。關於這幾句，毛、鄭的解釋也不一樣，毛《傳》云：

國有密須氏侵阮，遂往侵共。

鄭《箋》則持不同的解釋云：

阮也、徂也、共也，三國犯周，而文王伐之，密須之人乃敢距其義兵。

鄭說在漢末、魏、晉時就有很多人不贊成，以爲於史無徵，孔《疏》云：

皇甫謐云：「文王問太公：『吾用兵，孰可？』太公曰：『密須氏疑於我，我可先伐之。』管叔曰：『不可，其君天下之明君，伐之不義。』太公曰：『臣聞先王之伐也，伐逆不伐順，伐險不伐易。』文王曰：『善！』遂侵阮、徂、共，而伐密須。……」謐雖採摭舊文，附會爲說……王肅云：「無阮、徂、共三國。」孔晁云：「

周有阮、徂、共三國，見於何書？」孫毓云：「案《書·傳》，文王七年五伐，有伐密須、犬夷、黎、邘、崇，未聞有阮、徂、共三國助紂犯周，文王伐之之事。」皆以爲無此三國。……「三國」與密須，充上「四國」之文，事在此詩，即成文也，於時書史散亡，安可更責所見。

旭昇案：皇甫謐《帝王世紀》此文，其它典籍未見，惟見孔氏此詩《正義》所引。但孔氏也知道皇甫謐的敘述「採摭舊文，附會爲說」，不足爲信，所以只好說《詩經》本文就是最好的證據。如果依鄭《箋》之說，「密人不恭，敢距大邦，侵阮徂共」句應該讀成「密人不恭，敢距大邦侵阮徂共」，但周自稱大邦，征討密、徂、共三國而居然用了一個「侵」字，這是不可思議的事，而這樣的事在儒家的經典《詩經》上還被拿來勒爲鴻文，萬世歌詠，這和周人一向最引以爲傲的文王仁義的形象相反，可見鄭玄這樣的解釋是有問題的。相反的，毛《傳》之說卻有其它典籍的支持，《史記·周本紀》：

……西伯蓋受命之君，明年伐犬戎，明年伐密須，明年敗耆國（《正義》：即黎國也。），……明年伐邘。

不聞有侵阮、徂、共三國之事。「二國」指夏殷二代，又見於《尚書·召誥》：

我不可不監于有夏，亦不可不監于有殷，……今王嗣受厥命，我亦惟茲二國命嗣若功。

則之。

其夏、殷也。繼受其王命，亦惟當以此夏、殷長短之命爲監戒，繼順其功德者而法

《傳》：

「二國」本當作「二或」，即「二域」。《商頌．玄鳥》及〈長發〉有「九有」一辭，《韓詩》作「九域」，「二國」和「九有」的組成方式應該是同類的吧。至於馬瑞辰《毛詩傳箋通釋》引到的或說以爲「二國」爲「上國」之訛，馬氏以爲這種說法「非通論也」。旭昇案：「上國」一詞，《左傳》多見，但還沒有看到拿來指殷朝的，因此這個或說只能列爲思考本篇詩義的一個參考，本篇對「二國」的解釋，姑仍採毛《傳》。

綜合以上的敍述，《詩經》中十四見的「四國」一詞，全部都應釋爲「四方」，不得釋爲「四個國家」。「四國」一詞在《詩經》中的用法和在銅器中的用法是完全一致的。

中編、名物制度編

壹、《詩經》「鐘」古義新證

《詩經》中的鐘（或作「鍾」，古本同字），見於《周南．關雎》、《唐風．山有樞》、《小雅．彤弓》、《小雅．鼓鐘》、《小雅．楚茨》、《小雅．賓之初筵》、《小雅．白華》、《大雅．靈臺》、《周頌．執競》等九篇，因爲其中〈關雎〉一篇的時代爭議比較大，所以下面我想以〈關雎〉爲代表來討論周代鐘的起源，以及它在《詩經》中的斷代意義。以下先引〈關雎〉原詩：

關關雎鳩，在河之洲。窈窕淑女，君子好逑。
參差荇菜，左右流之。窈窕淑女，寤寐求之。
求之不得，寤寐思服。悠哉悠哉！輾轉反側。
參差荇菜，左右采之。窈窕淑女，琴瑟友之。

參差荇菜，左右芼之。窈窕淑女，鍾鼓樂之。

《毛詩．序》：「〈關雎〉，后妃之德也。……〈關雎〉、〈麟趾〉之化，王者之風，故繫之周公；〈鵲巢〉、〈騶虞〉之德，諸侯之風也，先王之所以教，故繫之召公。《周南》、《召南》，正始之道，王化之基，是以〈關雎〉樂得淑女以配君子，愛在進賢，不淫其色，哀窈窕，思賢才，而無傷善之心焉，是〈關雎〉之義也。」這是三百篇中的第一篇，歷代對它的研究多到無法計數（註七八），但對本篇的詩旨、作者、著成年代，仍是衆說紛紜，莫衷一是。本文擬就〈關雎〉篇中與鐘有關的部份，略抒淺見。

〈關雎〉著成的時代，《毛詩．序》繫在周公，鄭玄《詩譜序》則以爲在文武之時；內容則是歌詠后妃之德。《魯詩》說則以爲作於康王時，康王晏起，詩人本之衽席而作（註七九）。近人則多半主張二《南》爲西周末、東周詩，如傅斯年先生《詩經講義稿》云：

南國盛于西周之末，故《雅》、《南》之詩多數屬於夷、厲、宣、幽，南國爲荊楚剪滅于魯桓、莊之世，故《雅》、《南》之詩不少一部份屬于東周之始。已是周室喪亂，哀以思之音。

陸侃如、馮沅君《中國詩史》云：

二《南》中不但沒有一篇可以證明是文王時詩，並且沒有一篇可以證明是西周時詩。

同時，時代可推定的幾篇卻全是東周時的作品。詩既不是西周文王時的東西，內容當然也不會是詠太姒「憂在進賢」了，所以近人的講法各抒己意，相去非常遠。如胡適之先生〈談談詩經〉云：

〈關雎〉完全是一首求愛詩，他求之不得，便寤寐思服，輾轉反側，這是描寫他的相思苦情；他用了種種勾引女子的手段，友以琴瑟，樂以鐘鼓，這完全是初民時代的社會風俗，沒有什麼稀奇。意大利、西班牙有幾個地方，至今男子在女子的窗下彈琴唱歌，取歡於女子。至今中國的苗民還保存這種風俗。

周蒙、馮宇合撰之《詩經百首譯釋》云：

〈關雎〉是一首出自民間閭巷，口耳傳唱的情歌。它描寫了一個青年小伙子，偷偷地愛上了一位姑娘那種單相思的動人情景。

朱子《詩集傳．序》認爲「凡《詩》之所謂《風》者，多出於里巷歌謠之作，所謂男女相與歌詠，各言其情者也」，從此以後，這種觀念深植在許多學者的心中，解釋〈關雎〉的論述中會出現周蒙、馮宇等的看法，是毫不足爲奇的。事實上，〈關雎〉絕非閭巷男女言情之作，因爲周代大夫以下的階層是不能擁有鐘的。鄭玄在《儀禮．鄉飲酒禮》「無算爵，無算樂，賓出奏陔」句下已明白地注明了：「鍾鼓者，天子、諸侯備用之，大夫、士鼓而已。」在《鄉射禮》同一樂次下也有同樣的注。王國維在《觀堂集林．卷二．釋樂次》中引鄭注明白地說：

凡金奏之樂用鐘鼓，天子、諸侯全用之，大夫、士鼓而已。（註八〇）

屈萬里先生《詩經釋義》引王說釋〈關雎〉詩旨云：

按王國維〈釋樂次〉，謂：「金奏之樂，天子諸侯用鐘鼓，大夫士，鼓而已」。此詩有「鍾鼓樂之」之語，蓋賀南國諸侯或其子之婚也。

此說明白有據，應可釐清朱子「凡《詩》之所謂《風》者，多出於里巷歌謠之作」的誤導了。但是，據已往的考古看法，鐘是西周中期以後才產生的樂器，因此〈關雎〉中有鐘，正好可以說明民國以來部份學者主張《二南》是西周末至春秋的作品，劉毓慶〈關雎之新研究〉云：

〈關雎〉之末章有「鐘鼓樂之」之語，根據地下考古發掘的情況考察，康王之前，未曾發現有鐘。有一件《宗周鐘》，郭沫若以爲是周康王之子昭王時器。可是據唐蘭考證，認爲這是厲王時器。《周頌》中有〈執競〉一篇提到鐘，可是篇中說：「自彼成康，奄有四方。」顯然是成、康以後的作品。其次，根據今所見到的金文考察，西周的鐘多爲樂神祈福之器，如《宗周鐘》、《克鐘》、《虢叔鐘》、《士父鐘》、《井人鐘》等鐘銘，都有樂神（包括祖先）降福的話，至今本人尚無發現西周有樂人的鐘銘。可是到了東周後，樂人的鐘銘便大量的出現了。如《沇兒鐘》、

《王孫遺者鐘》、《許子鐘》、《子璋鐘》等銘，都云「以樂嘉賓」，「以樂其身」。《小雅》中的〈鼓鐘〉、〈白華〉、〈彤弓〉有娛樂之事，但都產生在西周晚期以後。根據這些情況判斷，〈關雎〉絕不會做於西周中期以前，最早也不會早於厲、宣之世。

唐蘭以爲周初無鐘（郭沫若《兩周金文辭大系考釋．宗周鐘》第五一葉引唐蘭來簡），郭沫若則以爲周初當有鐘，只是尚未發現：

> 周鐘乃由殷鐸演化而成，殷鐸有柄，執而鳴之；周鐘則倒縣，然備斡旋之甬實鐸柄之孑遺也。本器乃有甬鏞，枚長、銑侈、于上剜，文在甬幹上爲饕餮、在篆上爲兩首之蜺，與武英殿《史簋》之腹紋作饕餮、緣帶及足帶之作兩首蜺形者相同，凡此均不失爲古鐘之典型。周初雖未見有鐘，然周鐘必有其起原時，以此當之，或不無突兀之感，恐前此者尚有之，尚待發掘耳。

如果以對《宗周鐘（㝬鐘）》時代的考訂來說，現在絕大部份的學者都同意唐蘭是對的，郭沫若定在昭王時並不可信，但郭沫若力主周初應有鐘，卻讓他說對了，只是那時並沒有出土資料可以爲證。

鐘的形制，依懸掛方式來分，有紐鐘和甬鐘兩種。鐘體上方平頂（即舞）之上用來懸掛鐘的部份如果是棒狀的叫甬鐘，如果是半環形的叫紐鐘。紐鐘的形制和鎛很難區分，很多學界命名爲鎛的樂器，銘文自名卻是鐘，如：

《宋公戌鎛》（《總集》7195、《邱集》8007、《集成》0008）

宋公戌之訶鐘。

《蔡侯𦅫編鎛》（《總集》7205、《邱集》8017、《集成》0219）

維正五月初吉孟庚，蔡侯𦅫曰：余唯末少子，余非敢寧忘，有虔不易，佐右楚王，寯寯爲政，天命是遈，定均庶邦，休有成慶，既恖于心，征中厥德，均子大夫，建我邦國，爲命祗祗，不愆不貣，自乍訶鐘，元鳴無期，子孫鼓之。

一九八九年江西新淦大洋洲商墓出土的銅器中有一件《獸面牛首紋鐘》，時代屬於商代後期，由商務印書館和上海辭書出版社聯合出版的《中國文物精華大全·青銅卷》第六十三頁有非常清楚的照片（見附圖十三）。容庚《商周彝器通考·上·樂器》列有《雙鳥饕餮紋鐘》、《四虎饕餮紋鐘》等兩件鐘，時代斷爲周代前期（見附圖十四、十五）。西周早期可以出現紐鐘，這已是毫無疑問的了。

通高 33 厘米　舞縱 11.3 厘米　銑間 26.4 厘米

鈕高 4.5 厘米　舞橫 17.5 厘米　鼓間 18.5 厘米

0226　**獸面牛首紋鐘**

附圖十三：商獸面牛首紋鐘

附圖十四：雙鳥饕餮紋鐘

附圖十五：四虎饕餮紋鐘

其次，已往認爲出現得比較晚的甬鐘，現在看來那種說法也不正確。陳夢家在〈西周銅器斷代㈤〉〉中主張甬鐘的演變是：㈠、殷代的執鐘（圖見《古學學報》第七冊，圖版參拾貳，附圖十六），當即是舊名鐃的器類。㈡、殷末周初的鏞（《博古圖》二六．四五名爲鉦，附圖十七）。㈢、西周早期的鐘（一九五四年長安普渡村出土，三件一組，在甬的下部已有可以懸掛的環，即旋。圖版見〈西周銅器斷代㈤〉圖版拾，附圖十八）。㈣、西周中晚期的甬鐘（較多見）。殷代的鐃、殷末周初的鏞姑且不論，西周早期有甬鐘，這在現在考古學家的努力下是已經可以肯定了。

方建軍、蔣詠荷《陝西出土音樂文物》第十六頁云：

附圖十六：商執鐘

周雲目鉦

附圖十七：鏞（鉦）

西周早期和早中期之際的甬鐘在寶雞竹園溝𢐗伯各墓（BZM7）、茹家莊𢐗伯𥏫墓（BRM1乙）和長安普渡村長由墓各發現三件。按寶雞市博物館的同志對𢐗氏家族世系所做初步排比，𢐗伯各墓早於𢐗季墓和𢐗伯𥎦墓，其時代約當成、康之世。照此，則竹園溝𢐗伯各墓甬鐘當爲迄今所知最早的一組西周甬鐘（見附圖十九）。茹家莊𢐗伯𥎦墓甬鐘的時代要晚於伯各墓甬鐘，即約當昭、穆之際。普渡村長甶墓甬鐘的時代則應與茹家莊𢐗伯𥎦墓甬鐘大體相當。

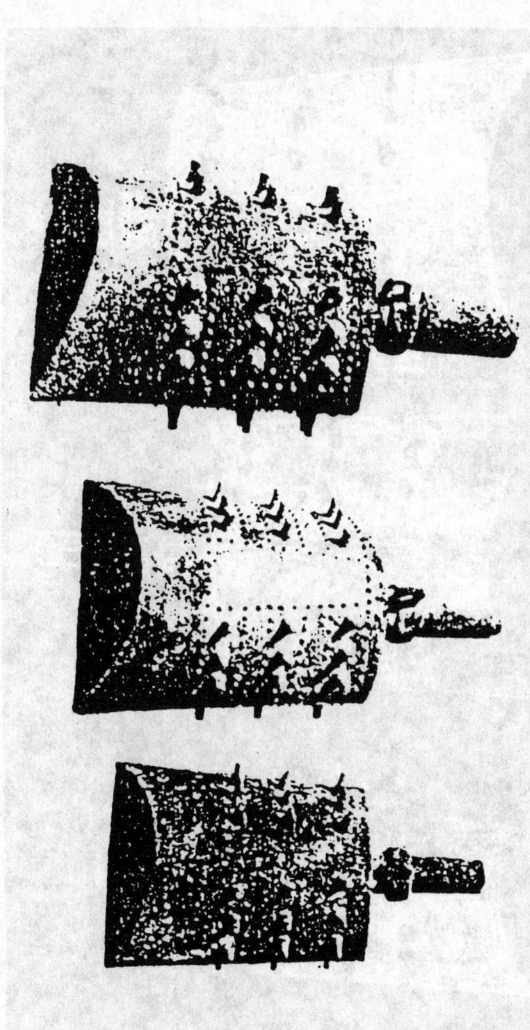

附圖十八：長安普渡村甬鐘

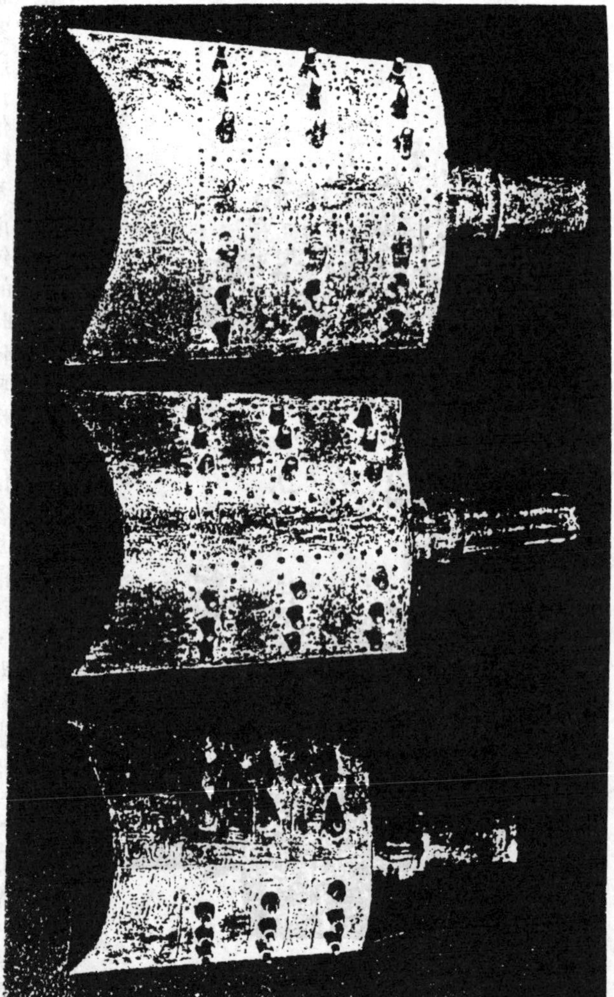

附圖十九：𢐗伯各墓編鐘（BZM7:10、11、12）

《寶雞𢐗國墓地》彩版十二

從商代起就有紐鐘，西周成、康之世有甬鐘，那麼，《詩經．關雎》時代可以有鐘，這還有什麼可懷疑的呢？至於鐘的作用是什麼？是祭神用呢？還是娛人？銘文只能提供部份的參考，不能做為絕對的依據。大部份的鐘其實都是多功能用的，「以臨盟祀、以樂嘉賓」，但是「國之大事，在祀與戎」，「以臨盟祀」比較莊嚴重要，所以鐘銘要說出來，「以樂喜賓」比較不重要，所以大部份的鐘銘都不寫出這個用途。這就像鼎有祭祀和生活實用兩種用途，但我們沒有看到西周早期的鼎銘上面寫著那一具鼎是造來生活實用的，我們不能因此說西周早期的鼎沒有生活實用的功能。因為生活實用器不需要這麼莊重費事，不必在銘文上說明，甚至於根本就沒有鑄銘文。《周頌．執競》一篇提到鐘，篇中說：「自彼成康，奄有四方。」正可以說明這是昭王時代的作品。

最後附帶要談一下琴瑟。琴瑟起源的時代很難考定，因為琴瑟易於腐朽，無法保存。現存實物的琴瑟似是以曾侯乙墓的最早，據《曾侯乙墓》考古報告，墓中出土二十五絃（少數似是二十三絃）共十二件、五絃琴一件、十絃琴一件。另有瑟柱一千三百五十八枚，如以一瑟二十五絃來統計，一千三百五十八枚瑟柱至少可供五十四張瑟使用。有的學者認為琴瑟是由弓弦發聲而產生的樂器，弓是原始人最重要的狩獵工具，中國在二萬八千年前的舊石器時代已有石鏃，當然也有弓弦，然則由弓弦演進為琴瑟是極為自然的事，其時代必不會太晚。

甲骨文的「樂」字作⿱𢆶木，羅振玉以爲「从絲附木上，琴瑟之象也。或增θ以象調紘之器，猶今彈琵琶、阮咸者之有撥矣」（《增考》中．四十葉上），或許這可以透露了商代就應該已經有琴瑟的訊息。據此，〈關雎〉詩中有琴瑟，並不足以證明其詩一定晚出。

綜上所述，以考古所見的鐘來證明〈關雎〉篇不是西周早期詩的說法，目前看來是不能成立的。其實，《大雅．靈臺》篇也說「於論鼓鐘，於樂辟廱」，而《大雅．靈臺》一篇，學者不是認爲是文王詩、就是認爲是武王詩，是西周早期有鐘，《詩經》和考古的結論是一致的。

貳、《詩經》「兕觥」古義新證

「兕觥」一詞，見《詩經．卷耳》「我姑酌彼兕觥，維以不永傷」，《豳風．七月》「躋彼公堂，稱彼兕觥，萬壽無疆」、《小雅．桑扈》「兕觥其觩，旨酒思柔」、《周頌．絲衣》「兕觥其觩，旨酒思柔」，此外，《左傳．成公十四年》引文與〈桑扈〉、〈絲衣〉句全同、《左傳．昭公元年》「穆叔、子皮及曹大夫興，拜，舉兕爵」等處。唯對「兕觥」的形制及其功能，歷代學者之說頗有一些可以商榷的地方。

據《說文解字》觥的本字應作觵，俗字作觥，《毛詩》用的是俗字，以下爲了印刷方便，本文敍述部份從《毛詩》一律寫作觥字。有關兕觥的問題有三：一是兕觥的形制如何，是用兕角做的？還是只是像兕角？抑是像兕或其他野獸之形？其二是兕觥究竟是不是罰爵？其三是兕的觥容量有多少，是四升？五升？或七升？這雖是個小問題，但關係到詩文欣賞，如果不理清楚，終覺是一遺憾。

一、兕觵的形制

〈卷耳〉毛《傳》云：

兕觥、角爵也。

《說文解字》四篇下云：

觵、兕牛角可以歙者也。从角，黃聲。其狀觵觵，故謂之觵。觥、俗觵从光。

〈卷耳〉鄭《箋》云：

觥、罰爵也。

《周禮·地官·閭胥》「掌其比觵撻罰之事」，鄭玄注云：

觵用酒，其爵以兕角爲之。

《卷耳·釋文》云：

觵、古橫反，以兕角爲之，字又作觥。《韓詩》云：「容五升。」《禮圖》云：「容七升。」

以上各家，鄭《箋》先不論，其餘各家都明白地主張兕觥是角做的（或角狀的）飲酒器（阮元、馬瑞辰以爲毛《傳》的「角爵」即是指酒器類的角，其說非是，說見下）。孔穎達則引先師說，以爲沒有兕的時候可以用木頭來代替，《卷耳·疏》云：

《異義》：「《韓詩》說：『一升曰爵。爵，盡也、足也。二升曰觚。觚、寡也，飲當寡少。三升曰觶。觶、適也，飲當自適也。四升曰角。角、觸也，不能自適觸罪過也。五升曰散，散、訕也，飲不自節，爲人謗訕。總名曰爵，其實曰觴。觴者、餉也。觥亦五升，所以罰不敬。觥、廓也，所以著明之貌，君子有過，廓然著明，非所以餉，不得名觴。』《詩》毛說觥大七升，許愼謹案：『觥罰有過，一飲而盡，七升爲過多。』」由此言之，則觥是觚、觶、角、散之外，別有此器。……是正禮無觥，不在五爵之列。《禮圖》云：「觥大七升，以兕角爲之。」先師說云：「刻木爲之，形似兕角。」蓋無兕者用木也。

最早以爲兕觥不是兕角做的，而是一種像獸形的酒器的應該是宋代佚名所作的《續考古圖》（卷二・十二葉上・兕觥，失蓋；卷三・二七葉上・兕觥。參附圖二十），其後阮元《積古齋鐘鼎彝器款識・卷二・三葉下・亞舟爵》云下：

爵字下體作一尾二足，象雀之形；上作犧首，兩角兩目，初不可解。及得周兕觥，蓋作犧首形，兩角觩然。兕觥亦爵類，《左傳》謂之兕爵，知兕觥以蓋得名，此正象兕觥之形也。

又同書卷五第二十葉上《子爕兕觥》下云：

附圖二十

《續考古圖》三.二七

《續考古圖》二.十二

阮元所謂子燮兕觥
（見《商周彝器通考》附圖四三〇）

右《子燮兕觥》銘，蓋器各九字，元所藏器，器制如爵而高大，蓋作犧首形，有兩角。首以下作蟠夔雷回紋，滿身作獸面蟠夔雷回紋。此器舊名爲犧首爵，元得之，考定爲兕觥。案：……《毛詩・卷耳》「我姑酌彼兕觥」，《傳》云：「角爵也。」按毛說蓋以兕觥爲似角之爵，其制無雙柱、無流，同於角；有三足，同於爵，詁訓甚明，非謂以兕角爲之也。《周禮・閭胥・鄭注》：「觵用酒，其爵以兕角爲之。」《說文》云：「觵，兕牛角可以飲者也。」《詩・疏》引《禮圖》云：「觥大七升，以兕角爲之。」先師說云：「刻木爲之，形似兕角。」案、《左・隱五年傳》：「皮、革、齒、牙、骨、角、毛、羽，不登於器。」杜注：「謂不以飾法度之器。」觥爲禮器，安得以兕角爲之、如今之犀角盃乎？古器多用銅，或飾以玉，至刻木爲之，其說近是。古銅器如罍、槤之屬，皆銅木互用也。禮器凡言爵者皆三足，散、角、觥皆稱爵，皆有三足。此器身形爲角爵，蓋作牛首，《爾雅》云：「兕似牛。」郭璞云：「兕一角。」此實二角，而名兕觥者，牛形似兕，取其形似爲名也。案、許氏《異義》云：「今《韓詩》說：一升曰爵。爵，盡也、足也。二升曰觚。觚、寡也，飲當寡少。三升曰觶。觶、適也，飲當自適也。四升曰角。角、觸也，飲不能自適觸罪過也（註八一）。五升曰散，散、訕也，飲不能自節，爲人所謗訕也。總名曰爵，其實曰觴。觴者、餉也。觥亦五升，所以罰不敬。觥、廓也，所以著明之貌，君子有過，廓然著明，非所以餉，不得名觴。觥罰不過一，一飲而七升爲過多。」當謂五升。元謂《毛詩》說觥大七升，固爲過大，《韓詩》說觥五升，亦未可爲定論。蓋自暴秦銷金，商周古器盡毀，其淪沒于土者，未盡出于世，故許鄭大儒，生當漢世，未能目驗之。凡論彝器，每沿舊說，頗多牴牾。考商爵大于周，容一升又半，今以商爵校此觥，觥容二升太半爵，則觥同角，容四升也。或曰：「兕觥爲罰爵，何以爲孝享之器？」攷陳氏《禮書》云：「兕觥之用，饗、燕、鄉飲、賓尸皆有之。」〈七月〉言「朋酒斯饗」、「稱彼兕觥」。春秋之時衛侯饗苦成叔而甯惠子歌「兕觥其觩」，則饗有觥也。鄭人燕趙孟、穆叔子皮，而舉兕爵，是燕有觥也。〈閟胥〉「掌比觥」，是鄉飲有觥也。〈絲衣〉言兕觥，是賓尸有觥也。蓋燕禮、鄉飲酒禮大夫之饗，皆有旅酬、無算爵，於是時也用觥，然則兕觥固祀器也。不得以《儀禮·少牢》、〈特牲〉士之祭無兕觥，遂謂觥祗以罰不敬也。觥亦爵，故《左傳》謂之兕爵、毛《傳》謂之角爵。黃小松所藏古爵有作兕觥形者，然《博古》、《考古》二圖所載爵皆無蓋，且無如此器之大者，則兕觥與爵固有別矣。

阮元認爲兕觥是一種器體似匜、器蓋作獸形的器皿（參附圖二十）。他這個講法和舊說完全不同（雖然他自認爲和毛、鄭之說一樣），而且所列舉的理由也相當具有說服力，所以馬瑞辰參考了這個說法，並且進一步認爲觥就是酒器中的角，也就是器上有兕形的角（酒器名之角，非獸額之角），所以又可以名爲兕觥。兕觥並不是用兕角做的。《毛詩傳箋通釋》云：

> 《五經異義》引《韓詩》說……四升曰角，……云：角、觸也，觸罪過也。與兕觥爲罰爵義合，是知《傳》言角爵、《箋》言罰爵，皆謂兕觥，即四升曰角之角耳。《儀禮・少儀》「侍射則擁矢」下云「不角」，鄭注：「角謂觥，罰爵也。」孔疏：「不角者，角謂行罰爵用角酌之也。《詩》曰『酌彼兕觥』是也。」此正兕觥即角之證。兕觥即角，則當受四升，《儀禮・疏》引《韓詩》傳曰：「二升曰觥。」古文「四」字皆積畫，「二升」當爲「亖升」，傳寫之訛。至《五經異義》引《毛詩》說觥大七升、《韓詩》說觥亦五升，則傳毛、韓《詩》者不知觥之爲角，遂妄生異解耳。……此詩《正義》引先師說云「刻木爲之，形似兕角」，竊謂先師說是觥象兕角（旭昇案：酒器名之角，非獸額之角），而名爲兕觥；猶爵象爵形，而名爲爵也。《積古齋鐘鼎款識》載古犧首爵，訂爲兕觥，亦謂兕觥爲似角（旭昇案：酒器名之角，非獸額之角）之爵。又云：「考商爵大於周爵，容一升有半。今以商爵較兕觥，容二爵大半爵，於周實受四升。」此亦兕觥即四升曰角之明證。又案薛氏《

鐘鼎款識》有《兕父癸鼎》，上有兕形；又有《兕敦》、《兕卣》，蓋上皆作兕形。兕觥形似兕角（旭昇案：酒器名之角，非獸額之角），故謂之兕觥，又謂之角，其義正同。許、鄭謂以兕角爲之，孔《疏》云「蓋無兕者用木」，皆非也。

馬氏這一段考證從阮元所主張兕觥即角（酒器名之角，非獸額之角），但他認爲兕觥是蓋上有兕形的觥，而觥就是酒器的角，這和阮元所說的兕觥應該是不同的。馬氏雖對阮說提出修正，但阮說仍得到大多人的認同，以他所收藏的那一件銅器爲例，該器又著錄於以下各書，除《綴遺》外，其餘都從阮元名之爲兕觥或觥了：

《積古》五・二〇，名《子孌兕觥》。

《攈古》二之一・三五，名《兕觥》。

《憲齋》二一・一一，名《子[illegible]作文父乙觥》。

《殷文存》下・三二・前，名《作文父乙兕觵》。

《小校》五・四三，名《子[illegible]作文父乙觥》。

《三代》一八・二〇・四，名《子[illegible]父乙觥》。

《殷金文》七九（四七），名《子[illegible]觥》。

《周金》五・七一・前，名《子孌兕觥》。

此種器形雖經阮元指出應名爲兕觥，但阮氏只提出了他所收藏的那一件，其餘的同形器大部份仍然被歸入匜中，直到王國維才把這種現象指出來。王國維《觀堂集林》卷三〈說觥〉云：

> 兕觥之爲物，自宋以來冒他器之名，而國朝以後又以他器冒兕觥之名，故知眞觥者寡矣。案：自宋以來所謂匜者有二種，其一器淺而鉅，有足而無蓋，其流狹而長；其一器稍小而深，或有足，或無足，而皆有蓋，其流侈而短，蓋皆作牛首形，《博古圖》十四匜中之《啓匜》、《鳳匜》、《三夔匜》、《父癸匜》……，皆屬此種，余以爲此非匜也，何以明之？甲類之匜，其銘皆云「某作寶匜」、或云「作旅匜」、或云「作媵匜」，皆有匜字，而乙類三十餘器絕無匜字，此一證也。匜乃燕器，非以施之鬼神，而乙類之器其銘多云「作父某寶尊彝」，其爲孝享之器而非沃盥之器可知，此二證也。古者盥水盛於盤洗，惟於沃盥時一用之，無須有蓋，而乙類皆有之，此三證也。然則既非匜矣，果何物乎？曰：所謂兕觥者是已。何以明之？曰：此乙類二十餘器中，其有蓋者居五分之四，其蓋皆作牛首，絕無他形，非如阮氏兕觥僅有一器也，其證一。《詩．小雅》、《周頌》皆云「兕觥其觩」，毛於觩字無訓，鄭惟云觩然陳設而已，案：觩、說文作觓，當與朻木（今《詩》作樛木）之朻音義同，觓者、曲也，今《詩》作觩，又假借捄，以《詩》證之，則〈大東〉云「有捄棘匕」、又云「有捄天畢」、〈良耜〉云「有捄其角」、〈泮水〉云「角弓其

捄」，凡匕與角與弓，其形無不曲者，畢之首有歧，亦作曲形，則兕觥形制亦可知矣。今乙類匜器皆前昂後低，當流處必高於當柄處若干，此由使飲酒時酒不外溢而設，故二者皆觩然有曲意，與《小雅》、《周頌》合，其證二。《詩・疏》引《五經異義》述毛說并《禮圖》皆云觥大七升，是於飲器中爲最大，今乙類匜比受五升若六升之斝尤大，其爲觥無疑。斝者、假也，觥者、光也、充也、廓也，皆大之意，其證三。立此六證，乙類匜之爲觥甚明。然此說雖定於余，亦自宋人發之，宋無名氏《續考古圖》有兕觥二，其器皆屬匜之乙類，此書僞器錯出，定名亦多誤，獨名乙類匜爲兕觥，乃至當不可易，今特疏通證明之，然則古禮器之名雖謂之全定自宋人，無不可也。

王氏之說考據精詳，層層逼進，所以此說一出，學者翕然從之，時至今日，幾乎所有的銅器分類都把似匜而有蓋的這種銅器叫做觥了。不過，有少數學者還有其他的看法，容庚《商周彝器通考》說：

余尚有疑問者，則《守宮作父辛觥》中藏一勺，則此類器乃盛酒之器而非飲酒之器，與「稱彼兕觥」及罰爵之義不合也。宋人稱此爲匜，王先生以爲匜皆無蓋，而不知《鳧叔匜》、《鳳蓋匜》之亦有蓋。甲乙兩類之匜，實有其相同之點，其分別則乙類屬早期，甲類屬晚期；乙類盛酒、甲類瀉水。觶、觚、爵、角、斝之形制，皆與

《三禮圖》不合，惟《續鑑》之兕觥獨與《禮圖》合，中央研究院發掘安陽，得一器與《續鑑》之兕觥同而有蓋（旭昇案：參附圖二一），則王先生所定兕觥之名，或須更定。余以未得更善之名之故，姑仍稱觥，非謂觥之名至當不易也。（四二六頁）

《西清續鑑甲編・卷十二》兕觥

中研院史語所發掘所得兕觥

圖二一

王氏以爲匜無蓋，而兕觥大多有蓋；容氏則謂鳧叔匜、鳳蓋匜也有蓋。王氏謂兕觥爲飲器；而容氏謂《守宮作父辛觥》有勺，爲盛器而非飲器。容氏雖沒有明說兕觥應是什麼形制，但他提出了《三禮圖》的兕觥，和《西清續鑑》、以及中研院挖掘的一件銅器形制全同，言外之意是兕觥應該是這個樣子吧。這個意見被孔德成先生採納了，孔先生在《東海學報》六卷一期〈說兕觥〉一文中說：

> 按彝器中，無觥銘之器，然文獻上多與兕連言……則觥者，可爲兕形或爲兕製。兕、《山海經・南山經・注》：「似水牛，青色，一角。」王氏所舉皆兩角之犧，且有似傳統謂龍形者。以犧、龍爲兕，即形言之，已屬不合。《詩》言「兕觥其觩」……按《說文》：「觓、角皃。」今《詩》作觩。「觩」，又可借爲「捄」……。《詩・大雅・大東》「有捄棘匕」，又「有捄天畢」，《周頌・良耜》「有捄其角」，《魯頌・泮水》「角弓其捄」，匕也、天畢也、角也、弓也，其形皆曲，故言捄（觩同）以狀之。則「兕觥其觩」者，是觩亦狀兕觥之觩然而曲也。兕之體不能曲，其角乃曲，則由其狀之之詞，可知兕觥非雕兕形，而爲兕角所製。兕角觩然，觥亦如之也。《說文》：「觵、兕牛，角可以飲者也。」……又「觥、俗觵从光。」……《三禮圖》云：「以兕角爲之。」《西清續鑑》以角形銅器名觥。中央研究院在

安陽發掘，亦得與《禮圖》、《續鑑》同形之銅器。蓋觥本以兕角爲之，故曰兕觥。以銅仿製，其形不改……故仍以兕觥名之也。其用與爵同，飲器也。王氏所舉，或爲早期之匜。即以《守宮觥》之附勺，定爲酒器；但亦只可盛酒，勺以挹之，不可飲者也。〈卷耳〉毛《傳》：「觥，角爵也。」《說文》亦以爲「可以飲人者」。再案之《左傳・昭公元年・傳》：「鄭人、燕人、趙孟、穆叔、子皮舉兕爵。」則兕觥亦可稱兕爵。〈七月〉「稱彼兕觥」，稱訓爲「舉」……爲飲器，故言舉也。至〈卷耳〉「我姑酌彼兕觥」，固與上章「我姑酌彼金罍」對言……但《說文》云：「酌，盛酒行觴。」段玉裁注：「盛酒於觶中以飲人曰行觴……。」觶亦飲器也。「酌彼金罍」，可解爲取酒於彼金罍之中。「酌彼兕觥」，則應訓盛酒飲人，以彼兕觥也。則觥爲飲器，與爵、觶等同用，其非容器，彰彰甚明。

孔先生特別指出兕觥本是用兕角做的，所以觩然如角，又與文獻、地下出土實物互相印證，頗有說服力。屈萬里先生在《史語所集刊》四十三本四分所發表的〈兕觥問題重探〉，完全採用孔說，並對王國維的論證提出相當有力的反駁。

以上容、孔、屈三先生之說指出兕觥應該是像角形的一種飲器，而非王國維所說的乙類之匜的兕觥，至於王國維所說的乙類之匜的兕觥應該正名爲什麼？三先生似乎都傾向仍是匜，或早期的匜。近見徐中舒在《殷周金文集錄》（一九八四・四川人民出版社）中把所有的這類觥仍稱爲匜，但沒有見到他有相關的說明，而且這也不能說明王國維所稱乙類之匜與甲類之匜確有不同，而乙類之匜中的《守宮作父辛觥》中藏一勺，當爲盛酒之器的這些疑點。

二、兕觥是否罰爵

爲了要把兕觥是否罰爵的問題弄清楚，我們有必要把與「兕觥」有關的資料做一番檢視：

一、〈卷耳〉篇寫「臣下之勤勞」，全詩原文如下：

采采卷耳，不盈頃筐，嗟我懷人，寘彼周行，
陟彼崔嵬，我馬虺隤，我姑酌彼金罍，維以不永懷。
陟彼高岡，我馬玄黃，我姑酌彼兕觥，維以不永傷。
陟彼砠矣，我馬瘏矣，我僕痡矣，云何吁矣。

《毛詩・序》：「〈卷耳〉，后妃之志也。又當輔佐君子，求賢審官，知臣下之勤勞，內有進賢之志，而無險詖私謁之心，朝夕思念，至於憂勤也。」全詩寫一位地位不低，能擁有金罍、兕觥、馬、僕的官吏，在外行役思家之苦，思愁苦、情恍惚，意念含蓄，纏綿無窮（註八二），的確是一首好詩。第三章「陟彼高岡，我馬玄黃，我姑酌彼兕觥，維以不永傷。」勤勞思鄉之情景躍然紙上，酌兕觥只是爲了解憂，與罰爵當然無關，因此毛《傳》在此處也

只說：「兕觥、角爵也。」至於鄭《箋》說：「觥、罰爵也。饗燕所以有之者，禮自立司正以後旅酬，必有醉而失禮者，罰之亦所以爲樂。」全段注解和〈卷耳〉無關，只是旁涉鄭氏的禮學而已。

二、〈七月〉篇《序》說是「陳王業也。周公遭變，故陳后稷、先公風化之所由，致王業之艱難也。」雖然說得泛了些，但所謂王業之艱難，也就是全詩中所陳述的農事，《序》說大致不算離譜。本詩末章說：「九月肅霜，十月滌場。朋酒斯饗，曰殺羔羊。躋彼公堂，稱彼兕觥，萬壽無疆。」《傳》：「公堂、學校也。觥、所以誓衆也。」《箋》：「於饗而正齒位，故因時而誓焉。飲酒既樂，欲大壽無竟，是謂豳頌。」《說文解字．段注》於「觵」字下云：「〈七月〉因鄉飲酒而正齒位，故云誓，誓者、示以失禮則受罰也。」陳奐《詩毛氏傳疏》云：「誓猶戒也。飲酒將終，戒衆設觥，衆人遂稱觥，致祝萬壽無疆。」是注疏家大體認爲本詩的兕觥毛《傳》有罰爵之義，但是我們很難理解，爲什麼〈七月〉篇的作者寫飲酒，在稱觥祝福「萬壽無疆」的時候，腦中爲什麼念念不忘的是飲者會失禮，需要處罰；而不是飲者正在誠心祝人萬壽無疆。其次，從禮文來看，《鄉飲酒禮》和《燕禮》中也看不到在「飲酒將終，戒衆」時要「設觥」以誓衆。本詩本節鄭《箋》則以爲是國君饗群臣、孔《疏》以爲是鄉人黨正飲酒，二說孰是孰非，姑且不論，《儀禮．鄉飲酒禮．記》：「獻用爵，其他用觶。」除了爵和觶外，沒有用到其他的飲器。《儀禮》饗禮久亡，從零碎的文獻中只能看到以下幾條相關的資料。《左傳・昭公五年》：「設机而不倚，爵盈而不飲。」秦蕙田《五禮通考・卷一百五十六・葉九》云：「『設机而不倚，爵盈而不飲』，饗之盛禮也。」文中明白地說饗用爵。《禮記・郊特牲》：「卒爵而樂闋，孔子屢歎之。」注解家以爲這是說饗禮，所以孔疏云：「饗禮既亡，無可憑據，今約《大射》及《燕禮》，解其奏樂及樂闋之節。」文中也明白地說饗是用爵。《禮記・郊特牲》：「子云：禮：非祭、男女不交爵。以此坊民，陽侯猶殺繆侯而竊其夫人。故大饗廢夫人之禮。」以上這些「爵」，我們當然也可以說只是飲器的泛稱，未必不包括觥。但是，我們細細察看《儀禮》中傳統認爲和饗禮最接近的《燕禮》的儀節，其中也找不到用兕觥的記載。無論是〈鄉飲酒禮〉也好、〈燕禮〉也好，經文中的記載非詳細，一舉一動、一壺一勺都記載得清清楚楚，何至於旅酬戒衆、設觥備罰這麼重要的事而不見一點記載，這是極不合理的。因此，無論從《詩經・七月》的文字或從《禮》的記載，我們都看不出〈七月〉的兕觥有罰爵的意義。

三、〈桑扈〉篇《序》：「〈桑扈〉，刺幽王也。君臣上下，動無禮文也。」孔《疏》：「以其時君臣上下、升降舉動皆無先王禮法威儀之文焉，故陳當有禮文以刺之。」全詩詩文如下：

交交桑扈，有鶯其羽。君子樂胥，受天之祜。

交交桑扈，有鶯其領。君子樂胥，萬邦之屏。

之屏之翰，百辟爲憲。不戢不難，受福不那。

兕觥其觩，旨酒思柔。彼交匪敖，萬福來求。

細味詩文，孔《疏》說得很好，全詩確是不戢不難（馬瑞辰《毛詩傳箋通釋》云：「和且敬也。」），動合禮文。第一章的「交交桑扈，有鶯其羽」、第二章的「交交桑扈，有鶯其領」，與後二句的君子之美。第三章直接贊美君子的功業，第四章則借著飲酒來祝福君子。末章「兕觥其觩」，鄭《箋》云：「兕觥、罰爵也。古之王者與群臣燕飲，上下無失禮者，其罰爵徒觩然陳設而已。」其失與孔《疏》說〈七月〉篇同，在贊美萬邦屏翰的君子的時候，何用強調上下無失禮？姚際恆《詩經通論》云：「兕性剛好觸，故以其角製爲觥飲酒，所以寓鑒戒之意，使人不敢剛而傲也。觩、角曲貌。故曰：持此兕觥之觩，飲此甘美之酒，當思所以柔和其德性。……鄭氏釋兕觥爲罰爵，非也。罰爵偶用兕觥，非兕觥爲罰爵也。『躋彼公堂』，豈亦用罰爵乎？」說甚通達，可從。「旨酒思柔」是正面贊美酒之旨，「兕觥其觩」當然也是正面贊美觥之觩，觩、《說文》作觓，釋云「角貌」，《詩集傳》云「角上曲貌」。全章的意思是：兕觥彎彎的，美酒柔柔的，君子像兕觥、旨酒一樣柔順，不侮慢、不驕傲（註八三），萬種福祿都來聚集在他身上。由此說來，〈桑扈〉篇的兕觥也看不出有罰爵的意思。

四、〈絲衣〉篇《序》云：「〈絲衣〉，繹賓尸也。高子曰：『靈星之尸也。』」旭昇案：「本詩《序》包含兩段不相干的意思，一般都同意高子曰一句所述不可從。據王充《論衡·祭意》篇：「高皇帝四年，詔天下祭靈星。」靈星之祭首見於此，之前未見有此禮，因此靈星之祭應當是漢禮，而談此禮的高子當然也應該是漢人，不會是《孟子》中的高子，孔穎達以爲是與孟子同時的高子，當不可從。據此，本詩是述「繹賓尸」之詩（註八四），全文如下：

> 絲衣其紑，載弁俅俅。自堂徂基，自羊徂牛。鼐鼎及鼒。
> 兕觥其觩，旨酒思柔。不吳不敖，胡考之休。

全詩前五句寫繹祭宗廟之慎潔，後四句寫祭末賓尸時飲酒之敬恭，胡承珙《毛詩後箋》以爲「兕觥其觩，旨酒思柔。不吳不敖，胡考之休」四句和〈桑扈〉「兕觥其觩，旨酒思柔。彼交匪敖，萬福來求」四句同例，這是對的，因此本詩的兕觥應當也沒有罰爵的意思。詩之末章毛《傳》無釋，鄭《箋》云：「柔、安也。繹之旅，士用兕觥，變於祭也。飲美酒者皆思自安，不讙譁、不傲慢，此得壽考之休徵。」旭昇案：鄭《箋》雖未明說兕觥是罰爵，但由「飲美酒者皆思自安，不讙譁、不傲慢，此得壽考之休徵」句，我們可以知道他是有這個意思，但是我們在典籍上看不到「繹之旅，士用兕觥」的這種講法，所以孔穎達《疏》云：「〈少牢〉、〈特牲〉，大夫、士之祭也，其禮小於天子，尚無兕觥，故知天子正祭無兕觥矣。今此繹之禮至旅酬而用兕觥，變於正祭也。知至旅酬而用之者，兕觥所以罰失禮，未旅之前無所可罰，旅而可獻酬，交錯或容失禮，宜於此時設之。〈有司徹〉是大夫賓尸之禮，猶天子之繹，所以無兕觥。解者以大夫禮小，即以祭日行事，未宜有失，故無也。」其說甚為取巧，因為文獻不見天子之祭禮，所以孔氏以為大夫、士之祭無兕觥，天子之繹祭有兕觥。而「大夫禮小，未宜有失」之實不足以服人，以禮設立的精神來看，禮應從小訓練、從低階訓練，使之習慣成自然，將來長大、晉入高階之後，當然進退有節、言動合禮。豈有大夫、士禮小，不用兕觥；而天子禮大，反而要用兕觥之理？

五、《左傳·成公十四年》引《小雅·桑扈》之詩，原文如下：

春，衛侯如晉，晉侯強見孫林父焉。定公不可。夏，衛侯既歸，晉侯使郤犨送孫林父而見之。衛侯欲辭。定姜曰：「不可。是先君宗卿之嗣也，大國又以為請。不許，將亡。雖惡之，不猶愈於亡乎？君其忍之！安民而宥宗卿，不亦可乎？」衛侯見而復之。衛侯饗苦成叔，甯惠子相。苦成叔傲。甯子曰：「苦成家其亡乎！古之為享食也，以觀威儀、省禍福也，故《詩》曰：『兕觥其觩，旨酒思柔。彼交匪傲，萬福來求。』今夫子傲，取禍之道也。」

竹添光鴻《左傳會箋》云：「《周南》酌彼兕觥、《豳風》稱彼兕觥，並不見罰爵之意，此引詩取義在後二句耳。」是甯子引《詩》「兕觥其觩，旨酒思柔。彼交匪傲，萬福來求」，重點在說「今夫子傲，取禍之道也」，所用的詩義與《詩經》原義一樣，也看不出此處的兕觥有罰爵的意義。

六、《左傳·昭公元年》舉兕爵，也和罰爵無關，《左傳》原文如下：

夏，四月，趙孟、叔孫豹、曹大夫入于鄭，鄭伯兼享之。子皮戒趙孟，禮終，趙孟賦〈瓠葉〉。子皮遂戒穆叔，且告之。穆叔曰：「趙孟欲一獻，子其從之。」子皮曰：「敢乎？」穆叔曰：「夫人之所欲也，又何不敢？」及享，具五獻之籩豆於幕下。趙孟辭，私於子產曰：「武請於冢宰矣。」乃用一獻。趙孟爲客。禮終乃宴。穆叔賦〈鵲巢〉，趙孟曰：「武不堪也。」又賦〈采蘩〉，曰：「小國爲蘩，大國省穡而用之，其何實非命？」子皮賦〈野有死麇〉之卒章，趙孟賦〈常棣〉，且曰：「吾兄弟比以安，尨也可使無吠。」穆叔、子皮及曹大夫興，拜，舉兕爵，曰：「小國賴子，知免於戾矣。」飲酒樂，趙孟出曰：「吾不復此矣。」

全文寫穆叔、子皮感謝趙孟來訪，並祈求晉國能保護鄭國。整個饗燕的過程非常圓滿，所以

《左傳》說：「飲酒樂，趙孟出，曰：『吾不復此矣！』」杜注：「不復見此樂。」是穆叔、子皮並無任何過失，不需要用罰爵。

綜上所述，兕觥似乎都沒有罰爵的意義，那麼兕觥爲罰爵的說法是從那裡來的呢？查考經傳，應該是出自《周禮》，《地官・閭胥》云：

> 各掌其閭之徵令。以歲時各數其閭之眾寡，辨其施舍。凡春秋之祭祀、役政、喪紀之數，聚眾庶。既比，則讀法，書其敬、敏、任、恤者。凡事，掌其比觵撻罰之事。

鄭注：「觵撻者、失禮之罰也。觵用酒，其爵以兕角爲之。撻、罰也。」又《春官・小胥》云：

> 掌學士之徵令而比之，觵其不敬者，巡舞列而撻其怠慢者。正樂縣之位，王宮縣，諸侯軒縣，卿大夫判縣，士特縣，辨其聲。凡縣鐘磬，半爲堵，全爲肆。

鄭注：「觵、罰爵也。撻、猶抶也，抶以荊扑。」旭昇案：《周禮》這兩條資料，應該就是兕觵爲罰爵最早的出處了吧？但是，我們細看原文，《周禮》只說「觵」，並不是「兕觵」，二者未必完全相等；其次，從〈小胥〉原文來看，「觵其不敬者」和「撻其怠慢者」平行，「觵」應該也是「處罰」的意思。所謂「不敬者」，鄭注云：「謂慢期不時至也。」賈疏：「大胥掌學士之版，以待召聚舞者；小胥贊大胥爲徵令，挍比之，知其在否，仍觵其不敬者也。」

學士入學合舞慢期不時至，就罰他以兕觵喝酒，這似乎有點奇怪，和「巡舞列而撻其怠慢者」也極不相似。我個人懷疑「觵」字是「匡」之類的假借字，「觵」、「匡」二字上古音都是群母陽部字，應該可以相通。以此義解〈閭胥〉，也怡然理順。是《周禮》此處的文字未必是罰爵義，但後人誤以觵與撻罰相連，因而以爲觵是罰爵。當然，這是個沒有證據的推測，只能提出來供大家做個思索的參考。本節的目的，主在從《詩經》原文探討，說明兕觥並沒有罰爵的意思。《詩經》的「觥」字，《說文解字》說得很清楚，《說文解字》四篇下云：

> 觵、兕牛角可以歓者也。从角，黃聲。其狀觵觵，故謂之觵。觥、俗觵从光。

段注：

> 《詩》四言兕觵，而《傳》不同，〈卷耳〉曰：「兕觵、角爵也。」〈七月〉曰：「觵、所以誓眾也。」〈桑扈〉曰：「兕觵、罰爵也。」〈絲衣·箋〉曰：「繹之旅，士用兕觵，變於祭也。」《周禮·閭胥·注》曰：「觵撻者、失禮之罰也。」〈小胥〉曰：「觵、罰爵也。」〈卷耳〉無罰義，故衹云角爵。〈七月〉因鄉飲酒而正齒位，故云誓，誓者、示以失禮則受罰也。蓋觵之用於罰多，而非專用以罰，故〈卷耳〉、〈絲衣〉並用兕觥，此許不云罰爵，而言可以飲之意也。

最後，我們可以做如下的結論：觵是否罰爵，無法證實，但《詩經》中的兕觥應該不是罰爵，從相關詩篇來看，應該是可以肯定的。

三、兕觥的容量

許慎《五經異義》說引《韓詩》說以爲一升曰爵、二升曰觚、三升曰觶、四升曰角、五升曰散、觥亦五升，又引《詩》毛說及《禮圖》，以爲觥大七升，具見上引。似乎古代的酒器都有一定的容量，王國維以此證明比斝大的乙類匜應該就是觥。但是，我們所見到古代的酒器似乎並沒有這麼明白的容量區別，以中央研究院在河南安陽小屯挖掘的遺物爲例，酒器多件，幾無一件是容量相同的，我以三件斝和四件爵爲例，表列如下：

器類	銅器編號	墓號	器高（單位：公分）	容量
斝一	千12;R2037	M188	通柱高309–312,通口高253–262	1595c.c.
斝二	千11;R2036	M188	通柱高333–340,通口高265–274	2625c.c.
斝三	千171;R2040	M238	通柱高192	925c.c.
爵一	千16;R2019	M188	殘高142	160c.c.
爵二	千163;R2025	M238	通柱高180	180c.c.
爵三	千161;R2023	M238	通柱高215	280c.c.
爵四	千162;R2024	M238	通柱高205	290c.c.

從這個表可以看出，同樣一個器類，容量可以不同，其間相去非常大，絕對不是鑄造時的誤差。事實上，在不同的文獻中，同一酒器的容量已自不同，如《五經異義》從《韓詩》說以爲觥大五升，而毛《傳》、《禮圖》卻以爲容七升，誰對呢？《五經異義》、《禮記・禮器》鄭注都以爲三升曰觚，而《考工記・梓人》卻明白地說：「梓人爲飲器：勺一升、爵一升、觚三升。」鄭注以爲觚是觶的錯字。其實鄭注並沒有什麼證據，恐怕酒器本來就沒有什麼容量的規定。

參、《詩經》「殳」古義新證

《詩經》中的「殳」，只見於《衞風・伯兮》，原詩如下：

伯兮朅兮，邦之桀兮。伯也執殳，爲王前驅。
自伯之東，首如飛蓬。豈無膏沐？誰適爲容！
其雨其雨？杲杲出日。願言思伯，甘心首疾。
焉得諼草？言樹之背。願言思伯，使我心痗。

《毛詩・序》：「〈伯兮〉，刺時也。言君子行役，爲王前驅，過時而不反焉。」歷代學者對本詩的王是誰、伯的身份、自伯之東的方向等雖有不同的看法，但大體都同意這是一首男子行役在外，他的妻子思念他的詩篇。詩中「伯也執殳」的「殳」，歷來都不太明白它到底是什麼東西，甚至於許多注解家都只含混地說是杖、是棍棒，一個「邦之桀」只拿著棍棒，似乎不怎麼威武吧？爲了更加了解詩義，於此我們不妨略加探討。

《傳》：「殳，長二丈而無刃。」解說非常簡略。《箋》：「兵車六等：軫也、戈也、人也、殳也、車戟也、酋矛也，皆以四尺爲差。」也讓人看不太懂，孔《疏》中之云：「因殳是兵車之所有，故歷言六等之差，《考工記》曰：兵車『六等之數：車軫四尺，謂之一等；戈柲六尺有六寸，既建而迆，崇於軫四尺，謂之二等；人長八尺，崇於戈四尺，謂之三等；殳長尋有四尺，崇於人四尺，謂之四等……』是也。彼注云『戈、殳、戟、矛皆插車輢』，此云執之者，在車當插，用則執之，此據用以言也。又〈盧人〉先言戈、殳、車戟、酋矛、夷矛之長短，乃云攻國之兵……」，注了許多，我們除了知道殳是一種插在車上，長一丈二尺，用時拿在手上的攻國之兵器外，仍然不了解殳到底是什麼。

一般談殳的學者，大都是從《周禮》去找解說，《周禮》有關殳的材料見於以下這幾條：

*《周禮．夏官．司戈盾》：「祭祀授旅賁殳。」鄭注：「殳如杖，長尋又四尺。」

*《周禮．考工記》：「車有六等之數：車軫四尺，謂之一等；戈柲六尺有六寸，既建而迆，崇於軫四尺，謂之二等；人長八尺，崇於戈四尺，謂之三等；殳長尋有四尺，崇於人四尺，謂之四等……。」鄭注「殳長丈二，戈、殳、戟、矛皆插車輢。」

*《周禮．考工記．盧人》：「盧人爲盧器，戈柲六尺有六寸，殳長尋有四尺。……凡爲殳，五分其長，以其一爲之被而圍之；參分其圍，去一以爲晋圍；五分其晋圍，去

一以爲首圍。」鄭注：「被、把中也。鄭司農云：『晉謂矛戟下銅鐏也。』玄謂：晉、讀如王搢大圭之搢，矜所捷也。首、殳上鐏也。」

從以上資料我們可以看到殳的長是十二尺，上段直徑約八寸、中段直徑約五寸強、下段的鐏直徑約四寸。祭祀時旅賁持之以保衛王。據鄭注，則殳的形狀像杖。此外，《說文解字》和《釋名》對殳也有一些可以補充《周禮》的說法：

*《說文解字．三篇下》：「殳、㠯杸殊人也。禮：殳㠯積竹，八觚，長丈二尺，建於兵車，旅賁㠯先驅。从又、几聲。」段注改杸爲杖，注云：「杖，各本作杸，依《太平御覽》正。以杖殊人者，謂以杖隔遠之。《考工記》注云：『凡矜八觚。』此無刃，亦八觚也。」

*劉熙《釋名．釋兵》：「殳矛（畢沅校云：殳無刃，不當稱矛，《太平御覽》引無此二字，當爲衍文），殳、殊也。長丈二尺而無刃，有所撞挃，於車上使殊離也。」

從這兩條資我們可以知道，殳是撞挃殊人用的兵器，用於車上，賁旅持之以爲先驅。它的柄是用積竹做的，有八個角，無刃。除此之外，就沒有很完備的說明了。因此後世對它的形制其實仍然不是很了解，有些文獻把殳和矛混在一起：

*劉熙《釋名．釋兵》：「殳、矛。殳、殊也。長丈二尺而無刃，有所撞挃，於車上

使殊離也。」

＊《北堂書鈔》卷一二四引《吳都賦》「千鹵殳鋋」，注曰：「殳、鋋，皆矛也。」

據後面引的考古資料，殳和矛是有相類似的地方，不能怪後人把這二者混在一塊兒。此外有些學者以爲，殳既無刃，應該沒有金屬做的頭部，因此殳就是杖、棍棒之類：

＊《淮南子・齊俗》：「搢笏杖殳。」高誘注：「殳、木杖也。」

＊《廣雅・釋器》：「殳、棓、梼、棁、柍、㮰殳、梃、度，杖也。」

＊馬瑞辰《毛詩傳箋通釋》：「殳爲戟柄之稱，《方言》：『三刃枝，南楚宛、郢謂之匽戟；其柄，自關而西謂之柲，或謂之殳。』是也。又爲杖之別名，《廣雅》：『殳、杖也。』是也。《周禮・司戈盾》：『祭祀授旅賁殳。』……至《說文》云『積竹，八觚』，蓋與今之欑竹桿相似，而形近方觚，後世金瓜即其遺象。」

＊程俊英、蔣見元《詩經注析》：「殳、古代兵器，竹製，形如竿，以當時的尺度衡量，長一丈二尺。《廣雅》：『殳，杖也。』」

＊蔣立甫《詩經選注》：「殳，一種一丈二尺長沒有刃口的武器，大概是棍棒一類。」

《周禮・夏官・司戈盾》鄭注只說「殳如杖」，並沒有說殳即杖；《廣雅》只說「㮰殳、……，杖也」，也不是說殳即杖。馬瑞辰以爲殳是杖之別名，已嫌無據；程、蔣等以爲殳如竿、大概是棍棒一類，則益不可信。

已往由於沒有實物的殳出土，所以大家對於殳的形制只能根據文獻來想像，一九七八年湖北隨縣發掘了曾侯乙墓，其中有七件殳、十四件晉殳，發掘報告云：

> 殳，共七件。……I式六件，殳頭作三棱矛狀，刃的中部均稍內收，呈凹弧形，刃的下部接一個八棱形的筩，筩的底部平，外飾浮雕的龍紋，內中空，用以安裝積竹柄。……在一側的刃上，皆鑄制篆書一行，共六字：「曾侯邸之用殳。」……桿皆爲積竹木柲，八棱形。……殳桿的末端均有角質的鐓，亦呈八棱形，皆無底，長三．五至四．五厘米。殳桿以當中最粗，上端次之，中部往下慢慢縮小，鐓部最小。六件通長爲三．二七至三．四米，徑粗二．六至三．二厘米。……II式一件，與I式不同之處在於筩部爲刺球狀，殳桿上方的一個花箍亦爲刺球狀。……晉殳，共十四件，皆出自北室。其形制爲一長桿，兩端裝銅套，銅套無刃。我們把此種兵器定名爲晉殳，是因此墓竹簡簡文中所載殳有兩種，一種稱杸，一種稱晉殳。……桿均爲積竹木柲，外表纏絲線再髹紅漆，上、下基本等粗，有的上部略粗、下部略細；上部多呈不規則的八棱形，下部呈圓形。……晉杸杸頭呈八筒狀，……鐓除個別呈不規則的八棱形外，餘皆呈圓筒形，……通長三．二一米，桿徑頂部二．五、底部二．

六、上部最粗徑三·二、頭長一一·四、鐓長七·六厘米。

關於殳，古代文獻中不乏記載，……從這些文獻記載看，古代殳長一丈二尺，按一尺爲二三厘米計，相當於二·七六米，即接近三米，爲積竹八棱形，兩端有銅套（旭昇案：文獻看不出兩端有銅套），無刃。這與上述的晉殳一致的。墓中所出的I、II式殳，可能即文獻所載的「銳殳」，夏侯湛〈獵兔賦〉：「擬以銳殳，規以良弓。」銳殳當爲有刃之殳。《北堂書鈔》卷一二四引〈吳都賦〉「干鹵殳鋋」，注曰：「殳、鋋，皆矛也。」由此可知，有刃之殳與矛相類，可見殳應有兩種形狀。（《曾侯乙墓·上》第二九三頁，參附圖二二）

據以上資料，我們可以知道，出土殳有兩種，一種有矛頭可刺、有銅箍可砸擊，大概可以名爲「銳殳」；一種沒有矛頭，而在兩端套有銅套以供砸擊，曾侯乙墓簡名之爲「晉殳」，「晉」字跟《周禮·盧人》的「晉圍」應該有關係。出土殳通體多半做八角形，也就是《說文解字》和《考工記·注》所說的「八觚」；柲是積竹杖，即木心包細竹；出土殳全長大約三·二公尺，和《考工記》記載的長度接近，但是出土殳柲的最粗直徑卻只有三·二公分，和《考工記》所載被、晉、首圍的直徑相差太多，其中的疑點待考。殳可以做爲戰爭驅敵用、也可以做爲平時的儀仗用。秦代目前出土的殳形制很簡單，頭部是一個圓筒，頂部呈三角椎形，下接長柄，這樣的兵器並不大利於實戰，主要用在儀仗隊的禮兵，秦俑三號坑曾成批出土了銅殳，據考證，三號坑是指揮坑，而手執銅殳的武士俑正是擔任警衛職務的殳仗隊（參《中國古代兵器圖集》第一二〇頁）。漢代以後未見殳，儀仗的功能大約由棨戟、吾（執金吾就是執這種東西，形似棒）所替代了。了解殳的形制之後，以下這類錯誤的說法我們就可以很容易地辨析了：

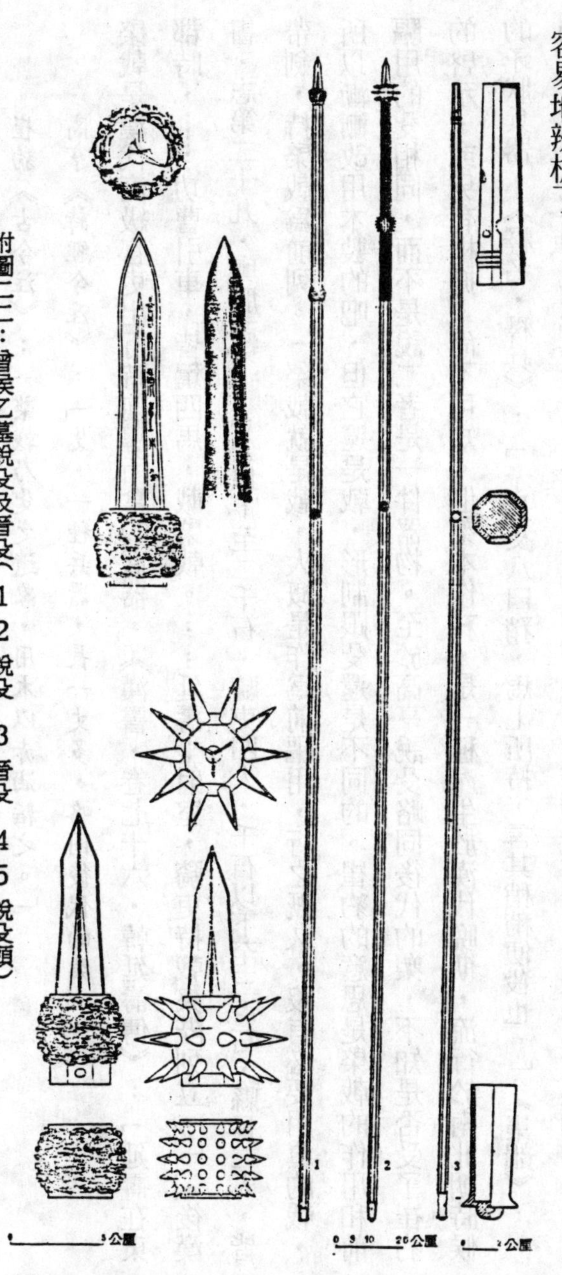

附圖二三：曾侯乙墓銳殳及晉殳（1.2.銳殳　3.晉殳　4.5.銳殳頭）

崔豹《古今注》：「棨戟乃殳之遺象，用木以赤油韜之。」

高亨《詩經今注》：「殳，一種兵器，長一丈多，略同後代的槊。」

棨戟是漢代高級官吏出行時前導所拿的武器，《漢書·卷七十六·韓延壽傳》：「延壽在東郡時，……功曹引車，皆駕四馬，載棨戟。……延壽坐射室，騎吏持戟夾陛列立。」《後漢書·志第二十九·輿服志》：「公以下至二千石，騎吏四人，千石以下至三百石，縣長二人，皆帶劍，持棨戟爲前列。」棨戟就是戟，大概是作爲前驅用，行之既久，沒有必要用眞的戟，所以漸漸改用木製的吧，但它還是戟，形制跟殳還是不同的。崔豹的意思是棨戟的作用和前驅用的殳相同，而不是說二者是一件器物。至於高亨說殳略同後代的槊，不知是否受了崔豹的啓示，或另有根據，尙不可知。但槊本作矟，是一種產生於漢代晚期，流行於南北朝時候的矛狀兵器，《釋名·釋兵》：「矛長丈八曰矟，馬上所持，言其矟矟便殺也。」《集韻》：「矟、長矛，或作槊，亦从金。」歷史上有名的曹操喜歡橫槊賦詩，這是大家所熟知的，《梁書·羊侃傳》記載羊侃喜用長二丈四尺的「兩刃矟」，形制都和殳不同，高說不可從。

殳和矛同是長兵器，又和弓矢、戈、戟同爲「五兵」，《周禮·夏官·司右》：「凡國之勇士，能用五兵者，屬焉。」能用五兵的人才配稱勇士，《衛風·伯兮》的「伯」能執殳，爲王前驅，當然是「邦之桀兮」了。

肆、《詩經》「授衣」古義新證

《詩經》「授衣」見《豳風·七月》，原詩如下：

七月流火，九月授衣。一之日觱發，二之日栗烈；無衣無褐，何以卒歲？
三之日于耜，四之日舉趾。同我婦子，饁彼南畝，田畯至喜。
七月流火，九月授衣。春日載陽，有鳴倉庚。女執懿筐，遵彼微行，爰求柔桑。
春日遲遲，采蘩祁祁。女心傷悲，殆及公子同歸？
七月流火，八月萑葦。蠶月條桑，取彼斧斨，以伐遠揚，猗彼女桑。
七月鳴鵙，八月載績，載玄載黃，我朱孔陽，爲公子裳。
四月秀葽，五月鳴蜩。八月其穫，十月隕蘀。
一之日于貉，取彼狐狸，爲公子裘。二之日其同，載纘武功，言私其豵，獻豜于公。
五月斯螽動股，六月莎雞振羽。七月在野，八月在宇，九月在戶，十月蟋蟀入我床下。
穹窒熏鼠，塞向墐户。嗟我婦子，曰爲改歲，入此室處。
六月食鬱及薁，七月亨葵及菽，八月剝棗，十月穫稻。
爲此春酒，以介眉壽。
七月食瓜，八月斷壺，九月叔苴。采荼薪樗，食我農夫。
九月築場圃，十月納禾稼。黍稷重穋，禾麻菽麥。
嗟我農夫，我稼既同，上入執宮功。晝爾于茅，宵爾索綯；亟其乘屋，其始播百穀。
二之日鑿冰沖沖，三之日納于凌陰，四之日其蚤，獻羔祭韭。
九月肅霜，十月滌場。朋酒斯饗，曰殺羔羊。躋彼公堂，稱彼兕觥：「萬壽無疆」。

〈七月〉是《國風》中最長的詩篇，詩中包含古代社會史的資料非常豐富，歷來學者對它都非常重視，梁啓超《要籍解題》甚至於以爲〈七月〉是夏代的文學作品，是我國一切文學中最古老的作品。雖然現在的學者多半不同意〈七月〉是夏代之作，但一致同意詩中包羅極廣，裡面可能有傳自夏代的東西。正是因爲其中包羅既廣、來源又古，所以其中有些名物、典章制度不太容易了解。以下，本書想提出應該可以解決的兩條——「授衣」及「褐」。

「授衣」一詞，毛《傳》只是很籠統地說：「九月霜始降，婦功成，可以授冬衣矣。」

至於是誰授誰，並沒有明說。後世大致有四種說法：

⑴授冬衣使爲之。馬瑞辰《毛詩傳箋通釋》：「瑞辰按：《周官·典婦功》『掌婦式之灋，以授嬪婦及內人女功之事齎』、〈典絲〉『頒絲於外內功，皆以物授之』、〈典枲〉『以待時頒功而授齎』，凡言授者皆授使爲之也。此詩授衣，亦授冬衣使爲之，蓋九月婦功成，絲麻之事已畢，始可爲衣。非謂九月冬衣已成，遂以授人也。」程俊英、蔣見元《詩經注析》從之。

⑵奴隸主發衣服給農奴。高亨《詩經今注》：「拿衣服給人穿。農奴的衣服由奴隸主發給。」

⑶製寒衣以授家人。裴溥言《詩經評註讀本》：「九月霜始降，製寒衣以授家人。」

⑷由國家發給。余師《詩經正詁》說。

以上四種講法都缺乏直接證據，究以何說爲是，不容易判斷。一九七五年《睡虎地秦墓竹簡》出土，爲「授衣」的解釋提供了一份新資料，在《睡虎地秦墓竹簡·秦律十八種·金布》中有以下的條文：「受（授）衣者，夏衣以四月盡六月稟之，冬衣以九月盡十一月稟之，過時者勿稟。」這雖是秦國的制度，但平王東遷以後賜秦襄公以岐以西之地，所以風俗制度與西周舊習相同，這是很合理的。至於衣服既然是由國家發給的，爲何還會有「無衣無褐」的情況發生呢？可能是衣服雖然是由國家發給的，但人民還是要付錢的，在《睡虎地秦墓竹簡·秦律十八種・金布》中還有另一段記載：「稟衣者，隸臣、府隸之毋妻者及城旦，冬人百一十錢，夏五十五錢；其小者冬七十七錢，夏卌四錢。舂冬人五十五錢，夏卌四錢；其小者冬卌四錢，夏卅三錢。」補上這兩段之後，〈七月〉的授衣是由國家授給應該就可以成立了吧。

伍、《詩經》「褐」古義新證

《詩經》「褐」見《豳風·七月》，原詩已見上篇引。詩中「無衣無褐」一句，歷代也有些不同的見解，而《睡虎地秦墓竹簡》恰好能解決這些歧見。

《箋》：「毛布也。賤者之服也。」案：在古代賤者而能穿毛布，似乎有點讓人困惑。馬瑞辰看出了這個問題，《毛詩傳箋通釋》云：

瑞辰按：褐有三訓，一爲毛布，製如馬衣，《孟子》「許子衣褐」，趙注：「以毳織之，若今馬衣者也。」……一爲枲衣，《說文》：「褐，編枲韤。」（段玉裁曰：取未績之麻編爲足衣，如今草鞵之類），《孟子》趙注：「或曰：褐，枲衣也。」謂編枲爲衣。（按：《說文》「䙌、編枲衣」，段玉裁謂與草雨衣相類。）一爲粗布衣。《說文》：「褐，一曰粗衣。」（《廣韻》及《孟子正義》引《說文》竝作短衣，誤。）《孟子》趙注：「褐，一曰粗布衣也。」……《史記·秦始皇本紀》：

「夫寒者利短褐。」徐廣曰：「一作裋，小襦也。」……此詩「無衣無褐」，以《史記》「寒者利裋褐」推之，當从粗布衣之訓，謂以粗布爲裋褐寒也。古人衣褐並言，不嫌詞複，亦猶瓊玉不嫌互舉耳。

馬氏這一段文字把「褐」的訓詁異說都列舉出來了，只是他選擇的答案是「粗布衣」卻未必是對的，在《睡虎地秦墓竹簡．秦律十八種．金布》中記完「授衣」之後還有一段敘述很重要：「囚有寒者爲褐衣，爲幏布一，用枲三斤。爲褐以稟衣：大褐一，用枲十八斤，直六十錢；中褐一，用枲十四斤，直卌六錢；小褐一，用枲十一斤，直卅六錢。」由此可知「褐衣」是用枲作的，粗枲價錢低賤，所以一般貧窮的人民以此禦冬，這個解釋似乎比較合理些。

陸、《詩經》「百朋」古義新證

《詩經》「百朋」見《小雅·菁菁者莪》，原詩如下：

菁菁者莪，在彼中阿。既見君子，樂且有儀。

菁菁者莪，在彼中沚。既見君子，我心則喜。

菁菁者莪，在彼中陵。既見君子，錫我百朋。

汎汎楊舟，載沉載浮。既見君子，我心則休。——《小雅·菁菁者莪》

《毛詩·序》：「〈菁菁者莪〉，樂育材也。君子能長育人材，則天下喜樂之矣。」意思是指國君對人才的重視，說得或許泛了些。人才培育的層級很多，學校只是培育年輕學子，授以最基本的知識技能、陶冶最基本的道德品行；至於像王佐大才、國之楨榦，則需要更高層次的栽培，《序》所說的似乎應該是這種樂育才。鄭《箋》：「樂育材者，歌樂人君教學國人，秀士、選士、俊士、造士、進士，養之以漸至於官之。」把《序》的意思窄化到學校教育，恐怕就嫌偏了。但後人往往是通過鄭《箋》來讀《詩》和《序》，因此對《箋》所闡述的《序》說難免會覺得有所扞格。朱子《詩集傳》：「此亦燕飲賓客之詩。」但賓客參加燕飲，可能得到「錫我百朋」的賞賜嗎？朱子因此把「錫我百朋」說成是比：「錫我百朋者，見之而喜，如得重貨之多也。」然而細按全詩，絲毫看不出有燕飲的意思，姚際恆《詩經通論》特別指出了這一點：「《小序》謂『樂育材』，不切。《集傳》謂『亦賓客宴飲之詩』，篇中無燕飲字面，尤不切。大抵是人君喜得見賢之詩，其餘則不可以臆斷也。」

受到鄭玄、朱子、姚際恆的影響，近人還有一些推闡更甚的說法，如金啓華《詩經全譯》：

朋友相見，喜笑開顏。

程俊英《詩經譯注》：

這是寫學士樂見君子的詩，說的是關於教育人才的事。所以後人提到教育，常用它作典故。

以上這些說法，因爲不明瞭先秦「錫貝」的實際情況，所以把一首非常隆重的賞賜說得太平常了。就目前所能見到近萬件的商周青銅器而言，能有資格被賞賜貝的，要不就是地位崇隆、輔弼有功；要不就是開疆闢土、克敵致勝，而整個商、周兩代，賜貝大約有一四五件，而賞賜貝能有五十朋以上的不過八件，賞賜百朋的不過三件，這豈是朋友相見、或平常學士所能獲得的呢？由此看來，本詩所賞賜的「百朋」關係到對全詩詩旨的了解，還不能不澈底弄清楚它。

「錫我百朋」的「朋」，歷來大約有兩種解釋：一、鄭《箋》認爲是「貨貝」（說見下文引）；二、季本釋爲「元龜」，《詩說解頤》云：「百朋者、元龜之直至重者也。元龜長尺二寸，直二千一百六十，爲大貝十朋。蓋二貝爲朋，凡言朋者，皆以貝言也，至於十朋以上則爲龜矣。此班固〈食貨志〉龜貝之品也，況百朋十倍於十朋者乎？」從古錢幣學來看，二說當然是以鄭《箋》爲是，由汪慶正執筆的《中國歷代貨幣大系．總論》說：

我國古代，最主要的實物貨幣是「貝」。……「貝」有許多種，作爲實物貨幣用的，是一種特定的海貝，我們稱之爲貨貝（以下簡稱貝）。……貝在陝西姜寨半坡型早期墓葬中已有出土。……甘肅仰韶文化半山和馬廠期的彩陶壺上，有貨貝紋出現，說明當時的貨貝已受到普遍的重視。早於洛達廟、晚於龍山文化的鄭州上街遺址中，已發現骨和石的仿製貝，說明此時貝已是珍品。……貨貝作爲一種實物貨幣，可能開始出現於新石器時代晚期，盛行於夏、商時代。從殷末開始，到西周中期，貨貝一方面仍作爲實物貨幣在流通中，和金屬稱量貨幣青銅並存，但另一方面，已開始逐漸退還到並不太珍貴的裝飾品的地位。

貝是貨幣（參附圖二三），已無可疑。至於本詩說「錫我百朋」，「朋」是貨貝的單位之一，但一「朋」究竟有多少個貝？自古迄今，共有以下五種不同的說法：

一、五貝為一朋。

〈菁菁者莪〉鄭《箋》云：「古者貨貝，五貝爲朋。錫我百朋，得祿多，言得意也。」

《淮南子・道應》：「散宜生得大貝百朋以獻紂。」高注：「五貝爲一朋。」

1
海貝
河南偃師二里頭出土
中國社會科學院考古研究所提供

附圖二三：貝幣

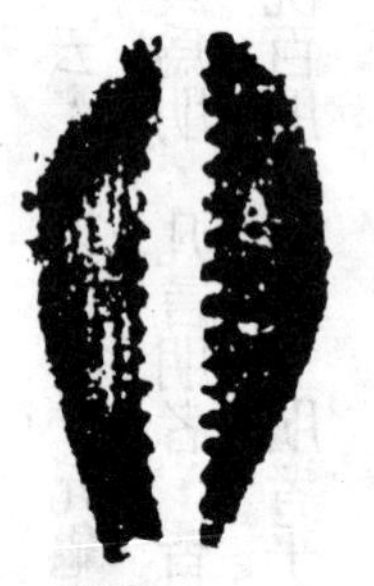

20
銅貝
山西保德出土
山西省博物館藏

★★★

二、二貝為一朋。

《漢書．食貨志》：「大貝四寸八分以上，二枚爲一朋，直二百一十六；壯貝三寸六分以上，二枚爲一朋，直五十；么貝二寸四分以上，二枚爲一朋，直三十；小貝寸二分以上，二枚爲一朋，直十；不盈寸二分漏度，不得爲朋，率枚直錢三，是爲貝貨五品。」

三、十貝為一朋（五貝為一系、二系為一朋）。

王國維《觀堂集林．卷三．說玨朋》：「舊說二玉爲玨，五貝爲朋。然以玨、拜諸字形觀之，則一玨之玉、一朋之貝至少當有六枚，余意古制貝、玉皆五枚爲一系，合二系爲一玨若一朋。《釋器》：『玉十謂之區。』區、瑴雙聲，且同在侯部，知區即瑴矣。知區之即瑴，則知區之即爲玨矣。貝制雖不可考，然古文朋字確象二系，康成云『五貝爲朋』，五貝不能分爲二系，蓋緣古者五貝一系，二系一朋，後失其傳，遂誤謂五貝一朋爾。觀玨、拜二字，若止一系三枚，不具五者，古者三以上之數亦以三象之，如手指之列五而字作又，許君所謂指之列不過三也。余目驗古貝，其長不過寸許，必如余說五貝一系、二系一朋乃成制度。古文字之學足以考證古制者如此。」

陳夢家《卜辭綜述．第三章文法．第三節單位詞》：「貝的單位朋，王國維推測爲『五貝一系，二系一朋』，則是十貝爲朋。這是對的，因爲因爲在殷卣銘文中有『子光賞貝二朋，子曰貝隹廿』，可證二朋是廿貝，則一朋必是十貝了。」

四、初期無定數，後或十貝為一朋。

郭沫若《甲骨文字研究・釋朋》：「王國維〈說玨朋〉謂玨朋古本一字，其說是矣！然謂『古制貝玉皆五枚爲一系、二系爲一玨若一朋』，在貝玉已成貨幣之後庸或有之，然必非玨朋之朔。貝玉在爲貨幣以前，有一段時期專以用於服御……許書貝部有賏字，曰：『頸飾也，从二貝。』女部嬰字亦曰：『頸飾也，从女賏。賏、其連也。』其連、段氏改作貝連……貝而連之，非朋而何？……朋爲頸飾，於字形之本身亦可得而證明，朋字骨文作[illegible]……知玨朋之朔本爲頸飾，則知構成玨朋之玉貝自可多可少，故謂雙玉爲玨可（《詩・菁菁者莪》鄭《箋》），謂三玉爲玨亦可（《淮南・道應》訓『玄玉百工』下高注：『三玉爲一工。』工即玨），謂五貝爲朋亦可，謂二貝爲朋亦可。三、五之作奇數者，蓋連胸墜或頸墜而言，此不足爲異。至謂玨必十玉、朋必十貝，此於貝玉已成貨幣之後理或宜然，然必非玨朋之朔也。」

五、二百貝為一朋。

唐蘭《史徵》：「朋二百、應該就是一個朋，其中包括二百個貝、朋是掛在人頸兩邊向下垂的一掛。在圖畫文字裡有的畫正面人形，作[illegible]：實際都是倗字的原始文字。在這此圖畫文字裡，一朋有的是四個貝，也有的是六個貝。後來簡化為[illegible]或[illegible]。當然，貝是有大小之分的，但如果作為裝飾用，就決不可能只掛四個或六個貝，如果是大貝，就無法掛在頭頸上。顯然，由於圖畫的限制，只畫出四個或六個以示意，每一朋決不只這些。最近曾見陝西省寶雞市茹家莊西周墓所出四組貝串，每串都有一百來個貝，其中一組每隔四個貝或七個貝即間一小玉圭，顯係裝飾用的貝串，說明掛在人頸的貝串決不是四個或六個。古代曾以貝作交換用的貨幣，一直到西周前還是貝和金（銅）並用。金是以爰來作計算單位的，……而貝是以朋來作計算單位的。那麼，一朋總應有一定的數量。這裡（《斐方鼎》），說『朋，二百』，就是二百貝為一朋。宋代出土的《中鼎》和《中甗》都有[illegible]字，《晉姜鼎》有[illegible]，都是貫的原始象形字，也就是後世的串字，像一串貝的形狀。那麼，一串貝應該是一百個。……再者，按《盧伯畏卣》所說『十朋又三朋』的例，如果是朋之外再加二百個貝，就應該說朋又二百。而且賞貝以朋計，也不能再加一個零數。因此，在朋下說二百，就是指這一朋是二百個貝。關於每朋的數量，舊無定說，《詩·菁菁者莪》：『錫我百朋。』鄭玄《箋》說是『五貝為朋』，他不懂得朋必須是雙串，如果五貝，是奇數，怎麼成為兩面垂下來呢？《漢書·食貨志》：「……二枚為一朋……」，這是王莽時制。……王國維說，五枚為系，二系為朋，是附會這兩說而成。其實王莽並不懂得貨幣，作爲貨幣，一定要有標準的大小。從戰國時楚國通用的銅製的仿貝（即所謂蟻鼻錢），就可以知道當時通用的貝貨，並非寸二分以上的貝，當然更不能二貝爲朋了。根據這一新發現，對於商周時代用貝爲貨幣的制度，可以得到比較明確的認識。」（一一一頁）

旭昇案：一朋到底是多少貝，這是相當複雜的問題，由於貝在中國上古的使用歷史非常長，在這漫長的使用過程中，它一定也有變化，不會是一成不變的。因此，我們在探討朋數多少的時候，當然也應該注意到時代的差異。根據考古發掘，介於龍山文化和早商文化之間的二里頭文化遺址中，已經發掘出作爲貨幣或裝飾用的貝了。《商周考古》云：

> 通過交換而來的海貝在二里頭文化中已有發現，曾經在一個墓葬（K3）中就曾出土十二枚；同時發現了仿海貝製作的骨貝和石貝。看來，貝在當時已經作爲貨幣，但也並不排斥仍然作爲裝飾品使用。（註八五）

從數量上來看，k3墓葬出土的十二枚貝，不可能是五或十的倍數，因此這時期大約不可能有五貝或十貝朋的制度，二百貝當然更不用說了。從文字上來看，這個時候的文字雖然已經產生了，但還沒有看到「朋」字（註八六），因此我們很難斷定這時是否已經產生了以「朋」計量貝數的制度。

進入商代之後，貝作爲貨幣使用，已有非常明確的證據了；朋貝串連的數量似乎也逐漸有一定的規定，《商周考古》云：

在鄭州和輝縣的早商墓中，都發現了用貝隨葬的現象；尤其是鄭州白家莊一個奴隸主的墓葬（M7）中，就隨葬了穿孔貝四六〇多枚。

在殷墟的晚商墓葬中，殉貝的現象更爲普遍。例如一九五三年大司空村發掘的一六〇座左右平民墓中，有八三座都殉有貝。一墓之中，少者一枚，多者二十枚；其中有兩座墓并殉有銅貝共三枚。從有些貝放置的部位看，像是作裝飾品使用的，但多數含在口裏、握在手中，同後世用玉或銅錢隨葬的風習是相同的，顯係財富的象徵。若把《尚書．盤庚篇》中「具乃貝玉」與「無總于貨寶」兩句對應來看，「貝玉」與「貨寶」顯然居於同等地位。

又如在後岡的殺殉坑中，也有類似的殉貝情況。特別是第二層二七號人架的殉貝，是掛在腰際而發現在骨盆上，有海貝三串，排列很整齊，第一串二十貝，第二串十貝，第三串五貝。商代究竟多少貝算一朋，說法很不一致。此處串貝的數目，皆是五的倍數，這也許說明正是一朋的倍數。（註八七）

旭昇案：後岡的殺殉坑中貝的數目都是五的倍數，這是很有啓發性的現象。但《商周考古》

據此就下結論說一朋是五貝，似嫌快了些。因爲每串都是五的倍數，只能說明「串」與五的關係，而不能直接把「串」對等於「朋」。從文字來看，甲骨文中的「朋」字作[字形]、[字形]；金文作[字形]、[字形]（註八八），象二系之形；「倗」字甲骨文作[字形]；金文作[字形]（註八九），从人从朋，所从「朋」字也象二系之形。因此一「朋」之數應該是偶數，而不能是奇數。郭沫若以爲「貝玉在爲貨幣以前，有一段時期專以用於服御……知玨朋之朔本爲頸飾，則知構成玨朋之玉貝自可多可少，故謂雙玉爲玨可……，謂三玉爲玨亦可……，謂五貝爲朋亦可，謂二貝爲朋亦可。三、五之作奇數者，蓋連胸墜或頸墜而言，此不足爲異」，其說把裝飾性的系貝和商品性的朋貝混淆在一起，作爲裝飾性的貝系，當然數目多少可以量力而爲，不必統一，所以上引大司空村的平民殉貝中有一枚的、也有三枚的；濬縣衛墓殉葬的貝系，每系數目有二二枚、二四枚、二六枚的，常二系或三系並列，綴在柔帶上作裝飾用（註九〇）；寶雞茹家莊西周墓出土的串貝中，有一組由貝和圭形小玉片相間組成，每四貝或七貝之間夾一圭形小玉片（註九一），其例甚多。但是，有單位意義的「朋」，似乎不能沒有定數，商代甲、金文中以朋爲貝的單位，見於以下各片：

庚戌貞，易（賜）多女㞢（又）貝朋。　《後》下八・五（《合》一一四三八）

車不其以十朋？　《鐵》一四〇・一（《合》一一四四二）

伊[illegible]卅朋。　《屯南》二一九六

其五朋？其七朋？其八朋？其三十朋？其五十朋？其七十朋？　《懷》一四二

我們很難想像這些朋可以是二貝、也可以是五貝，毫無定數。如果把一串貝多半是五的倍數結合起來，我們傾向王國維的解釋，即每「朋」貝應該是十枚，不管它是裝飾用的還是商業用的。至於唐蘭說一朋爲二百貝，他自己後來已經放棄了這個說法，唐蘭於《史徵》上引該文後加注云：「前聞陝西省扶風縣西周墓葬中所出土的實物，確係五貝爲一串，同出二串，應是一朋之數，可見王說不誤。」（一二五頁注二十），是唐蘭已放棄此說矣！陳夢家引金文以證明王國維十貝爲一朋之說是對的，可是他所引的金文釋讀恐怕有點問題。《樊[illegible]乍母辛卣》云：「……子光商[illegible]貝二朋，子曰：貝、售（唯）蔑女曆……。」（見《總集》5494、《邱集》6096、《銘文選》三冊三頁）唯字寫作售，上隹下口，「貝唯蔑女曆」的意思是，這些貝是要嘉勉你的辛勞的。陳夢家把口字讀成廿，還沒有看到有人採用這種讀法。

進入周代以後，貝作爲商業貨幣的資料更多了，最明顯的證據是西周初期之《遽白還簋》（《總集》2403、《邱集》2601）銘文中清清楚楚地說遽伯用了十四朋的貝做成這個簋，銘云：

遽白睘乍寶尊彝，用貝十朋又四朋。

西周中期以後，貝幣逐漸盛行，銅製貝幣亦逐漸普偏，其計量單位由朋改爲寽，後世加金旁

作鋝，《說文》：「鋝、十一銖二十五分銖之十三也。」以考古出土的實物來測量，一寽大約是一千四百到一千五百克左右（註九二）。厲王時器《戉稽卣》（《總集》5490、《邱集》6092）云：

稽從師雝父戍于古𠂤，蔑曆、賜貝卅寽。稽拜䭫首，對揚師雝父休，用乍文考日乙寶尊彝，其子子孫永福。戉。

貝而用寽爲單位，說明這時的貨幣制度已經進入稱量貨幣的階段了，貝以銅製，其價值不再是論個，而是稱重量，因此一朋是多少已經變得不是那麼重要，二貝一朋、五貝一朋、朋無定數等說法，於此都有可能，漢以後的學者對朋數愈來愈陌生，因此各持異說，也就不足爲奇了。

朋義既明，那麼，貝的價值又如何呢？前引《遽白還簋》銘文中清清楚地說明做一個簋只要用十四朋貝，即一百四十個貝。青銅器在先秦是非常珍貴的，製作完之後是要「子子孫孫永寶用之」的，這麼貴重的東西只用了貝十四朋，貝的價值可以想見。有一件《令簋》（《總集》2814、《邱集》3042，《大系》第三頁定在成王、《銘文選》第三冊第六六頁和《史徵》第二七三頁則定在昭王），記載著作冊矢令這個人受到的賞賜是「貝十朋、臣十家、鬲百人」，朋十貝和臣一家、鬲十人等值並列，可見其價值近。銘文如下：

維王于伐楚白、在炎，維九月既死霸丁丑，作冊夨令尊宜于王姜，姜賞令貝十朋、臣十家、鬲百人，公尹白丁父貺于戍，戍冀、嗣气，令敢揚皇王宣、丁公文報，用䪷後人享，隹丁公報，令用𢍃展于皇王，令敢展皇王宣，用作丁公寶簋，用尊史于皇宗，用饗王逆𨓚，用匓寮人婦子，後人永寶。

又有一件西周恭王時候的銅器《裘衛盉》（《總集》4449、《集成》4856），記載著矩伯庶人到裘衛那兒討取瑾璋，價值八十朋，相當於十田（《周禮·考工記·匠人》：「田首倍之。」鄭注：「田，一夫之所佃，百畝。」）。又拿了「赤虎兩，麀苯兩，賁韐一」，價值廿朋，相當於三田（廿朋相當於三田，則八十朋應該相當於十二田，但這裡的田可能特定的田，有高下好壞的差異，所以貝和田的比例不完全一樣）。銘文如下：

維三年三月既生霸壬寅，王爯旂于豐，矩白庶人取瑾章于裘衛，才八十朋，氒價其舍田十田，矩或取赤虎兩，麀苯兩，賁韐一，才廿朋，其舍田三田，裘衛乃彘告于白邑父，榮白、定白、琼白、單白，白邑父、榮白、定白、琼白，單白迺令參有司：司土㣇邑，司馬單旅、司工邑人服暨受田燹趙，衛小子𧻚逆者其饗，衛用作朕文考惠孟寶般，衛其萬年永寶用，

貝的價值是很珍貴的，所以我們從銅器中看到商代賞賜貝的數量都不是很多，最常見的賜貝

只說「貝」，不說個數，或許可能是一個或一朋，最多的是廿朋一件、貝二百一件。西周一般也都是賜貝、二朋、三朋、五朋、十朋，最多的是百朋三件、朋二百一件。我把銅器中賜貝的銘文全部整理了一遍，全部依照時代排列成表，以便看出商周賜貝數量的變化。銅器斷代以《殷周金文集成》爲主，參考郭沫若《兩周金文辭大系》、唐蘭《西周青銅器銘文分代史徵》、赤塚忠《殷金文考釋》、白川靜《金文通釋》、馬承源《商周青銅器銘文選》，個別斷代相差太大的則視需要在本表末略加注明，所幸這種情形不是很多。斷代中所謂西周早期（簡稱「周早」）指周武王至周昭王，西周中期（簡稱「周中」）指周穆王至周夷王，西周晚期（簡稱「周晚」）指厲王至幽王，可以確知王世的直接寫出王世，不能確知的則籠統地寫早、中、晚。爲了印刷方便，銘文隸定採用寬式，如：才直接作在，易直作賜，商則直接作賞等。成套而同銘的，每一器類只錄一件。

商周彝銘賜貝表

時代	器號(集成、總集、邱集)、器名	貝數	銘文	賞賜原因
殷	0741.1503.1627御鬲	貝	王光□賞御貝	不明
殷	2594.1101.1194戊寅作父丁方鼎	貝	戊寅王[illegible]馬彡、賜貝	彡
殷	2648.1158.1261小子[illegible]鼎	貝	子賜小子[illegible]，王賞貝	不明
殷	2709.1208.1312邐方鼎	貝	王饗彡、尹光邐，唯各、賞貝	饗彡
殷	2710.1210.1317寢農鼎	貝	作冊友史賜[illegible]貝	省田
殷	未見.2373.2571始休簋	貝	始休賜𢦏瀕吏貝	不明
殷	3861.2446.2643亞古作父己簋	貝	己亥王賜貝	不明
殷	3904.2515.2719小子䍙簋	貝二百	乙未卿旋賜小子䍙貝二百	不明
殷	3941.2525.2729寢敄簋	二朋	辛亥、王在□，賞寢敄□貝二朋	不明
殷	3975.2546.2754聖簋	二朋	辛巳、王飲多亞……，賜貝二朋	飲
殷	3990.2544.2752亞[illegible]父乙簋	貝	王光賞[illegible]沚貝	不明
殷	未見.2599.2808宰甫簋	五朋	王饗酒，光宰甫貝五朋	狩畢饗酒
殷	未見.2654.2863[illegible]作文父丁簋	十朋	癸巳、□賞小子□貝十朋	伐夷方
殷	4144.2676.2891旅肄作父乙簋	貝	䢅師賜肄𠷎、[illegible][illegible]貝	遘
殷	5353.5445.6037𡨦卣	貝	辛卯子賜𡨦貝	不明
殷	5367.5453.6050䜌卣	朋	丙寅王賜䜌貝朋	不明
殷	5380.5460.6059馭卣	八貝	王賜馭八貝一具	不明
殷	5394.5471.6073小子省卣	五朋	甲寅子賞小子省貝五朋	不明
殷	5412.5491.6093亞獏二祀𠨘其卣	五朋	王令𠨘其兄[illegible]于夆田，[illegible]賓貝五朋	祭祀

殷	5413.5492.6094亞獏四祀邲其卣	貝	王曰，尊文武帝乙宜……王在梌，邲其賜貝	祭祀
殷	5417.5494.6096𡿺作母辛卣	二朋	子光賞𡿺貝二朋	以人于堇
殷	5965.4842.0000啓作文父辛尊	貝	子光□啓貝	不明
殷	5967.4847.0000小子夫父己尊	二朋	𠨘賞小子夫貝二朋	不明
殷	5990.4866.0000小臣俞尊	貝	王省夔且，王賜小臣俞夔貝，維王來正夷方	省
殷	9100.4239.4609天黿坐作父癸角	貝	子賜坐貝	不明
殷	9101.0000.0000寢魚爵	貝	辛卯，王賜寢魚貝	不明
殷	9102.4241.4610箙亞作父癸角	貝	丙申王賜荀亞[illegible]奚貝	不明
殷	9105.4242.4611宰椃角	五朋	庚申、王在闌，王各、宰椃从，賜貝五朋	不明
殷	9249.4343.4734小臣邑斝	十朋	癸巳王賜小臣邑貝十朋	不明
殷帝乙辛	2694.1192.1295戍甬鼎	二朋	王賞戍甬貝二朋	逌省
殷晚	2708.1219.1327戍嗣鼎	廿朋	王賞戍嗣貝廿朋	不明
殷—周早	未見.2452.2655女𡠿簋	二朋	母𡠿堇于王、癸日，賞𡠿貝二朋	覲王
殷—周早	2425.0961.1041乙未鼎	貝	王賞貝始	不明
殷—周早	2434.0984.1066龔妸方鼎二	貝	龔妸賞賜貝于司	不明
殷—周早	2579.1089.1179𡠿方鼎	二朋	賞𡠿貝二朋	覲王
周早	2455.0997.1078 𠫑父鼎一	貝	休王賜𠫑父貝	不明
周早①	2506.1029.1115𪓐作且乙鼎	貝	王賜𪓐貝	不明
周早②	2625.1117.1213豐作父丁鼎	二朋	王賞宗庚豐貝二朋	不明
周早③	2674.1172.1274征人鼎	貝	天君賞厥征人斤貝	饗酒

周早	2763.1260.1370我方鼎	五朋	我作禦[illegible]且乙……咸，𦵯遺福二，[illegible]貝五朋	禦
周早	4042.2606.2816易𡗝作父丁簋	三朋	易[illegible]曰，[illegible]弔休于小臣貝三朋、臣三家	休𣪕
周早	4097.2645.2855周客簋	五朋	克𤰈師眉𪇞王爲周客，賜貝五朋	爲周客
周早	4169.2724.2941鄘白𠭰簋	十朋	維王伐逨魚，……賜鄘白𠭰貝十朋	燎
周早	5352.5439.6034小臣豐卣	貝	賞小臣者貝	不明
周早	5374.0000.M126圉卣	貝	王𡍬于成周，王賜圉貝	𡍬
周早	5383.0000.M030剛劫卣	貝	王征𦾔，賜剛劫貝朋	征𦾔
周早	5956.4837.5301鬲作父甲尊	貝	鬲賜貝于王	不明
周早	5975.4848.0000𡱦作父乙尊	貝	公賜𡱦貝	不明
周早	5984.4862.0000能匋尊	五朋	能匋賜貝于𤰈智公矢[illegible]五朋	不明
周早	5987.0000.0000臣衛父辛尊	四朋	公賜臣衛宋𩰫貝四朋	不明
周早	9094.4198.4563望作父甲爵	貝	公賜望貝	不明
周早	10580.2363.2565保汝母旅簋	貝	保汝母賜貝于庚姜	不明
周早	2791.0000.0000伯姜鼎	百朋	天子[illegible]𡨦姜賜貝百朋	不明
周早成王	2504.1037.1122作冊䧹鼎	貝	康侯在𣄨𠂤賜作冊䧹貝	不明
周早成王	2682.1193.1302新邑鼎	十朋	王賜貝十朋，用作寶彝	奠新邑
周早成王	2739.1242.1349𡎖方鼎	百朋	維周公于征伐東夷，……公賞𡎖貝百朋	征東夷
周早成王	2661.1184.1285德方鼎	廿朋	王賜德貝廿朋	祉福
周早成王	2405.0981.1062德鼎④	廿朋	王賜德貝廿朋	祉福
周早成王	2458.0986.1068中作且癸鼎	三朋	侯賜中貝三朋	不明
周早成王	2505.1046.1130𨿽方鼎	貝	休朕公君匽侯賜𨿽貝	不明

周早成王	2507.1058.1144復鼎	三朋	侯賞復貝三朋	不明
周早成王	2556.1092.1182小臣𪉊鼎	五朋	召公建匽，休于小臣𪉊貝五朋	建匽
周早成王	2626.1135.1236獻侯鼎	貝	王……賞獻侯䵼貝	大桒
周早成王	2702.1209.1314𡢁方鼎	朋二百	𡖊賞又正𡢁嬰貝，才穆、朋二百	不明
周早成王	2703.1191.1294堇鼎	貝	大保賞堇貝	飴
周早成王	史徵80　□卿方鼎	貝	王在京宗，賞貝、在安典□卿貝	不明
周早成王	未見.2568.2778𢍏簋	五朋	維八月甲申、公中在宗周，賜𢍏貝五朋	不明
周早成王	未見.0000.2930作冊般簋	十朋	成王商作冊般貝十朋	宜人方
周早成王	3905.2409.2607𡖊父丁簋	十朋	辛未吏□賜𡖊貝十朋	不明
周早成王	3906.2508.2710攸簋	三朋	侯賞攸貝三朋	不明
周早成王	0689.1485.1610白矩鬲	貝	匽侯賜白矩貝	不明
周早成王	0935.1657.1786圉甗	貝	王賜圉貝	桒
周早成王	0944.1661.0000作冊般甗⑤	貝	王賞作冊般貝	宜人方
周早成王	3733.2364.2563德簋	廿朋	王賜德貝廿朋	祉福
周早成王	3942.2526.2730弔德簋	十朋	王賜弔德臣嬯十人，貝十朋、羊百	不明
周早成王	5977.4850.0000𢔎劫尊	貝	王征蓋，賜𢔎劫貝朋	征蓋
周早成王	5978.4853.0000復尊	貝	匽侯賞復冂衣、臣妾、貝	不明
周早成王	5985.4861.0000鳴士卿尊	朋	丁巳、王才新邑初餗，王賜鳴士卿貝朋	餗
周早成王	6014.4891.0000何尊	卅朋	王咸誥，何賜貝卅朋	誥
周早成王	6512.6631.7379小臣單觶一	貝	王後𠬧克商、在成𠂤，周公賜小臣單貝	征伐
周早成王	9099.4240.4608征作父辛角	貝	丁未𡖊賞征貝	不明
周早成王	9103.4203.4568御正良爵	貝	尹大保賞御正良貝	不明

周早成王	9439.4438.4844亞貝侯矣盉	貝	匽侯賜亞貝	不明
周早成王	5404.5479.6081商卣	卅朋	帝司賞庚姬貝卅朋	不明
周早成王	5997.4870.0000商尊	卅朋	帝司賞庚姬貝卅朋	不明
周早成康	4238.2760.2982小臣謎簋	貝	白懋父承王令賜𠂤遳征自五齵貝……暨賜貝	征東夷
周早康王	2499.1011.1098𦣻父丁鼎	三朋	尹賞𦣻貝三朋	酌
周早康王	2628.1137.1235匽侯旨鼎	廿朋	匽侯旨初見事于宗周，王賞旨貝廿朋	見事
周早康王	2728.1234.1336旅鼎⑥	十朋	維公大保……公賜旅貝十朋	伐反夷
周早康王	2748.1248.1357庚嬴鼎⑦	十朋	王蔑庚嬴曆，賜爵、璋、貝十朋	衣事
周早康王	2749.1249.1359𠭯鼎	貝	侯賜𠭯貝、金	不明
周早康王	9888.4967.0000弔䟽方彝	貝	弔䟽賜貝于王始	不明
周早康王	4031.2586.2795史𩁹簋	十朋	乙亥王誥畢公，迺賜史𩁹貝十朋	誥
周早康王	4088.2626.2837耆作父乙簋	貝	公始賜耆貝	不明
周早康王	5399.5470.6072盂卣	十朋	兮公宣盂鬯束貝十朋	不明
周早康王	5426.5504.6106庚嬴卣	十朋	王蔑庚嬴曆，賜貝十朋	不明
周早康王	5962.4840.5298弔䟽方尊	貝	弔䟽賜貝于王	不明
周早康王	5986.4863.0000𡗜作父乙尊	貝	維公𣓌于宗周，……賞𡗜貝	不明
周早康王	9104.4204.4569盂爵	貝	維王初𠦪于成周，王令盂寧鄧白、賓貝	𠦪
周早康昭	4121.2570.2779滎簋	百朋	王休賜乎臣父滎瓚，王爵貝百朋	休
周早昭王	2459.0991.1073交鼎	貝	交從嘼（狩）逨即，王賜貝	從狩
周早昭王	9895.4976.0000折方彝	貝	令作冊折兄望土于栢侯，賜金、賜貝	貺土

周早昭王	0949.1668.1808中甗	貝	賓□貝，日傳□王□休	省南國
周早昭王	3743.2353.2554保侃母簋	貝	保侃母賜貝于南宮	不明
周早昭王	4300.2814.3042鳥冊夨令簋	十朋	姜賞令貝十朋	尊宜
周早昭王	4447.4447.4854士上（臣辰）盉	貝	王令士上暨史寅殷于成周……暨賞卣鬯貝	殷
周早昭王	5385.5462.6063息伯卣	貝	維王八月、息白賜貝于姜	不明
周早昭王	5400.5474.6076作冊䰧卣	貝	維明保殷成周年，公賜作冊䰧鬯、貝	殷
周早昭王	5402.5476.6078趞卣	五朋	王在庌，賜趞采曰：[illegible]，賜貝五朋	不明
周早昭王	5407.5484.6086作冊睘卣	貝	王姜令作冊睘安夷白，夷白賓睘貝布	安
周早昭王	5421.5501.6103士上卣	貝	王令士上暨史黃殷于成周……暨賞卣鬯貝	殷
周早昭王	5989.4867.0000作冊睘尊	貝	才在、君令余作冊睘安夷白，夷白賓用貝、布	安
周早昭王	5991.4864.0000作冊䰧尊	貝	維明保殷成周年，公賜作冊䰧鬯、貝	殷
周早昭王	5992.4868.0000趞作姑尊	五朋	王在庌，賜趞采曰：[illegible]，賜貝五朋	不明
周早昭王	5999.4873.0000士上尊	貝	王令士□□寅殷于□，□百生豚、鬯、貝	殷
周早昭王	6002.4875.0000折尊	貝	令作冊折兄望土于相侯，賜金、賜貝	貺土
周早昭王	9646.5730.6374保侃母壺	貝	王始賜保侃母貝	不明
周早—中	5974.4846.0000蔡尊	十朋	王在魯，蔡賜貝十朋	不明
周早—中	6509.0000.0000厝觶	貝	[illegible]賜貝[illegible]公中，用作寶阩彝	不明
周早—中	6510.0000.0000庶觶	十朋	公中賜庶貝十朋	不明
周早—中	未見.6775.7536 [illegible] 仲作父丁盤	貝	弔皇父賜中貝	不明
周中⑧	2735.1235.1343不栺方鼎一	十朋	王在上侯应，華祼，不栺賜貝十朋	華祼

周中	4159.2693.2910𠭰簋	五朋	𠭰造公，公賜𠭰宗彝一肆，賜鼎二、賜貝五朋	造
周中	4191.2704.0000穆公簋	廿朋	王呼宰□賜穆公貝廿朋	饗醴
周中	5981.4856.0000𢽾尊	二朋	𢽾休于[illegible]季，受貝二朋	休
周中穆王	9890.4971.0000[illegible]父癸方彝	貝	癸未王在圃雚京，王賞[illegible]貝	雚京
周中穆王	未見.2655.2869小臣靜簋⑨	五十朋	王饔𦎫京，小臣靜即事，王賜貝五十朋	饔
周中穆王	未見.4879.0000彔㦰尊	十朋	白雝父蔑彔曆，賜貝十朋	戍守
周中穆王	2705.1207.1311師眉鼎	五朋	[illegible]𠂤師眉[illegible]王爲周客，賜貝五朋	爲周客
周中穆王	2754.1263.1374呂方鼎	卅朋	王賜呂[illegible]三卣、貝卅朋，	饔
周中穆王	2776.1272.1383剌鼎	卅朋	王賜剌貝卅朋	禘卲王
周中穆王	10166.6784.7539二十四祀盤	廿朋	王[illegible]玉三品、貝廿朋	禘卲王
周中穆王	4099.2653.2864𢦚簋	五朋	白氏宣𢦚，賜𢦚弓矢束、馬匹、貝五朋	宣
周中穆王	5403.5480.6082豐卣	貝	王在成周，令豐殷大矩，大矩賜豐金、貝	殷
周中穆王	5420.5498.6100彔㦰卣	十朋	白雝父蔑彔曆，賜貝十朋，彔拜䭬首	戍守
周中穆王	5433.5511.6114效卣	五十朋	王賜公貝五十朋，公賜𠂤涉子效王休貝廿朋	灌饗
周中穆王	5996.4871.0000豐作父辛尊	貝	王在成周，令豐殷大矩，大矩賜豐金、貝	殷
周中穆王	6009.4885.0000效尊	五十朋	王賜公貝五十朋，公賜𠂤涉子效王休貝廿朋	灌饗
周中穆王	9714.5785.6437史懋壺	貝	王……親令史懋路筮、咸，王呼伊白賜懋貝	筮
周中穆王	綴遺12.1　小臣靜卣	五朋	王賜貝五朋	饔
周中恭王	4214.2736.2956師遽簋	十朋	王呼師朕賜師遽貝十朋	正師氏
周中懿王	4323.2837.3065敔簋⑩	五十朋	王蔑敔曆，吏尹氏受[illegible]敔圭瓚、[illegible]貝五十朋	征南淮夷

周中孝王	2435.0969.1049從鼎	卅朋	白姜賜從貝卅朋	不明
周晚	4130.2665.2880 [illegible]弔簋	十朋	[illegible]弔[illegible]于西宮，嗌貝十朋	不明
周晚	4328.0000.2867[illegible]弔簋	五朋	[illegible]弔[illegible]福于大廟，賜貝五朋	福

〔說明〕

①2506.1029.1115《[illegible]作且乙鼎》銘末有「田告亞」的族號，《殷金文》第七七號以爲是帝乙、帝辛時的人物，所以認爲此器是殷器。但《集成》認爲是西周早期器，茲從《集成》。

②2625.1117.1213《豊作父丁鼎》有庚豊、父丁二人，《殷金文》第十五號以爲與《殷金文》第十四號的豐彝同爲一人之作，時代在帝乙、帝辛。

③2674.1172.1274《征人鼎》，《史徵》附件一第四四〇頁列爲共王時器。

④《德鼎》、《史徵》七二頁以爲是和《德方鼎》同時作的。

⑤0944.1661《作冊般甗》，赤塚忠《殷金文》以爲是殷帝乙、帝辛時器。但《彙編》4.236(154)的《作冊般簋》有「維正月初吉戊辰，王宜人方無敄，成王賞作冊般貝十朋」的記載，可見這應該是西周早期器。

⑥2728.1234.1336《旅鼎》，《史徵》卷四第二一五頁列爲昭王時器。

⑦2748.1248.1357《庚贏鼎》，《史徵》附件一第三八八頁列爲穆王時器。

⑧2735.1235.1343《不指方鼎》，《史徵》卷四下第二六六頁列爲昭王時器；《銘文選》第三冊第二〇五頁列爲孝王時器。

⑨2655.2869《小臣靜簋》，《斷代・三》第八十頁以爲康王時器，而《大系》第五六葉、《史徵》三二頁以爲穆王時器。

⑩4323.2837.3065《敔簋》，各家歧見稍多，《集成》列在周晚、《大系》以爲是周中夷王時器、《史徵》以爲是周中穆王時器、《銘文選》以爲是周晚厲王時器。

《嬰方鼎》的「朋二百」究竟是多少貝，學者間有兩種看法，馬承源《銘文選》：

朋二百、一朋又二百。一說：朋二百即二百朋。金文中錫貝的最高數爲一百朋，二百朋是一個貴族難以賞賜的巨額，故取一朋又二百之說。

旭昇案：「金文中錫貝的最高數爲一百朋」，不知是誰的規定？商代婦好墓出土海貝七千枚，合一千四百朋。山東益都蘇埠屯一號大墓出土貝三千七百九十枚，合七百五十八朋。此商代之情形，周代當可更多，以二百朋賜勞苦功高的大臣，有何不可能？爲了讓賞賜多少一目瞭然，我把賞賜數目依王世列表如下。（爲方便計，介於二王之間的列入前一王）：

商周彝銘賜貝數量表

貝數	殷	殷周	周早	成王	康王	昭王	早中	周中	穆王	恭王	懿王	孝王	周晚
貝	16	2	10	15	6	14	2		4				
八貝	1												
朋	1	2		1									
二朋	5		1					1					

三朋			1	3	1								
四朋			1										
五朋	4		3	2		2		1	3				1
十朋	2		1	4	5	1	2	1	2	1			1
廿朋	1			3	1			1	1				
貝二百	1												
卅朋				3					2			1	
五十朋									3		1		
百朋			1	1	1								
朋二百				1									
總次數	31	4	18	33	14	17	4	4	15	1	1	1	2

從這個表來看，賜貝百朋以上的只有成、康昭之際，和時代不很確定的《伯姜鼎》（此器《集成》列在周早，吳鎮烽《陝西金文彙編》第八三八頁列為西周中期前段。以銘文風格來看，應該是在西周早期昭王左右）。五十朋則有穆王三見、懿王一見。〈菁菁者莪〉的作成時代，鄭玄《詩譜》以為在成王時，皇甫謐述毛《序》以為在武王時，魏源《詩古微》贊成皇甫謐的說法，認為是在武王時（《詩古微》卷四第十九頁）。參照上表，鄭玄的說法似乎比較合理。

〈菁菁者莪〉的君子一賞賜就是百朋，這當然多半是天子才有這種財力。此外，也要國家承平，府庫豐饒才能辦得到。據上表，商周數百年，銅器賞賜銘文中賜貝百朋以上的才四件，〈菁菁者莪〉的主人翁能得到百朋的賞賜，他是否就是這四件銅器的主人之一呢？此外，從賜貝表的賞賜原因看，除了不明（這多半是皇親國戚）一項外，其餘多半是有大勳勞才能獲得賜貝，〈菁菁者莪〉一賜就是百朋，應該是有大勳勞的，只是詩文沒有寫出來罷了。

柒、《詩經》「簟茀」古義新證

薄言采芑，于彼新田，于此菑畝。方叔涖止，其車三千，師干之試。

方叔率止，乘其四騏，四騏翼翼。路車有奭，簟茀魚服，鉤膺鞗革。

薄言采芑，于彼新田，于此中鄉。方叔涖止，其車三千，旂旐央央。

方叔率止，約軧錯衡，八鸞瑲瑲。服其命服，朱芾斯皇，有瑲蔥珩。

鴥彼飛隼，其飛戾天，亦集爰止。方叔涖止，其車三千，師干之試。

方叔率止，鉦人伐鼓，陳師鞠旅。顯允方叔，伐鼓淵淵，振旅闐闐。

蠢爾蠻荊，大邦爲讎！方叔元老，克壯其猶。方叔率止，執訊獲醜。

戎車嘽嘽，嘽嘽焞焞，如霆如雷。顯允方叔，征伐玁狁，蠻荊來威。——《小雅．采芑》

《毛詩．序》：「〈采芑〉，宣王南征也。」全詩寫宣王時的大將方叔征伐蠻荊，雍容有神，沈雄不污，有淵淵金石之聲。全詩的文字大體不算難解，但其中的「簟茀」，二千年來的解釋可能都被鄭《箋》誤導了，有略作疏通的必要。

毛《傳》對簟茀沒有作解釋，鄭《箋》云：「茀之言蔽也，車之蔽飾象席文也。」把「簟茀」解釋成織成席紋的車蔽。這個解釋初看沒有問題，因為《詩經》中還有其他二處也用到簟茀，意思也都是車蔽：

《齊風．載驅》：「載驅薄薄，簟茀朱鞹。魯道有蕩，齊子發夕。」

《大雅．韓奕》：「淑旂綏章，簟茀錯衡，玄袞赤舃，鉤膺鏤鍚，鞹鞃淺幭，鞗革金厄。」

〈載驅〉一詩，一般都同意《毛詩．序》的說法：「〈載驅〉，齊人刺襄公也。無禮義故，盛其車服，疾驅於通道大都，與文姜淫，播其惡於萬民焉。」「載驅薄薄，簟茀朱鞹」兩句，是寫襄公奔馳於道，和文姜私會。毛《傳》：「簟，方文蓆也。車之蔽曰茀，諸侯之路車有朱革之羽飾。」這兩句寫的車子究竟是襄公的，還是文姜的，也許學者之間還有一些不同的看法，但這樣的車子上不會有兵器，所以這裡的簟茀一定是車幃之類的障蔽物。

〈韓奕〉一詩先寫韓侯受命，周王賞賜非常豐厚，次寫韓侯娶妻，聳動鮮妍，最後寫韓侯因先祖受命，受北國為伯，思慮深密，嚴篤厚重，洵是大雅之章。而周王所賞賜的東西，自淑旂綏章以下，除了「玄袞赤舃」因為押韻的關係中間插入之外，一直到鞗革金厄，都是諸侯級的車馬所用之物，不會有兵器。因此本詩的「簟茀」應該也是車幃之類的障蔽物。鄭

《箋》：「簟茀，漆簟以為車蔽，今之藩也。」這是不錯的。

但是，〈采芑〉一詩就不一樣了，全篇一開始寫的是方叔率領了三千輛兵車要去南征，第二章寫方叔的指揮車，駕車的四牡整齊壯盛，車子鮮紅明亮，「鉤膺鞗革」是馬的配飾，「簟茀」如果照鄭《箋》說的是車子的帷蔽，在車馬之間硬插入一個兵器類的「魚服」（鄭《箋》：「魚服，矢服也。」服為箙的假借），豈不突兀？「簟茀魚服」在本詩中並沒有押韻的限制，完全沒有必要破壞了描寫車馬器物的順序。因此，這兒的鄭《箋》很明顯地是有問題的。

唐蘭先生指出了這個問題，並且提出了比較合理的解釋，他在〈弓形器（銅弓柲）用途考〉一文中以為「簟茀」就是出土青銅器中常見的弓形器，是一種弛弓時的輔助器：

般和西周墓中出土的青銅器中，常見一種所謂弓形器（見附圖二四）和弭與矢鏃同出，過去不知道是什麼器物。……最近，我從《番生簋》和《毛公鼎》的銘文裡看到周王賞賜他們的器物裡都有「金簟弼，魚葡」，才發現現在大家所稱為弓形器的這種器物就是金簟弼。它是用在弛弓時，縛在弓背的中央部位以防損壞的。當掛上了弦，張弓的時候，弓背就反過來成為裡側了。「金簟弼」是青銅作的簟弼，是弓上的輔助器物，而「魚葡」是盛矢的箙，兩者是互相聯繫的。

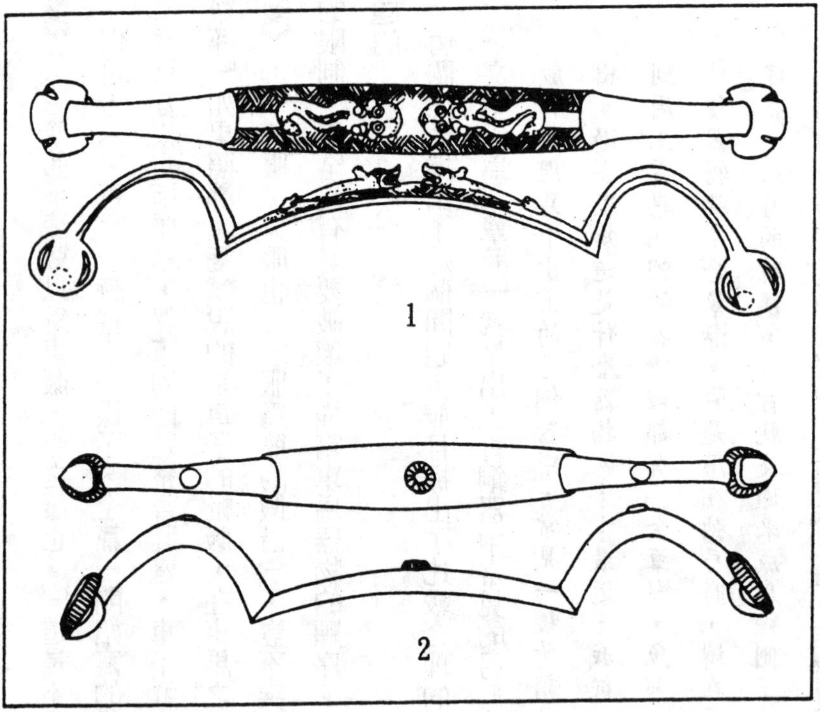

1

2

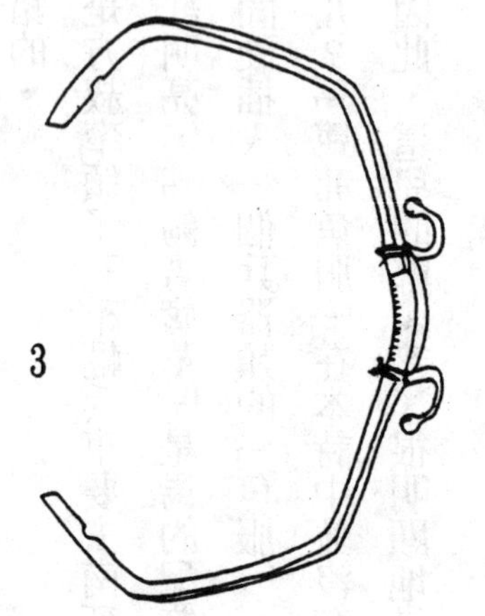

附圖二四：

弓形器及與弓結合復原圖

1.、2.弓形器 3.與弓結合復原圖

當然，和大部份的古器物、古文字學一樣，有關青銅器中的弓形器，不同的說法非常多，宋《宣和博古圖》釋爲漢旂鈴、清李光庭《吉金志存》釋爲馬鈴、馬衡在《中國金石學概要》中釋爲和鈴、于省吾先生在《商周金文錄遺》中釋爲檠、林澐在〈關於青銅弓形器的若干問題〉中以爲這是「繫於腰帶正前方的掛韁鉤」、唐嘉弘在〈殷商西周青銅弓形器新解〉中以爲這是「衣服上的掛鉤，用以懸掛裝飾和實用物品的」（註九三），因爲和本文的關係不是那麼密切，此處不多加辨析。本文引唐蘭先生的文章主要目的是在他由弓形器談到〈小戎〉「簟茀」的新解，唐文先從《毛公鼎》的「簟弻」談到「弼」字的解釋：

「簟弻」的弻，現在寫作弼，《說文》：「弻，輔也，重也。从弜，丙聲。弼，弻或如此。[illegible]、[illegible]，并古文弻。」段玉裁說：「《釋詁》曰：『弻，俌也。』人部曰：『俌，輔也。』俌、輔音義皆同也。《詩》曰：『交韔二弓，竹閉緄縢。』《傳》云：『交韔，交二弓於韔中也。閉，紲；緄，繩；縢，約也。』《小雅》：『騂騂角弓，翩其反矣。』《傳》曰：『騂騂，調利貌。不善紲檠巧用則翩然而反也。』〈士喪禮〉注曰：『柲弓檠，弛則縛之於弓之裡，備損傷，以竹爲之。《詩》所謂竹閉緄縢。』木部曰：『榜，所以輔弓弩。』『檠，榜也。』然則曰檠、曰榜、曰柲、曰閉者，竹木爲之，曰紲、曰縢者，縛之於弛弓以定其體也。」

段玉裁這段注解是正確的。……但是段玉裁還不知道銅器銘文裡的簟弻。吳大澂《說文古籀補》才開始說：「弻，古弼字。《毛公鼎》：『簟弻魚葡。』《詩・采芑》：『簟茀魚服。』〈韓奕〉：『簟茀錯衡。』《箋》云：『簟茀，漆簟以爲車蔽，今之藩也。』茀當爲⿱艹弻，古文弻字。弻以蔽車，有輔助之義。」王國維接著在《觀堂集林》裡寫了一篇《釋弻》，說「弻」是簟茀的茀的本字，从丙弜聲。丙象席形，是古文席字。而弜是柲的本字，就是弓檠。

吳大澂、王國維都上了鄭玄的大當，認定「簟茀」就是車蔽，而不知《詩經》裡有兩種簟茀，其一是車蔽，另一是弓柲。《齊風・載驅》說：「簟茀朱鞹。」毛《傳》：「簟，方文席也。車之蔽曰茀。」《大雅・韓奕》說：「簟茀錯衡。」鄭玄《箋》說：「簟茀，漆簟以爲車蔽，今之藩也。」這兩處的簟茀和朱鞹錯衡在一起，都是車的一部份，可見簟茀確是車蔽。《周禮・巾車》有五蔽，第一是蒲蔽，鄭玄注：「車旁禦風塵者。」……茀和蔽一聲之轉。《詩・衛風・碩人》：「翟茀以朝。」《周禮・巾車》注就引作翟蔽。……簟茀用竹席，蒲蔽是蒲席，而翟茀是用羽毛作裝飾。《爾雅・釋器》：「輿革前謂之鞎，後謂之茀。竹前謂之禦，後謂之蔽。」則又以革做的稱茀，竹做的稱蔽了。

至於另一種名柲的簟茀，那就是《小雅・采芑》的「簟茀魚服」，跟前邊兩例，截然不同。這裡的「簟茀」就是銅器銘文裡的「簟弼」。《番生簋》銘在此前有「車電軫，桒䌌較，朱䕼囩靳，虎冟熏裏，趞（錯）衡，右厄，畫轉，金童，金豙」等；《毛公鼎》銘前面是「金車，桒䌌較，朱䕼囩靳，虎冟熏裏，右厄，畫轉，金甬，趞（錯）衡，金踵，金豙，刺䡅」等，車上的名物都已數完，才說到「金簟弼魚服」，是屬於弓矢方面的。簟茀跟魚服在一起，魚服是矢箙。《小雅・采薇》「象弭魚服」，象弭是象骨做的弓弭。……可見魚服應該和弓或有關弓的器物在一起，如果這個簟茀是車蔽，那麼下面怎麼能突然講到盛放箭的魚服呢？何況銅器銘文作簟弼，弼字顯然从兩弓和簟形的㔾，跟魚葡的葡作[illegible]，是由[illegible]變來，象矢在箙中的形狀，完全是一致的。可見這個簟服即簟弼，是竹閉，或柲，又叫紲這一種器物無疑。鄭玄在〈采芑〉的《箋》裡，說「茀之言蔽也，車之蔽飾象席文也」，就完全錯了。一個是車蔽，一個是弓柲，由於聲音相通，漢代的《詩經》寫本都寫「簟茀」，因而搞混亂了。鄭玄以後就更沒有人能加以分析了。

吳大澂等都沒有注意到「金簟弼」這個金字。他們都只對照著《詩經》的「簟茀魚服」來讀銅器銘文。但《番生簋》銘裡上文是金童金豙，那麼金簟弼的金字決不能連到上面去。銅器銘文裡冠以金字的器物，如：金車，金甬，金歱，金豙等等，都是指用銅做的，可見金簟弼也是用銅做的。這更可以證明「金簟弼」決不是車蔽。因爲所謂金車，實際上是木車而加上許多青銅裝飾品，而禦風塵的車蔽，不管像《爾雅》所說的車後也罷，或鄭玄所說的車旁也罷，那樣大的面積，決不可能用銅來做。如果全用銅，這樣一塊銅板至少也要一、二百斤，用以掩蔽風塵顯然是不適宜的。如果是用竹席、蒲席或羽毛，是無法在其上加青銅裝飾的。吳大澂等拘泥於鄭玄的誤解，顯然是失於檢點的。

弼字从丙，丙就是簟的本字。……从弜聲，《說文》从丙聲是錯的。……《說文》：「弜，彊也，从二弓，闕。」是許慎已不知它應讀什麼音，後世讀如強是錯的。卜辭常見弜字，用爲否定詞，與弗的意思一樣（張宗騫說），可證弜讀爲弼。……只有弼字才是簟茀、竹閉和柲本字，本來是用竹席捆綁兩張弓，……在象意字聲化時，就成爲从丙弜聲。……从弼字的字形，訓義，以及和弼有關的閉、柲、棐、榜等的義訓，進而從歷史文獻上證明弼是在弛弓時綁在弓裡以防弓體損傷的，這種器物是用竹席捆綁的，或用竹木製成的，也有銅的，名稱隨時代、地區而有變異。又從考古發掘上知道所謂青銅弓形器都和矢鏃等同出，從山土的位置，知道它應該縛在弛

> 弓的弣上。從器形來看，又適合於這種用處。出土時內部還有殘存木質，轉角處有皮帶束縛的痕迹，都可以證明它就是弼，或者叫柲，叫棐，叫榜。……因此，我們敢於斷定一般所謂青銅弓形器，實即《詩經》「簟茀魚服」的簟茀，《番生簋》、《毛公鼎》銘中的金簟弼和《儀禮》的柲。這一問題大致可以說解決了吧！

唐蘭先生的論證非常詳盡，〈采芑〉篇的「簟茀」應該是縛弓的簟弼，已經毫無疑問了。不過，簟弼的功用可能兼有爲了保持弓的強度之用的，而不只是保護弓體，以防弓體損傷（參北大歷史系出版《商周考古》第八十一頁）。此外，我還想補充一點，或許可以使本詩的解釋更爲完善。從先秦車制來看，如果我們把車子分爲戰車（高車）和非戰車（坐車、安車）兩類，那麼非戰車是可以有車蓋、有蔽塵的，而戰車在基本上是不設車蓋、蔽塵的。因爲戰車是供作戰用的，將士都要站在車上，手持弓箭、戈戟與敵人交戰，如果有車蓋或蔽塵，那就會影響到作戰的功能了。即使是主將所乘的車子，爲了要方便指揮及作戰，也不應例外。從考古發掘來看，曾永義先生的《儀禮車馬考》曾對小屯殷墟車馬、安陽大司空村殷周車馬、張家坡西周車馬、濬縣辛村西周車馬、上村嶺東西周虢國墓地車馬、輝縣琉璃閣戰國車馬、長沙西漢車馬等考古所發現的車子作了一個完整的綜合敘述，在這些車子的車輿部份都沒有車蓋或蔽塵的痕迹（見附圖二五，採自《儀禮車馬考》第一三五頁）。由北京大學出版的《中國古代文化史》第一冊中由孫機、張正濤執筆的〈中國古代的交通工具〉一章明白地說：

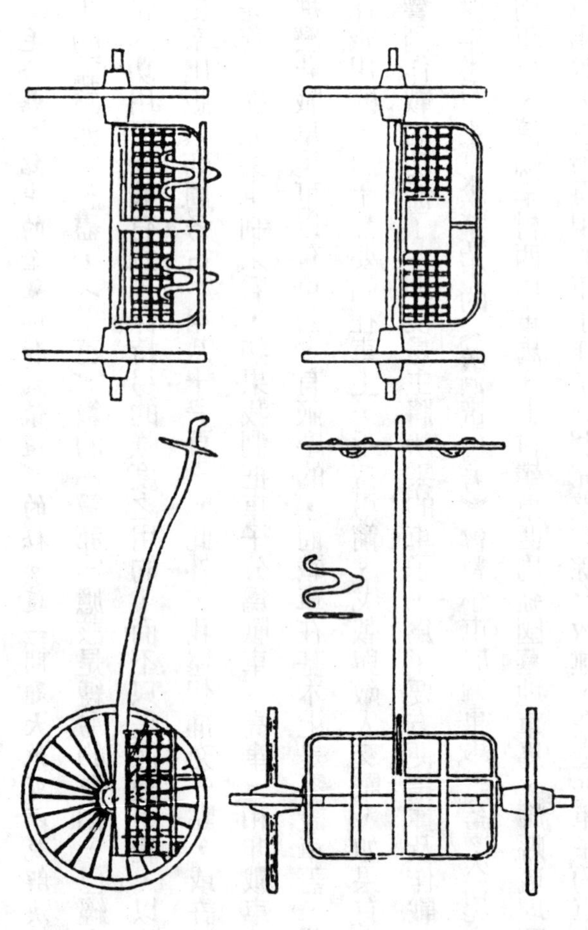

附圖二五：殷周車制圖

在周代，……戰車，按用途不同，可分爲幾個類型，如「戎路」，又稱「旄車」，以車尾立有旄牛尾爲飾的旌旗作標志，是一種主帥乘坐的指揮車。「輕車」，也稱「馳車」，用以衝鋒陷陣。「闕車」，補闕之車，即用以補充和警戒的後備車。「苹車」，苹同屏，車廂圍有葦草皮革，作戰時可以避飛石流矢。「廣車」，一種防禦列陣之車，行軍時用來築成臨時軍營。……這些戰車的形制同上，只是爲揮戈舞劍之便，將車蓋去掉。（本書所附戰車圖非常詳盡，見附圖二六，採自該書第三四〇頁）

其次，從古文字也可以驗證這一觀點。甲骨文車字多見，基本上分兩種字形，第一種作[illegible]（《續存》七四三），爲車子的鳥瞰形，全字象衡、輈、軸、輿、輪之形；第二種作[illegible]（《京津》二八二一），爲戰車的後視形，全字象軸、輿、輪之形，很明顯地都沒有車蓋、蔽塵的痕迹（參《甲骨文編》第一六二九號）。金文字形和甲骨文大體相同（參四訂《金文編》第二二九三號）。最後，傳世的古器物也可以再添一證明，現藏美國華府弗里爾美術館屬春秋晚期後半器的《青銅狩獵紋鑑》上有兩輛戰車，車上各有一人駕車，另一人攻戰，車後建旄，車輿上完全沒有任何遮蔽（見附圖二七）。

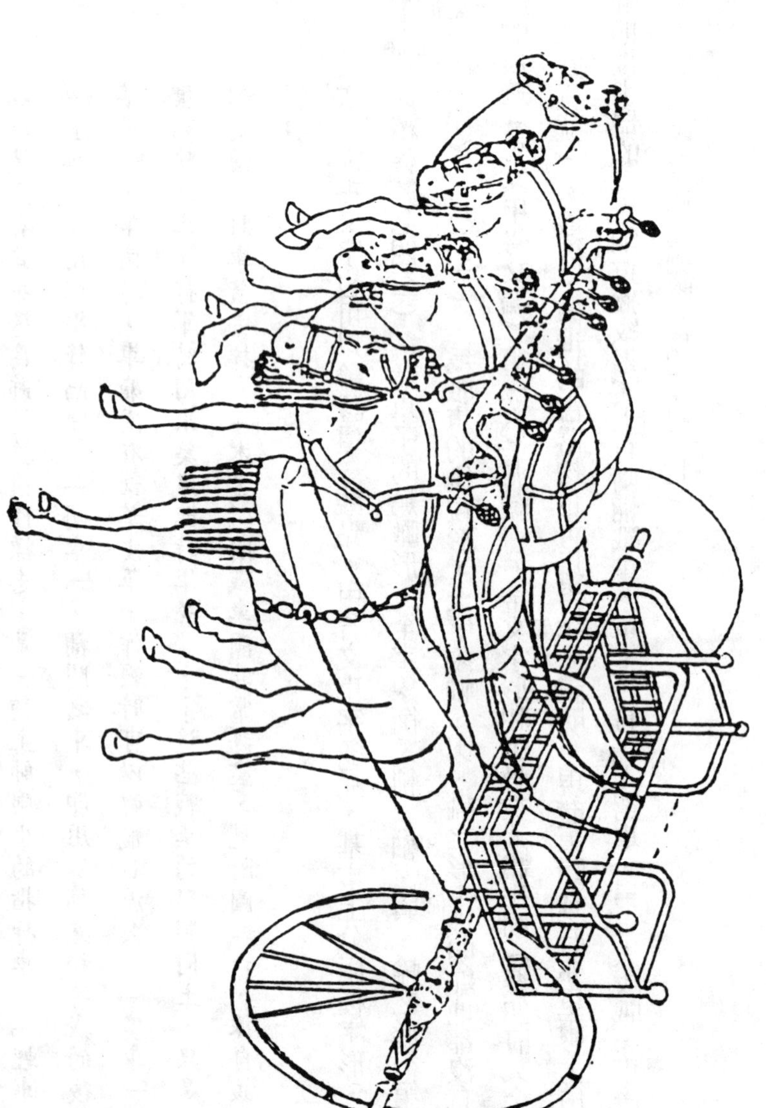

附圖二六：周代戰馬戰車圖

由以上證據可知，〈采芑〉篇的「簟茀魚服」既是戰車上的配備，「簟茀」當然絕不可能是蔽塵。「簟茀」應該是縛弓的簟弼，唐蘭先生之說是正確的。

附圖二七：春秋晚期狩獵紋鑑

下編、篇章通釋編

壹、《王風・采葛》古義新證

彼采葛兮，一日不見，如三月兮！
彼采蕭兮，一日不見，如三秋兮！
彼采艾兮，一日不見，如三歲兮！——《王風・采葛》

這首詩只有短短的九句，但是正因爲文短詞略，所以後代對這首詩的解釋異說很多，大略區分，約有三派：一、懼讒說。二、男女思戀說。三、懷友說。而且，無論是那一派的解說，似乎都不能令人完全滿意。茲擇要敘述如下：

一、懼讒說

《毛詩・序》：「〈采葛〉，懼讒也。」鄭《箋》：「桓王之時，政事不明，臣無大小，使出則爲讒人所毀，故懼之。」原詩各章下毛《傳》云：

（首章）興也。葛所以爲絺綌也，事雖小，一日不見於君，憂懼於讒矣。
（二章）蕭所以供祭祀。
（三章）艾所以療疾。

鄭《箋》云：

（首章）興者，以采葛喻臣以小事使出。
（二章）彼采蕭者，喻臣以大事使出。
（三章）彼采艾者，喻臣以急事使出。

毛、鄭的解釋雖不完全相同，但基本上是一致的。二家都以各章首句的「彼」指懼讒的臣子，以「采葛（蕭、艾）」喻（毛《傳》以爲「興」）臣子因事使出，一日不見君王，即畏懼爲讒言所傷。這樣的解釋至少有二個缺點：

㈠詩中人物不清楚。詩文劈頭便是「彼」，彼是誰？雖然可以由《毛詩・序》獲得一些聯想，但「彼」若作三身指稱詞用，他的上面應該有他所稱代的對象，否則就太空泛了（詳本文第貳節）。其次「一日不見」的主詞、受詞都省略，依中文的習慣，主詞是「我」時，通常可以省略，則「一日不見」的受詞是「彼」。毛、鄭以「一日不見」的主詞是「彼」、受詞是「君王」，主詞「彼」承前省略，理所當然；但受詞「君王」是那裏來的呢？毛、鄭的說法難免有增字解經的味道。

㈡采葛（蕭、艾）是小臣賤有司的工作，詩人歌詠王公大臣，而以小臣賤有司的工作來比興，實在是取材不當。關於第二點，歐陽修《詩本義》評云：

詩人取物爲比，比所刺美之事爾。至於陳己事，可以直述，不假曲取他物以爲辭。采葛、采蕭、采艾皆非王臣之事，此小臣賤有司之所爲也。讒人者害賢才、離間親信，乃大臣賢士之所懼，彼詩人不當引小臣賤有司之事以自陳，此毛、鄭未得於詩而強爲之說爾。

這是非常切要的批評，大臣畏懼讒言，而以采葛（蕭、艾）爲比興，無論怎麼解釋，總是令人覺得難以接受。直到《御纂詩義折中》出來，改以葛、蕭、艾比喻讒人的小人，才把歐陽修批評毛、鄭比興不倫的責難給解決了。《御纂詩義折中》云：

葛蔓而善附，似小人之黨援也。「彼采葛者」，喻讒人引用群小爲朋黨，以陷正人。爲正人者一日不見於君，則乘閒而讒之者眾矣！故憂懼交集，雖一日之暫，有如三月之久也。蕭、蒿也，氣味苦寒，喻小人之陰險也，陰險之人，其爲讒也隱而酷，故憂懼之甚，一日不見，不止如三月，直如三秋矣！艾似香而非香，喻小人之柔姦也。柔姦之人，其爲讒也深而巧，故憂懼之極，一日不見，不止如三秋，直如三歲矣！

張彩曰：「《楚辭》云：『何昔日之芳草兮，今直爲此蕭艾也。』意蓋本此。」《御纂詩義折中》引張彩（註九四）而加以擴充，把葛、蕭、艾比喻爲小人，確是非常合理的解釋。但《御纂詩義折中》把「彼采葛（蕭、艾）兮」釋爲「讒人者援引群小」，並沒有說明「彼」爲什麼可以釋爲「讒人者」，而毛、鄭把「一日不見」的受詞當作「君王」的說法，《御纂詩義折中》也承襲不改，因此這樣的解釋也不能令人滿意。馬瑞辰採用了《御纂詩義折中》對葛、蕭、艾的解釋，但把全詩角色重新調整，《毛詩傳箋通釋》：

《傳》、《箋》並以采葛、采蕭、采艾爲懼讒者託所采以自況。今案：《楚辭．九歌》「采三秀於山間，石磊磊兮葛蔓蔓」五臣注：「芝藥、仙草，采不可得，但見葛石耳，亦猶賢哲難逢、讒諛者眾也。」劉向〈九歎〉「葛藟虆於桂樹兮，鴟鴞集於木蘭」，王逸注：「葛藟、惡草，乃緣於桂樹，以言小人進在顯位。」是葛爲惡草，古人以喻讒佞。又《楚辭．離騷經》「户服艾以盈要兮，謂幽蘭其不可佩」，又「何昔日之芳草兮，今直爲此蕭艾也」，東方朔〈七諫〉「蓬艾親日御于床笫兮，馬蘭踸踔而日加」，張衡〈思玄賦〉「珍蕭艾於重笥兮，謂蕙芷之不香」，並以蕭艾爲讒佞進士之喻。此詩采葛、采蕭、采艾，蓋皆喻人主之信讒，下二句乃懼讒之詞。

馬氏不愧是一位思辨能力極強的清代學者，毛、鄭的兩個缺點，他都注意到、並且加以解決了。葛、蕭、艾的解釋，他承襲了《御纂詩義折中》的說法，而且更加詳盡，一一爲它們找出文獻上的依據，應該是可以成爲定論了。他把「彼采葛（蕭、艾）兮」釋爲「人主採信小人的讒言」，把「一日不見」釋爲「我一日不見人主」，「一日不見」句中的主詞是「我」，習慣省略；受詞是「人主」，承上省略。這個解釋，上下連貫，文法自然，確實勝於毛、鄭舊解。缺點則在於詩人劈頭便指責君王——「彼采葛兮」，似乎太峻切了些。衡諸全詩，詩人既說「一日不見，如三月（秋、歲）兮」，則詩人應當仍然在位，君王也應當還未採信小人讒言而貶退詩人，詩人縱然懼讒，也還不至於這麼露骨地斥指君王「彼采葛兮」吧！

二、男女思戀說

遵循《毛詩・序》的畏讒說的解釋既然都不能令人滿意，有的學者便拋棄《詩序》，另闢蹊徑，從其他角度來解釋本詩，如朱熹《詩集傳》云：

> （首章）賦也。采葛所以爲絺綌，蓋淫奔者託以行也，故因以指其人，而言思念之深，未久而似久也。

旭昇案：本詩的「一日不見，如三月（秋、歲）兮」最多只有「言思念之深」的意思，怎麼也不會有「淫奔者託以行也」的意思，朱子的解釋實是推求太過了。傅斯年先生《詩經講義稿》說：「男女相思之歌。」王靜芝先生《詩經通釋》說：「此詩爲男女相悅之，睽離未久，而男極思女之詩也。」二家都對朱子之說提出了修正。

此說最受近人的歡迎，但深一層去想，采葛、采蕭、采艾都是家居常事，無論怎麼去採，也用不了多久，何至於有「一日不見」的情況？而且葛、蕭、艾的採收地應該都離家不遠，眞思念狠了，大可逕去採收地會面，既不會有「不見復關，泣涕漣漣」之窘，又何至於有「一日不見，如三月兮」之苦呢？

三、懷友說

王質《詩總聞》：

當是同志在野之人獨適而不與俱，故有此辭。言我采此物，想彼亦采此物，但不同采爾。

姚際恒《詩經通論》：

《小序》謂「懼讒」，無據。且謂一日不見于君，便如三月、以至三歲，夫人君遠處深宮，而人臣各有職事，不得常見君者亦多矣！必欲日日見君，方免于讒，則人臣之不被讒者幾何？豈爲通論！《集傳》謂淫奔，尤可恨，即謂婦人思夫，亦奚不可？何必淫奔。然終非義之正，當作懷友之詩可也。

旭昇案：姚際恒說《詩序》「無據」，但細按懷友說的解釋，其實和男女思戀說一樣，都是由「一日不見，如三月（秋、歲）兮」望文生義而來，也都是「無據」。采葛、蕭、艾與懷友何關？王質的解說並不能讓人滿意。如果解經可以不要依據，全憑望文生義，那麼「一日不見，如三月兮」解爲思念什麼都可以，爲什麼一定要限定男女思戀或懷友？更何況「一日不見，如三月兮」並不一定非解爲「思念」不可。

以上三派的解說所以都不能讓人滿意，除了上述理由之外，還有一個最根本的原因，即各家對本詩的文字訓詁恐怕還有商榷的餘地。比興手法、愛情思戀，感性較強，也許不易有客觀的標準，但文字訓詁是知性活動，有一定的標準，當不致受人們的主觀好惡的影響。我認爲歷代學者把「彼采葛（蕭、艾）兮」的「彼」當作三身指稱詞，釋爲「他」；把「采」當動詞，釋爲「採」，並不適合本詩。本詩的「彼」應作遠指指稱詞用，釋爲「那」；「采」應作形容詞用，釋爲「茂盛」，依此解釋，本詩不但文從字順，而且詩旨明白易曉，以下是我的論證。

甲、文字的探究

一、「彼」的用法

「彼」在春秋以前，主要是用為形容性的遠指指稱詞，與「此」相對，釋為「那」，只有很少數的例外（註九五）。戰國以後名詞性的三身指稱詞的用法普遍流行，「彼」的原始用法就逐漸為人忽略了。《詩經》中用到「彼」的共有三〇三句，依文法作用的不同，可分為四組五類：

㈠「彼」作遠指指稱詞用，屬形容詞性，解作「那」，《詩經》中共二九〇句，例如：

⑴陟「彼」高岡，我馬玄黃　（《周南．卷耳》）

⑵瞻「彼」日月，悠悠我思　（《邶風．雄雉》）

⑶「彼」美孟姜，洵美且都　（《鄭風．有女同車》）

⑷我出我車，于「彼」牧矣　（《小雅．出車》）

⑸「彼」其之子　（共十四見，參本書〈彼其之子古義新證〉）

㈡「彼」作限制詞用。由遠指指稱詞的用法變來，解作「那麼」，《詩經》中共一句。

旭昇案：本類在《詩經》中只有「何『彼』襛矣，唐棣之華」（《召南．何彼襛矣》）一例。據許世瑛先生〈詩經句法研究兼論其用韻〉（註九六）一文的分析，這是個謂語提前的表態繁句，還原後應為「唐棣之華，何彼襛矣」，「襛」是謂語，「彼」是修飾「襛」的限制詞，全句釋為「唐棣華為何那麼濃艷啊」。很明顯地，「彼」的這種用法是由遠指指稱詞變來的。

(三)「彼」用作方所指稱詞，屬名詞性，解作「那兒」。《詩經》中共五句。

1.「彼」有不獲穉，此有不斂穧（《小雅．大田》）

2.「彼」有遺秉，此有滯穗（《小雅．大田》）

3.挹「彼」注茲，可以餴饎（《大雅．泂酌》）

4.挹「彼」注茲，可以濯罍（《大雅．泂酌》）

5.挹「彼」注茲，可以濯溉（《大雅．泂酌》）

(四)「彼」作三身指稱詞用，屬名詞性，解作「他」，詩經中共七句（註九七）。

1.薄言往愬，逢「彼」之怒（《邶風．柏舟》）

2.敦「彼」獨宿，亦在車下（《豳風．東山》）

3.「彼」求我則，如不我克（《小雅．正月》）

4.「彼」有旨酒，又有嘉殽（《小雅．正月》）

5.佌佌「彼」有屋，蔌蔌方有穀（《小雅．正月》）

6.「彼」作矣，文王康之（《周頌．天作》）

7.「彼」徂矣岐，有夷之行（《周頌．天作》）（註九八）

由以上的統計可看出，「彼」在《詩經》中以當遠指指稱詞的用法最爲普遍，當三身指稱用的只有七句，佔總數的百分之二強。「彼」的本義應該是形容詞性的「那」，當它被用爲名詞的方所指稱詞、三身指稱詞時，或許可以看成是一種省略現象，即原形是「加詞」（彼）＋「端詞」，由於同一端詞在上文已出現過、或不必說大家都能知道，所以就被省略了。如「挹彼注茲」還原後的原形應該是「挹彼行潦，注茲瓶罍」，「逢彼之怒」還原後的原形應該是「逢彼兄弟之怒」。周法高先生在《中國古代語法．稱代篇》中說「彼」的這種用法（三身指稱詞）是由指示詞（即遠指指稱詞）變來的（註九九），因此，「彼」的本義是遠指指稱詞－「那」－應是毫無疑問的。

「彼」用作三身指稱詞應該還有一個不可或缺的條件，即：在「彼」前面必須有「彼」所稱代的對象先出現過，「彼」的稱代作用才能落實，如前述第（四）組七個例句中的「彼」及「彼」所稱代的對象是：

1.亦有「兄弟」，不可以據，薄言往愬，逢「彼」之怒。——「彼」稱代「兄弟」。

2.蜎蜎者「蠋」，烝在桑野，敦「彼」獨宿，亦在車下。——「彼」稱代「蠋」（註一〇〇）。

3.「天」之抏我，如不我克，「彼」求我則，如不我得。——「彼」稱代「天」。

4.謂山蓋卑，為岡為陵，「民」之訛言，寧莫之懲……「彼」有旨酒，又有嘉餚。——「彼」稱代「民」（註一〇一）。

5.佌佌「彼」有屋。——同前。

6.天作高山，「大王」荒之，「彼」作矣，文王康之。——「彼」稱代「大王」。

7.「彼」徂矣岐，有夷之行。——同前（註一〇二）。

由以上的分析很明顯地可以看出：「彼」的稱代作用應在被稱代者已先出現的情況下才能產生。對以上七個例句的解釋或許還會有很多爭論，但「彼」的這個稱代條件應該是人人都能認同的。否則像〈采葛〉篇劈頭便是「彼采葛兮」，「彼」究竟是誰？那一位讀者能猜得出？在這種情況之下，要把「彼」釋為三身指稱詞委實是太勉強了。相反的，把本句的「彼」釋為遠指指稱詞，全句意為「那『采葛』啊」，當作一個詩人描述的對象，不但文義明暢，而且符合《詩經》中絕大多數「彼」的用法。

二、「采」的用法

《詩經》中的「采」字單用的一共有四十五句，歷代學者都一律釋為動詞性的「採」，沒有人釋為形容詞，無一字例外。因此，要把《詩經》中的單字「采」釋為形容詞，還得花一番功夫。

《說文》：「釆，捋取也。从木、从爪。」字於甲骨文作（《鐵》二四二・一）（《前》五・三六・一），前一形从爪从木，與《說文》同。後一形从爪从桀（葉），爲捋取樹葉的意思（註一〇三），因此「釆」的本義是採。但所採取的東西一定要有可採之道，或因文彩美麗，或因枝葉盛多，這些應該是同一意義的引申（註一〇四）。文彩美麗一義如：「文釆節奏，聲之飾也」（《禮記・樂記》）、「命婦官染釆」（《禮記・月令》）、「冠衣不純釆」（《禮記・曲禮》），後來衍生的「彩」、「綵」，應該都是繼承了這一義。

枝葉盛多之義只保存在《詩經》「釆釆」和《詩經》、〈夏小正〉中的其他少數幾個詞裏。《詩經》「釆釆」一共四見，《曹風・蜉蝣》篇「釆釆衣服」，毛《傳》：「釆釆、衆多也。」《秦風・蒹葭》篇「蒹葭釆釆」，毛《傳》：「釆釆，猶萋萋也。」萋萋也是枝葉盛多的意思。《周南・卷耳》篇「釆釆卷耳」、〈芣苢〉篇「釆釆芣苢」中的二「釆釆」，歷來學者都釋爲「採之又採」，清朝學者馬瑞辰在《毛詩傳箋通釋》中認爲這兩個「釆釆」也是盛多的意思，他的論述非常精闢（註一〇五），近代學者大都同意他的看法。

「釆釆」既有盛多的意思，我們可以推測「釆」也應該有盛多的意思。疊字單用，在《詩經》中是很常見的現象，如《小雅・信南山》篇有「苾苾芬芬」，〈楚茨〉篇則有「苾芬孝祀」；《小雅．蓼莪》篇有「蓼蓼者莪」，〈蓼蕭〉篇有「蓼彼蕭斯」；《檜風．隰有萇楚》篇有「夭之沃沃」，《衛風．氓》篇則有「其葉沃若」；……例子甚多，不煩備舉。由疊字可以單用的現象來看，疊字的意義應該是由單詞來的，換句話說，疊字含有某種意義，單詞也應該可能含有這種意義。因此，「采」可以有「盛多」的意義，在理論上是可以成立的。

把「采」釋爲「盛多」，前人從來沒有說過，但我認爲除了《王風．采葛》篇外，《豳風．七月》、《小雅．出車》、《大戴禮記．夏小正》中的幾個「采」字應該都可以支持我的這個新解。《豳風．七月》二章：

七月流火，九月授衣，春日載陽，有鳴倉庚。
女執懿筐，遵彼微行，爰求柔桑。
春日遲遲，采蘩祁祁，女心傷悲，殆及公子同歸。

本章末二句的異說很多，我採用的是朱子《詩集傳》的說法。本章寫一個女子在春天出去採桑，由於他和公子的婚事已經定了，因此他的心情本來是頗爲愉快的，「春日載陽，有鳴倉庚」，以景寓情，非常技巧地烘托出少女的這種心情。採著採著，少女想到將與公子同歸，離開兄弟父母，心中又不免有些惆悵傷悲，「春日遲遲，采蘩祁祁」，以景寓情，烘托出了少女的這種心情，整章比興的運用極為成功。如果此處是「春日遲遲，衆女采蘩」，那便毫無比興之美，味如嚼蠟了。「遲遲」狀春日之貌，「祁祁」自是狀采蘩之貌。「春日」和「采蘩」都是形容詞加名詞所構成的詞組，因此，把「采」釋為修飾「蘩」的形容詞似乎較合理些。

毛《傳》把「采蘩」釋為採蘩，並說蘩可以生蠶。由於《豳風・七月》篇和農事的關係太密切，因此大家還不易覺得毛《傳》不合理。那麼，我們不妨來看看《小雅・出車》篇末章非常類似的一段：

> 春日遲遲，卉木萋萋，倉庚喈喈，采蘩祁祁。
> 執訊獲醜，薄言還歸，赫赫南仲，玁狁于夷。

〈出車〉篇是描寫周宣王時大將南仲征討玁狁的事（註一〇六），本章則是寫南仲獲勝還歸的情形。「春日遲遲，卉木萋萋，倉庚喈喈，采蘩祁祁」四句都是寫景，文句結構都是「名詞＋疊字形容詞」所形成的表態句，因此「采蘩」只能是形名關係的詞組，而不應該是動賓關係的述語。如果依舊說釋為「採蘩祁祁」，那就是一個主語省略的敘事句，依文法通則，省略主語通常是前有所承，我們從「采蘩祁祁」之前的文句中去找，可能當「采蘩祁祁」的主語的只有「倉庚喈喈」句中的倉庚和「赫赫南仲」句中的南仲。倉庚是一種鳥，不可能去採蘩；南仲是大將，也不可能去採蘩。事實上，本節寫軍隊奏凱旋歸，既與農事無關，也與祭祀無關，更不會是糧秣不足，兵士採蘩充飢。那麼，在一幅雄壯威武的奏凱圖中，突然加進一群婦女（或其他人）在採蘩，毋乃極不協調、過份唐突嗎！因此，本章的「采蘩」只應該釋爲「茂盛的蘩草」，而不應該釋爲「採蘩」。

「采蘩祁祁」的「采」既當釋爲茂盛，「祁祁」據〈七月〉《傳》「衆多也」，也是茂盛的意思，那麼，同樣出現在一個句子裏頭，「采」和「祁祁」是否辭義重複呢？的確，辭義似乎是重複了，但從《詩經》全書來看，這不是什麼問題，因爲《詩經》中有不少這樣的例子，如：

(1)憂心惙惙（《召南・草蟲》）——《傳》：「惙惙，憂也。」

(2)碩人俁俁（《邶風・簡兮》）——《傳》：「俁俁，容貌大也。」

(3)憂心殷殷（《邶風・北門》）——《詩集傳》：「殷殷，憂也。」

(4)勞心忉忉（《齊風・甫田》）——《傳》：「忉忉，憂勞也。」

(5)皎皎白駒（《小雅・白駒》）——《釋文》：「皎，絜白也。」

同樣的句法很多，這裏不全列舉。從修辭的角度來看，上列例句中意義相近的各組詞其實意義並完全不相等，同樣是白，但白有許多不同的質地、不同的程度，分別給人各種不同的感受，如：《小雅．白駒》「皎皎白駒」的「皎皎」是像月光一樣柔和的白色（《說文》：「皎、月之白也」），《唐風．揚之水》「白石皓皓」的「皓皓」是種光亮耀眼的潔白（《爾雅．釋詁》：「皓、光也」），《大雅．靈臺》「白鳥翯翯」的「翯翯」是豐滿肥澤的潔白（《說文》：翯、鳥白肥澤貌）。《孟子．告子》上孟子問告子「白雪之白猶白玉之白與？」文學的答案應該是「不然」。同理，「采蘩祁祁」的「采」和「祁祁」各有不同的作用，意義相近而有別，沒有辭義重複之虞。

除了《詩經》外，《大戴禮記．夏小正》中的幾個「采」字，應該也是「盛多」的意思，以下是〈夏小正〉中相關的經傳（註一〇七）：

正月：采芸——爲廟采

二月：榮堇、采蘩——堇、菜也。蘩、由胡。由胡者、蘩母也。繁母者、旁勃也。皆豆實也，故記之。

榮芸，時有見稊，始收——有見稊而後始收……稊者，所爲豆實。

三月：采識——識，草也。

攝桑——攝桑而記之，急桑也。

妾、子始蠶。

〈夏小正〉的經文說三月攝桑、妾子始蠶，可見得三月的「采蘩（蘩）」和蠶事無關。〈夏小正〉的傳文也說「榮堇」和「采蘩」都是爲豆實之用，而不是用於蠶事，「采蘩」和「榮堇」並列，也可以說明「采」和「榮」是修飾「蘩」和「堇」的加詞。「正月采芸」，傳文說是「爲廟采」，但是遍翻先秦文獻，卻不見有宗廟用芸的記載，因此洪震煊在《夏小正疏議》中說：「廟祭用芸，無聞焉。」其實不是洪震煊無聞，而很可能是《夏小正》的傳者解錯了。「采芸」、「榮堇」、「采蘩」、「榮芸」、「采識」，都是物候。古代懂曆法的人累積了長久的觀察，把大自然四時的各種變化記下來，教給一般人。一般人只要看到這些物候，就可以知道大概的節令，〈夏小正〉中絕大部份都是這些物候，只有從這個角度去看「采芸」、「采蘩」、「采識」，得到的解釋或許比較合理。

照以上的分析，把「采」當作形容詞用，釋爲「盛多」，雖然前人沒有說過，但應該是可以成立的吧。

三、「彼采葛（蕭、艾）兮」的句法

從《詩經》的句法來看，「彼采葛（蕭、艾）兮」是具有特別強調作用的主語，它是個詞組，而不是個敘事句，《詩經》中類似的句子如：

(1)「彼美人兮」，西方之人兮（《邶風・簡兮》）

(2)「彼狡童兮」，不與我言兮（《鄭風．狡童》）

(3)「彼君子兮」，不素餐兮（《魏風．伐檀》）

(4)「彼候人兮」，何戈與祋（《曹風．候人》）

(5)「彼旟旐兮」，胡不斾斾（註一〇八）（《小雅．出車》）

所有這種「彼＋詞組＋語助詞」的句子的主詞都是詞組，而不是「彼」，沒有一句例外。舊解釋爲「彼採葛（蕭、艾）兮」，重點在「彼」，依《詩經》習慣似乎應該寫作「彼于采葛（蕭、艾）」，試比較下列句子：

(1)之子于歸，宜其室家（《周南．桃夭》）

(2)君子于役，不知其期（《王風．君子于役》）

(3)鳳凰于飛，翽翽其羽（《小雅．卷阿》）

並列兩種句法，很容易地便可以感受到二者稱述主體的不同。

乙、詩旨的探究

從唐朝的成伯璵到現代，攻《序》者由疑《序》發展爲廢《序》，時人說《詩》幾乎已完全不理會《詩序》了。然而《詩序》果眞完全是秦漢以後人瞎扯亂編、沒有一點參考價値的東西嗎？恐怕也未必盡然。民國六十七年，安徽阜陽雙古堆一號漢墓出土了一批《詩經》殘簡，民國七十三年正式公佈（註一〇九），其中附錄二所收的三片殘簡，論者都以為是《詩序》（註一一〇）：

s附2.1：「后妃獻□」

s附2.2：「風□□□刺風□」

s附2.3：「風君□□□」

s附2.1的文字非常接近《毛詩・周南》前八篇的序，後二條的文字非常接近《詩・大序》，應該就是《阜陽詩經》的詩序吧！《阜陽詩經》不屬於《毛詩》系統，它的抄寫下限是在漢文帝十五年（註一一一），因此《阜陽詩經》的《序》應該是由先秦傳下來的，《阜陽詩經》如此，《毛詩》、三家《詩》也應如此。當然，《詩序》中傳自先秦部份也不見得一定可以採信，但總不該再一概抹殺不理吧！

《王風・采葛》篇《毛詩・序》說：「〈采葛〉，畏讒也。」鄭玄《箋》：「桓王之時，政事不明，臣無大小，使出者則為讒人所毀，故懼之。」三家《詩》中齊、韓無遺說，魯說見《王風・詩譜》下孔穎達《正義》引皇甫謐說：「桓王失信，禮義陵遲，男女淫奔，讒偽並作，九族不親，故詩人刺之，今《王風》自〈兔爰〉至〈大車〉四篇是也。」（註一一二）

旭昇案：皇甫氏所說四篇指〈兔爰〉、〈葛藟〉、〈采葛〉、〈大車〉，他認爲這四篇都是桓王時的詩，但今本《毛詩·序》以〈葛藟〉爲「刺平王」、以〈大車〉爲「刺周大夫」，二家頗有出入，可見二家之說應該沒有互相抄襲的嫌疑。二家都以〈采葛〉爲桓王詩、爲與「讒」有關的作品，這種說法應該有一定的參考價值。據《左傳》，桓王時有許多事確實處理得不太高明，如：

(1)鄭武公、莊公爲平王卿士，王貳于虢，鄭伯怨王，王曰：「無之。」故周、鄭交質，王子狐爲質於鄭，鄭公子忽爲質於周。王崩，周人將畀虢公政，四月，鄭祭足帥師取溫之麥，秋，又取成周之禾，周鄭交惡。（〈隱公三年〉）

(2)鄭伯如周，始朝桓王也，王不禮焉，周桓公言於王曰：「我周之東遷，晉鄭焉依，善鄭以勸來者，猶懼不蔇，況不禮焉，鄭不來矣！（〈隱公六年〉）

(3)王取鄔、劉、蒍、邘之田于鄭，而與鄭人蘇忿生之田：溫、原、絺、樊、隰郕、欑茅、向、盟、州、陘、隤、懷，君子是以知桓王之失鄭也。（〈隱公十一年〉）

(4)王奪鄭伯政，鄭伯不朝。秋，王以諸侯伐鄭，鄭伯禦之。……王卒大敗，祝聃射王，中肩。（〈桓公五年〉）

《國語·周語》中襄王十三年富辰說：「鄭在天子、兄弟也！鄭武、莊有大勳力于平、桓，我周之東遷，晉、鄭是依。……」對這樣的一個兄弟，桓王不但不好好籠絡，還要奪他的政，大概就是由於好聽讒言，所以才弄得政事不明吧！《詩序》說〈采葛〉篇是寫畏懼讒言，與桓王時的背景應該是相當吻合的。由於時代久遠、文獻不足，本詩的歷史背景只能探求到這樣，至於作者是誰、畏懼誰的讒言，恐怕是無法考證了。

據以上的分析，無論是從文字背景、或歷史背景來看，〈采葛〉篇的詩旨以《毛詩・序》說得最為切要，《魯詩》的說法與《毛詩》大致相同。但由於《傳》、《箋》訓釋不當，反而使後人不易接受《序》說。如果依本文的解釋，〈采葛〉篇可以語譯為：

（一章）那茂盛的葛草啊，一天沒見到它，就像三月沒見到一樣！（長得那麼快！）

（二章）那茂盛的蕭草啊，一天沒見到它，就像三秋沒見到一樣！（長得那麼快！）

（三章）那茂盛的艾草啊，一日沒見到它，就像三年沒見到一樣！（長得那麼快！）

本詩寫一位正直的臣子嫉惡小人讒言陷害善良，在他眼中，這些小人夤緣攀附，互相勾結，惡勢力發展得非常快；這些小人所散播的讒言，四處蔓延，速度也非常快，就像葛、蕭、艾一樣。全詩詠草，沒有一個字寫到「畏讒」，而「畏讒」的意思躍然紙上。這種比興手法和〈碩鼠〉篇一樣，是中國文學的傳統手法，但〈碩鼠〉篇的篇旨人人知道，而〈采葛〉篇卻本義湮沒，不為人知，行筆至此，頗生感慨。

貳、《小雅・白駒》古義新證

皎皎白駒，食我場苗，縶之維之，以永今朝，所謂伊人，於焉逍遙。
皎皎白駒，食我場藿，縶之維之，以永今夕，所謂伊人，於焉嘉客。
皎皎白駒，賁然來思，爾公爾侯，逸豫無期，愼爾優游，勉爾遁思。
皎皎白駒，在彼空谷，生芻一束，其人如玉，毋金玉爾音，而有遐心。——《小雅・白駒》

本詩是《詩經・小雅》中常被提到的一篇，《後漢書・徐穉傳》：「林宗有母憂，穉往弔之，置生芻一束於廬前而去，衆怪而不知其故，林宗曰：『此必南州高士徐孺子也。《詩》不云乎：「生芻一束，其人如玉。」吾無德以堪之。』」以「生芻一束」暗喻「其人如玉」，用本詩的典故，恰如其份，使得本詩的文學價值更形提高。但是，由於本詩中的「嘉客」、「無期」、「金玉」等詞的意義並沒有被眞正的弄清楚，因此使得後世對本詩產生了許多異解。以下，本文要針對這幾個關鍵詞做一番疏通，以探討本詩的眞正旨意究竟是什麼。

甲、詩旨探究

和其他的《詩經》篇章一樣，本詩的異說非常多，重要而不同的說法有以下六類：

一、刺不能留賢

1.《毛詩・序》：「〈白駒〉、大夫刺宣王也。」《箋》：「刺其不能留賢也。」

2.范甯《穀梁傳・注・序》：「君子之路塞，則〈白駒〉之詩賦。」

3.曹攄〈思友人詩〉：「思賢詠〈白駒〉。」

4.朱熹《詩集傳》：「爲此詩者，以賢者之去而不可留也，故託以其所乘之駒，食我場苗而縶之維之，庶幾以永今朝，使其人得以於此逍遙而不去，若後人留客而投其轄於井中也。」

5.嚴粲《詩緝》：「當時賢能布列，白駒一賢之去，若未關大體，詩人已爲宣王惜之，蓋見幾也。」

6.范處義《詩補傳》：「刺宣王不能用賢者，賢者去之，詩人眷然欲其留，心乎愛君故也。」

7.姚際恆《詩經通論》：「此思賢者之詩。〈小序〉必謂刺宣王，未見其確。鄭氏謂不能留賢，以合〈序〉意，諸家從之。觀此所以留賢者亦至矣，豈『不能留乎』？或必欲以爲刺王，則謂大夫欲留之，以見王之不能留，庶可耳。」

8.王先謙《詩三家義集疏》：「毛之說詩，每以詩先後限斷時代，其說多不可從。宣末失政，尚非衰亂，毛特以詩寘於此，斷爲一王之詩耳。其爲賢人遠引，朋友離思，固無可疑。而必謂刺王不能留，則詩外之意也。齊說未聞。」

9.裴普賢先生《詩經評註讀本》：「這是君王惋惜賢者不肯出仕的詩。」

二、思朋友

10.蔡邕〈琴操〉：「〈白駒〉者、失朋友之所作也。其友賢，居任也衰亂之世，君無道，不可匡輔，依違成風，諫不見受，國士詠而思之，援琴而長歌。」（《魯詩》說）

11.曹植〈釋思賦〉：「彼朋友之離別，猶求思乎〈白駒〉。」（《韓詩》說．《藝文類聚》二十一引）

12.陳暘《樂書》引古琴曲謂「衰世失朋友而作」。

13.余冠英《詩經選》：「這是留客惜別的詩，前三章是客未去而挽留，後一章是客已去而相憶。」

三、餞殷王後（箕子）

14.何楷《詩經世本古義》：「『〈白駒〉、餞箕子也』，出鄒忠胤《詩傳闡》。陳際泰謂：『白、宋色；客、宋號。言授之縶以縶其馬，《頌》之〈有客〉已言之矣，其諸留微子與其子孫之詩歟。』鄒氏直以為餞箕子也，其說云：『殷人尚白，至周猶仍其色，「乘彼白駒」，非殷士而何？受之以縶維，隆之為嘉客，至公侯不足挽空谷之轍，而尚冀其無金玉爾音，此其意何篤摯。然卒不彊留者，以賢者固各有志無苦相逼也。嘗觀膚敏之億麗、侯服周京者，不為少矣，且以不如夏迪簡在王庭、服在大僚為憾，所謂伊人何獨可近不可攀如此？則予又意非它人，必箕子也。蓋周人誠不吝公侯之爵以寵殷獻臣，而箕子自靖，罔為臣僕，豈肯變其初志？武王亦不敢彊臣之，故訪範之後即封之朝鮮，《雅》歌〈白駒〉、《頌》歌〈有客〉，要之皆此志也。夫殷有三仁，微、箕猶並在，而予獨以如玉目箕子者，蓋微子向已行遯矣。若如抱器奔周之妄說，則必非倏來而忽去，今朝今夕，何煩縶焉？若既就封，既已膺桓圭而為上公矣，爾公爾侯，又何勸焉？即返旆宋都，亦未可云遁思也。夫維箕子釋囚而陳〈範〉，陳〈範〉而又不為臣，是以有朝鮮之長往，「在彼空谷」，此行是已。「無金玉爾音」，其有味乎〈洪範〉之言而更祈嗣音乎？予故曰「〈白駒〉、餞箕子也」』。按：《書・序》云：『武王勝殷，殺受，以箕子歸，作〈洪範〉。』《書・洪範》篇云：『惟十又三祀，王訪于箕子，……。《史記》云：

『武王既克殷，訪問箕子，乃封於朝鮮而不臣也。』〈洪範・大傳〉云：『武王勝殷，繼公子祿父，釋箕子囚，箕子不忍周之釋，走之朝鮮，武王聞之，因以朝鮮封之。』班固《漢書》云：『昔殷道衰，箕子去之朝鮮，教其民以禮義，田蠶織作，爲民設禁八條：相殺以當時償殺，相傷以穀償，相盜者男沒入爲其家奴、女爲婢，欲自贖者，人五十萬，雖免爲民，俗猶羞之。嫁娶無所讎，是以其民終不相盜，無門戶之閉，婦人貞信不淫辟，可貴哉仁賢之化也。』范曄《後漢書》云：『昔箕子違衰殷之運，辟地朝鮮，回頑薄之俗，就寬略之法，行數百千年，故東夷通以柔謹爲風，異乎三方，若箕子之省簡文條而用信義，其得聖賢作法之原矣。』《竹書》云：『武王十六年箕子來朝。』《史記》云：『箕子朝周，過故殷墟，傷故都宮室毀圮，禾黍生焉，欲哭不可，欲泣則爲近婦人，故作〈麥秀〉之歌曰：「麥秀漸漸兮，禾黍由由兮，彼狡童兮，不與我好兮。」殷之遺民聞之，莫不流涕。』蓋箕子自入周後，其出處之見於傳記者如此，當釋囚之後因而陳〈範〉，其時箕子已不肯仕周，而周人亦不忍違其意，聽其行遯，不問所往，厥後避地朝鮮，漸漸有聞，乃始從而封之，箕子見周之所以待己者能盡其道，故又復朝周，誦〈麥秀〉之歌，其情甚悲故國，而其心實公天下，斯固周人之所戀慕而不能已已者也，是詩若爲箕子作，定在陳〈範〉後、遯荒之時，決不在封朝鮮、來朝之日，觀『勉爾遁思』語可見。」

15.吳闓生《詩義會通》：「《序》云『大夫刺宣王也』，前後皆刺宣王，而此加以大夫字，未知何意。《箋》云『刺其不能留賢也』，特就詩意而曲附之解耳。《傳》又云：『宣王之末，不能用賢，賢者有乘白駒而去者。』既無事實，而所說甚淺，此非毛公之文，蓋《傳》文本多竄亂附益也。先大夫曰：『〈祈父〉、〈白駒〉、〈黃鳥〉三詩，宣王之末以下云云，皆《箋》非《傳》，毛公無此例，乃鄭君據《序》作《譜》之說耳。各本惟〈我行其野〉不誤，可訂正彼三詩也。陳奐乃以爲《傳》例如此，誤矣。』先公又曰：『曹子建以此爲送別之詩，語意近是。』闓生又疑爾公爾侯之語，豈常人所可譖稱？當是周天子送殷王後之作。逸豫無期，言就國以後則不復暇豫矣，故今日尚可優遊逍遙也。舊說疑非。」

四、禮拜客神

16.白川靜《詩經研究》：「此詩的『嘉客』是客神，乘白駒，也許是殷人子孫。周王朝的祭祀，對於異民族的衆神和前王朝的子孫也奉同祖神之列，加以禮拜。」

五、放隱士還山

17.方玉潤《詩經原始》：「放隱士還山也。」又：「此王者欲留賢士不得，因放歸山林，而賜以詩也。其好賢之心可謂切；而留賢之意可謂殷，奈士各有志，難以相強。何哉？觀其初則欲縶白駒以永朝夕；繼則更欲縻以好爵，而不暇計賢者之心不在是也；終則知其不可留，而惟冀其毋相絕，時惠我以好音耳。詩之纏綿，亦云至矣。而《序》乃以為刺宣王，毛、鄭之徒遂仍《序》意，謂『宣王之末，不能用賢者，賢者有乘白駒而去者』。朱子初年亦本其說，《集傳》雖不實指宣王，而立說仍不能離去《箋》、《疏》也。試思宣王不能用賢，何以眷眷於賢若是哉。其時中興初定，安知宣王不有貧賤至交，不肯出仕王朝，如嚴光之於漢光武、李泌之於唐肅宗，獨行其志以為高者？此詩之作，正光武所謂『咄咄子陵，不能相助為理耶』、與肅宗所謂『朕非敢相臣，以濟艱難耳』，今方同樂，奈何遽去之意？特無實證，難指其人，若循文案義則如是也。姚氏又謂『或必欲以為刺王，則謂大夫欲留之，以見王之不能留，庶可耳』，然則爾公爾侯之詠，又豈臣下所宜言哉！」

六、中春行執駒之禮

18.郭沫若：「（盠）尊銘言王親自參加執駒之禮，可見古代重視馬政。……在此，有《小雅·白駒》一詩，可以獲得正確的解釋。我現在索性把它翻譯在下邊。……這首詩分明是『中春通淫』——行『執駒』之禮時的戀詩，決不是《詩序》所說『大夫刺宣王』。對白駒而『縶之維之』，即此尊銘所謂『執駒』或『拘駒』。詩中言『爾公爾侯』正表

明公侯也參預典禮、牧場裡是會有女子的，『伊人』可能是公侯的僕從或者同來的『公子』之類。」（註一一三）

以上十八種說法，究以那一種爲是呢？筆者鄙見以爲傳統《毛詩·序》的說法最深刻可從。本詩是宣王時，朝政稍墜，賢人覺得沒有得到應有的重視，抱負不得發展，於是毅然求去，離開朝廷。詩人看了這種情形，深爲國事擔憂，於是寫下了這一首詩，勸賢人要以國事爲重，不要「金玉其音，而有遐心」。由於詩旨是建立在詩的解釋上，如果原詩文句的解釋不正確，當然會導致結論的偏失。本詩所以有這麼多異說，主要是由於對原詩文句的訓詁沒有全面的探討分辨，因此本文希望通過對文句的訓詁，找出《詩經》原文所要表達的意義，其他各家異說的不可信，在文句探討中自然可以呈顯，本文就不予以一一辨析了。

乙、詩義探究

〔一章〕

〔皎皎白駒，食我場苗，縶之維之，以永今朝。所謂伊人，於焉逍遙〕：皎皎的白駒馬，來到我的園中，吃著我園中的苗草，我把牠綁起來，讓牠在這兒渡過一個早上。像白駒馬一樣高潔的那位君子呀，你在何處逍遙？

〔釋詞〕

1.駒：《傳》、《箋》都沒有解釋。《釋文》：「馬五尺以上曰駒。」（其餘考證參本書〈緒論〉敍林義光一節）

2.場：菜圃。《疏》：「〈七月〉注云：『春夏爲圃、秋冬爲場。』〈場人〉注云：『場、築地爲墠，季秋除圃中爲之。』此宜云圃，而言場者，以場圃同地耳。對則四時異名，散則繼（《校勘記》：繼當作繫）其本地，雖夏亦名場也。」

3.苗：菜秧。嚴粲《詩緝》：「穀之始生曰苗、艸之類始生亦曰苗，本草多云春夏采苗是也。場即圃也，言圃中之苗，則菜茹之嫩者，猶今言菜秧，非禾苗也。若以納稼在場，則不名苗矣。」

4.伊人：那個人。鄭玄釋爲這個人，《箋》：「伊當作緊，緊猶是也。所謂是乘白駒而去之賢人，今於何遊息乎？思之甚也。」但依「於焉逍遙」（在那兒逍遙？），則「伊人」仍以釋爲遠指性的那個人比較好。嚴粲《詩緝》：「舊說以伊人逍遙爲賢人實來訪己，非也。伊人猶言彼人，不在此而想像之稱，非覿面之稱也。《唐．有杕之杜》刺不能求賢曰：『彼君子兮，噬肯適我？中心好之，曷飲食之。』〈丘中有麻〉言賢人放逐曰：『彼留子嗟，將其來施施。』皆望其來而不可得之辭，與此詩之意一也。」這是非常精闢的見解。

5.於焉：在何處？《箋》：「所謂是乘白駒而去之賢人，今於何遊息乎？」王先謙：「蔡邕《汝南周巨勝碑》：『于以逍遙。』或《魯詩》有作『以』之本。」「于以」的意思是「往那兒？」或「在那兒？」據這一則可能是《魯詩》的異文，「於焉」的意思和「于以」應該是一樣的。有人把「於焉」解爲「在這兒」——陳奐《詩毛氏傳疏》：「《玉篇》：『焉、是也。』言於是消搖也。」——這種解釋恐怕不太恰當。

6.逍遙：《爾雅・釋訓》：「儴徉也。」儴徉、即徜徉。或作「消遙」、「消搖」。《禮記・檀弓》：「孔子蚤作，負手曳杖，消搖於門。」《詩經・鄭風・清人》：「二矛重喬，河上乎逍遙。」司馬相如〈上林賦〉：「消搖乎襄羊。」從〈檀弓〉來看，逍遙沒有快樂的意味。

〔釋義〕

本章是以白駒食苗比喻臣子就君，宋范處義《詩補傳》說：「良馬以比君子，伊人指賢者也。皎皎白駒喻賢者有潔白之德，宜在朝廷，今乃退而家食，如白駒無芻秣之養，而食苗、食藿於場圃，故詩人欲縶而絆之、維而縶之……。」這是很精闢的解釋。若依傳統的解釋，有些地方不太好講，《傳》：「宣王之末，不能用賢，賢者有乘白駒而去者。」

（「以永今朝」句下）據此，毛《傳》的意思是賢者乘白駒而離去朝廷，但是詩文卻說的是白駒來食我場苗，伊人不知在何處逍遙，《傳》不合詩，非常明顯。其次，詩文「縶之維之」、「以永今朝」的對象是「白駒」而不是「伊人」；「於焉逍遙」的主體是「伊人」，二者的分別非常明顯，傳統把「以永今朝」的主體說成是「伊人」，顯然是與詩文不合的。

〔二章〕

〔皎皎白駒，食我場藿，縶之維之，以永今夕。所謂伊人，於焉嘉客〕：皎皎的白駒馬，來到我的園中，吃著我園中的藿草，我把牠綁起來，讓牠在這兒渡過一個晚上。像白駒馬一樣高潔的那位君子呀，你在何處逗留？

7.藿：豆葉。嚴粲《詩緝》：「藿、豆葉也，亦菜茹之類。」

8.嘉客：和「逍遙」意思類似，也是一個聯綿詞，只是歷來不得其解，我曾在民國八十年四月一日中央日報長河版上發表過〈《詩經．小雅．白駒》篇「於焉嘉客」新解〉一文，現在稍加整理如下：

「嘉客」一詞，毛《傳》、鄭《箋》都沒有解釋，似乎他們認爲這是一個很普通的詞。後世則大致有以下四種說法：

一、《毛詩李黃集解》引鄭氏：「嘉客、上客也。」

二、《詩集傳》：「嘉客、猶逍遙也。」

三、《御纂詩義折中》：「嘉、禮也。以禮留之，使爲客也。」

四、白川靜《詩經研究》：「嘉客、客神也。」

以上四說之中，日本學者白川靜是從民俗學的角度，把「白駒」一詩解釋爲周王朝對異民族（殷商）騎著白駒的客神的祀歌，因而把「嘉客」一詞解釋爲「客神」。其說最新穎，但也最不可信。白川氏對中國的甲骨、金文之學相當有研究，但他的《詩經研究》一書完全拋開了中國傳統的說詩觀點，改從民俗學的角度來探討《詩經》，因此研究結果與中國文化傳統頗有隔閡。如本詩第二、四章，白川氏是這樣解釋的：

騎著白駒的客神悄悄地來到祭場，白駒無意間吃了草秣，遭受縛綁，這夜便被留下來，客神以嘉客的身份降臨（第二章）。　祭祀的人走了，祭場又恢復沉寂寂的空谷，捧一束生芻獻神，他像玉人般仍留在那兒，虔誠祈禱，勿有二心（四章）（註一一四）。

如果「嘉客」眞是客神，而客神的座騎因爲無意間吃了草秣，竟然會遭受縛綁，從傳統文化的觀點而言，這是我們不太能理解、也不太能接受的。再說，詩中殷殷勸勉「毋金玉爾音，而有遐心」，也不太像對客神講話的口吻。因此，白川氏的說法恐怕不可從。清朝孫嘉淦的《御纂詩義折中》把「嘉」解釋爲動詞性的「禮」，文獻上從來沒有這種用法，自我作古，當然也不可從。

把「嘉客」解釋爲「上客」，還可以細分爲二類，第一類是把這位上客說成是箕子、或殷王之後，如何楷《詩經世本古義》云：

〈白駒〉，餞箕子也。（何氏自注：出鄒忠胤《詩傳闡》。）

案：《左傳・僖公二十四年》：「宋、先代之後也，於周爲客。」《周頌・振鷺》：「振鷺于飛，於彼西雝，我客萿止，亦有斯容。」《序》：「二王之後來助祭也。」《振鷺・序》：「微子來見祖廟也。」據以上資料，周代確實有尊殷代之後爲客的禮制，鄒忠胤、何楷之說似乎不是無的放矢。

另一類是把「上客」泛釋爲一般的嘉賓，這是在《詩序》傳統被揚棄之後，最爲一般人所采納的說法。遠的不說，即以一九九〇年四川辭書出版社出版的《詩經楚辭鑑賞辭典》爲例，書中由余冠英語譯、周振甫解說的〈白駒〉篇便是用的這個解釋。

以上這二類把「嘉客」釋爲「上客」的說法，如果不深入分析，似乎都言之成理、並無不通之處。但仔細地分析，這種說法卻完全不能成立。因爲，如果照這樣解釋，「

於焉嘉客」一句應該語譯爲「在這兒嘉賓」，任何人都可以看出這個句子少了一個動詞——「爲」或「當」。其次，如果我們把本詩的第一章和第二章擺在一塊兒看，任何人也都可以看出這兩章的意思是完全一樣的，只是爲了換韻而更動了四個字，換句話說，「於焉嘉客」和「於焉逍遙」的意思應該是完全一樣的。「逍遙」是個形容詞（或不及物動詞）、「嘉客」也應該是個形容詞（或不及物動詞），二者的意思也應該是完全一樣的。因此，「嘉客」這個詞是朱熹解對了——「嘉客、猶逍遙也。」

但是，朱熹並沒有進一步分析爲什麼「嘉客、猶逍遙也」，因此他這個獨具隻眼的解釋提出後，一直到清末，竟然沒有一個人理會，清王鴻緒等編著、大體遵循《詩集傳》的《欽定詩經傳說彙纂》甚至於說：「嘉客非逍遙也，注言猶逍遙者、同爲我留之意也。」點金成鐵，厚誣朱子，眞是令人浩嘆！

旭昇案：「嘉客」和「逍遙」一樣，是個聯綿詞，曾運乾先生《毛詩說》云：「嘉客，旁紐雙聲字。朱《傳》：『嘉客，猶逍遙。』是也。」「逍遙」是個聯綿詞、大家都能理解，至於「嘉客」這個聯綿詞，由於後世換了別種寫法，不再寫成「嘉客」這樣的形式，因此已經沒有人認得它原來也是個聯綿詞了。幸好字書上還保留了一點蛛絲馬跡，《說文解字》卷二：「迦、迦互，令不得行也。」桂馥《說文義證》云：

迦互令不得行也者，互當爲牙。劉貢父云：「唐人書互作⺻，故互、牙易誤。」《玉篇》、徐鍇《韻譜》並作牙，迦牙疊韻也。鍇《繫傳》云「猶犬牙左右相制」是也。《集韻》迦枒本相拒。《漢書・劉向傳》「宗族盤互」，顏注：「字或做牙，謂若犬牙相交入之義也。」〈谷永傳〉「百官盤互」注同，此亦牙、互易誤之證。

《說文通訓定聲》也說：

按：即桂桓、行馬也，後人謂之擋眾。《玉篇》互作牙。迦牙疊韻連語，使不得進之貌。又、《太元》「迎迎父迦逅」，注：「邂逅、解脫之貌也。」字亦作迦、又作邂，詩「邂逅相遇」，邂逅亦雙聲連語。

綜合以上二家的說法，《說文》、《玉篇》中的「迦牙」，意思是「令不得行」，和「邂逅」一詞的結構類似，都是聯綿詞。依筆者之見，「嘉客」就是「迦牙」，這兩個詞的書寫形式雖然不一樣，但都是一音之轉，其實是同一個詞的不同化身罷了！

「嘉客」和「迦牙」二詞幾乎同音，其差別只在「客」、「牙」二字的聲母一屬群母、一屬疑母，但都屬牙音；韻部則一屬鐸部、一屬魚部，是陰陽對轉。因此，這兩個詞是同一來源的聯綿詞，應該是沒有問題的。至於「逅、遘」的韻部和「客、牙」不同，魚

（鐸）部和侯部可旁轉，先秦雖不乏其例（註一一五），但畢竟較為罕見。朱駿聲以為「迦逅（邂逅、邂遘）」和「嘉客」、「迦牙」有關，我們持保留態度。以下，我根據《周法高上古音韻表》把這幾個詞的擬音列在下面：

〔嘉〕歌開二見 *kra　〔客〕鐸開二溪 *k'rak

〔迦〕同上　〔牙〕魚開二疑 *ngraɣ

〔迦〕當同上　〔逅〕侯合一群 *gew

〔邂〕支開二群 *greɣ　〔逅〕同上

〔邂〕同上　〔遘〕侯合一見 *kew

在詞義方面，「迦牙」的意思是「令不得行」（《說文》）、或「使不得進」（《玉篇》）。如果和首章比較，「於焉嘉客」應該相當於「於焉逍遙」，亦即「嘉客」和「逍遙」的意思應該是很接近的。《廣雅·釋訓》：「逍遙、猶儴徉也。」「儴徉」的意思和「令不得**行**」相去並不遠。綜合以上各說，「嘉客」的意思可以解為「令不得行」、「使不得進」，字面稍改一下，可以說成「逗留」。在本詩中，「於焉嘉客」可以語譯為「在那兒逗留」。

〔釋義〕

本章全同首章，寫一位離開朝廷的賢人，不知在何方逗留，而被他的朋友深深的思念著。

〔三章〕

〔皎皎白駒，賁然來思。爾公爾侯，逸豫無期，愼爾優游，勉爾遁思〕：皎皎白駒，奔跑到我的園子裡來。你本是公侯，應該爲國事效勞，爲何卻長期地在外逸豫安樂呢？我憂慮你就這麼隱遁優游，不肯出來爲國事盡力，你還是打消這種隱遁的想法吧！

〔釋詞〕

9. 賁然：舊說有二：《傳》：「賁、飾也。」《箋》：「《易》卦曰：『山下有火，賁。』賁、黃白也。」《疏》：「此賁賁必爲賢者之貌，《箋》、《傳》不言貌，此思賢者，當以車服表之，皎皎爲馬之貌，賁賁不宜爲人之貌，蓋謂其衣服之飾也。」這是第一種解釋。《釋文》：「賁、彼義反。徐音奔。」馬瑞辰：「京房《易》傳：『五色不成謂之賁。』文雜采也。上言白駒，下不得言雜色，《正義》蓋謂其衣服之飾，非詩義也。《釋文》：『賁、徐音奔。』奔賁古通用，《詩》『鶉之奔奔』，〈表記〉、〈呂覽〉引詩俱作『賁賁』是也。〈弓人〉鄭注：『奔、猶疾也。』賁然蓋狀馬來疾行之貌。」這是第二種解釋。第一種解釋的缺點，馬瑞辰已經說得很明白了，賁然當然以釋爲馬奔疾的樣子比較好。

10.爾公爾侯：你本是公侯。王質《詩總聞》：「此必舊爲公侯，而今遠遁山林者也。」其餘舊說則都說得不切，如毛《傳》說：「爾公爾侯邪？何爲逸樂無期以反也。」好像公侯就可以逸豫，其他人就不可以。呂祖謙《呂氏家塾讀詩記》引陳氏曰：「於是責在位之人曰：爾公爾侯，但逸豫宴安無期度。」詩人指稱的對象，忽而指離去的賢者、忽而指朝中重臣，這種解詩態度，未免太過任意，呂祖謙《呂氏家塾讀詩記》既引陳氏之後，已立刻指出了這種錯誤。至於朱子《詩集傳》說：「言此乘白駒者，若其肯來，則以爾爲公、以爾爲侯，而逸豫無期矣！猶言『橫來，大者王、小者侯』也。」以漢高祖對田橫招降的話來解挽留朝中賢人的詩，未免唐突，姚際恒《詩經通論》也明白地指出了這一點。

11.逸豫無期：毛《傳》：「何爲逸樂無期以反也。」可從。至於部份解詩家以無期爲無此時機，實不可從。如馬瑞辰《毛詩傳箋通釋》：「言若爾爲公侯，則將憂時病國，終無逸豫之期，而因以其優游隱遁爲深憂也。」銅器中「眉壽無期」（《褱自乍飤𣪘》）、「萬年無期」（《王子午鼎》）、「萬壽無期」（《子季𠥓》）等類似的句法很多，都是肯定式，沒有作否定式，像馬瑞辰那種解釋法的。

12. 愼爾優游：愼、毛《傳》釋爲「誠」，則本句似乎解爲「果眞你隱遁優游了」。宋戴溪《續呂氏家塾讀詩記》釋爲「謹」，意思是「愼重決定你的隱遁優游」，解得比毛《傳》清楚。馬瑞辰《毛詩傳箋通釋》說：「《方言》：『愼、憂也。』愼爾優游，猶言憂爾優游也。勉爾遁思、亦望其勿遁之辭。」依馬氏，本句當解爲「我憂慮的是你的隱遁優游」。

13. 勉爾遁思：勉、一般都照字面解，如孔《疏》：「勉力行汝遁思之志，勿使不終也。」但這樣講和全詩的主旨齟齬不合。馬瑞辰《毛詩傳箋通釋》說：「勉爾遁思、亦望其勿遁之辭。」余冠英《詩經選》說：「勉、抑止之辭。」二說較合詩意。裴普賢、糜文開《詩經欣賞與研究》第三輯：「勉、通免。……即打消之意。」說得更清楚。遁思、隱遁的想法。思字前人或釋爲語詞，李黼平《毛詩紬義》：「此『來思』、『遁思』二思皆語助，不爲義也。」其說也可通，但與上句對看，則思字仍以說成「想法」較好，前後句法較整齊。

〔釋義〕

本章由於對「爾公爾侯」的解釋不同，所以影響了對整首詩的體會。依本文之說，隱遁者本來就是朝中重臣、公侯之尊，連這樣地位的人都要隱遁，所以詩人會憂心國事，再三力挽賢人不要走。如果依其他解釋，隱遁者本非重臣，詩人何以知道他是公侯之才？

如果一定要這樣解，那麼只好說這首詩就是周王所作的，《詩集傳》便有這樣的意思。然而，說到這個層面已和《詩序》相去不遠了，又何必先廢《詩序》而後與之相去不遠呢？

〔四章〕

〔皎皎白駒，在彼空谷。生芻一束，其人如玉，毋金玉爾音，而有遐心〕：皎皎白駒，在廣闊的山谷中，我拿著最好的青草餵著牠。想到離去的賢人如玉般的高潔，你不要平時的理想說得這麼偉大動人，眞正國家需要你時，你卻有隱遁的念頭啊！

〔釋詞〕

14. 空谷：大谷。毛《傳》：「空、大也。」

15. 生芻：新鮮的青草，是餵馬最好的草料。嚴粲《詩緝》：「生芻、新刈之草，所謂青芻也。」又：「杜詩：『與奴白飯馬青芻。』則以草新刈而青者爲愛客之厚，此詩則以生芻見賢者之處淡薄，其意各有所主，季文子無食粟之馬、唐人詩『官清馬骨高』、山谷詩『貧馬百䓪逢一豆』，皆因馬以見人也。」嚴氏以「草新刈而青者爲愛客之厚」是對的，但說「此詩則以生芻見賢者之處淡薄」則有可商。生芻飼駒，仍是喻君待賢臣。

16. 毋金玉爾音：金玉爾音、指說得很漂亮。舊說都從《鄭箋》以金玉爲「貴重珍愛」，全句意思是「你不要捨不得給我捎個信兒」。這個解說和全詩的意思完全不切合，實不可從。

17.遐心：隱遁逸豫之心。《鄭箋》釋爲「遠我之心」，「我」不知道是誰？詩人乎？周王乎？頗不可解。

〔釋義〕

本章歷來的解釋都很不清楚，因爲舊說對前面三章的內容、角色都交代不清，以致於末章也變得非常費解，依《鄭箋》之說，末章是詩人和隱去的賢者在談私交的對話。全詩詩旨是爲國留才，而末章卻以私交作結，豈能算是一流的佳作？事實上，本章與前三章的詩旨完全一樣，都是勸賢者不要遠遁，全詩一氣而下，渾然天成。

丙、結語

本詩全篇以白馬食苗藿生芻比喻臣子食君之祿，應該忠君之事。首、二章淡起，感嘆這位本來應該在朝爲國劬勞的賢人，如今不知在何處逍遙逗留；三章直接點出賢人本在朝爲公爲侯，如今卻逸豫無期，令人憂心，因而勉之打消隱遁之心；末章更指出此賢人一向金玉其言，甚具理想抱負，不可於此時而有遐心。全章文義明白，情深意摯，《毛詩・序》說本詩是「大夫刺宣王也」，《鄭箋》說是「刺其不能留賢也」，與詩文內容並無不合。

宣王為西周末的中興之主，據《史記・秦本記》，周宣王即位，以秦仲為大夫，誅西戎。據《詩經・小雅・采薇》、〈出車〉、〈六月〉、〈采芑〉及銅器《兮甲盤》、《虢季子白盤》、《不嬰簋》，宣王曾出兵伐玁狁，並獲得勝利。但宣王時國勢並不是非常強盛，甚至於可以說已經是西周國運的強弩之末了，《中國史稿》這麼形容著這個時期：「這是一個戰爭頻繁的時期，越到後來，越暴露出宗周內部的虛弱。到宣王晚年，除戰勝一次申戎外，伐太原戎、條戎和奔戎，都遭到失敗；特別是伐姜戎之役，戰於千畝，大敗而還，把調去的南國之師全喪失了。周王本有西六師和成周八師，現在調用南國之師，反映了兵力的枯竭。……於是宣王乃『料民於太原』，……充份反映出宣王時期周朝的外強中乾。當時統治階級內部的人議論紛紛，認為這是周朝行將滅亡的徵兆。宣王還伐魯國，殺死魯懿公，強立其弟孝公，從而同姓諸侯也就出現了不和的現象。一些貴族惶惶不安，有的看情況不利，就準備逃跑，以免同歸於盡。」（註一一六）在這樣的條件下，賢者離開宣王，詩人為之憂心忡忡，因而寫下了〈白駒〉這樣的詩，誰云不宜？宣王還算是中興明君，賢者留下來還可以有所作為，所以詩人會勸賢人留下來；如果是太昏庸的君王，賢人留下來也不可能有所建樹，詩人縱然惜才，不會叫人白白留下來受辱吧。由此看來，《小雅・白駒》的時代還非斷在周宣王時不可。姚際恆《詩經通論》說：「此思賢者之詩。小序必謂刺宣王，未見其確。」我不知道姚際恆是根據什麼說斷在宣王時代「未見其確」？《國語・周語下》：「靈王二十二年，穀洛鬥，將毀王宮，王欲壅之，太子晉諫曰：『不可，……自我先王，厲、宣、幽、平，而貪天禍，至於今未弭。』」這是周人對當代先王的評語，呂祖謙《呂氏家塾讀詩記》說：「宣王、中興之祖也，至與幽、厲並數之，其辭雖過，觀是詩所刺，豈無所自歟！」（註一一七）呂氏所說甚是，我們透過文句訓詁，明白了本詩的內容及時代背景，其他那些空泛的、無根的說法，就不必一一置喙了。

結語

《詩經》是一部迷人的經典，二千餘年來學者對它的研究多得汗牛充棟，多到初學者該怎麼去讀它，都成爲令人困惑的一件事了，所以梁任公在《要籍解題及其讀法》中曾說：

《詩》居六藝之首，自漢以來，傳習極盛，解說者無慮千百家。即今現存之箋釋等類書，亦無慮千百種，略讀之已使人頭白矣，故吾勸學者以少讀爲妙。

梁任公的話是對初學者說的，所以他開出來的書單是《韓詩外傳》、《新序》、《說苑》、《三家詩遺說考》、十三經注疏本《毛詩》、《詩毛氏傳疏》、《毛詩傳箋通釋》、《毛詩後箋》、《經傳釋詞》、朱子《詩集傳》、《詩古微》、《讀風偶識》、姚際恆《詩經通論》等，都是極爲基本而重要的書。至於初學之後，要進入研究的層次，當然是不能只以這些書爲滿足的。

一時代有一時代的觀念及風氣，呈顯在《詩經》研究上的也是這樣，漢儒的著作和宋儒不同，清儒的著作又和宋儒不同，那麼，生當今世，我們研究的方向在那裡呢？梁任公在《要籍解題及其讀法》中說：

吾關於整理《詩經》之意見有二：其一、訓詁名物之部，清儒箋釋已什得八、九，彙覈參訂，擇善以從，泐成一極簡明之注，則讀者於文義可以無閡。其二、詩旨之部，從《左傳》所記當時士大夫之「賦詩斷章」起，次《論語》、《孟子》、《禮記》及周秦諸子引《詩》所取義，下至《韓詩外傳》、《新序》、《說苑》及兩《漢書》各〈傳〉中之引《詩》語止，博採其說，分系本詩之下，以考見古人「以意逆志」、「告往知來」之法，俾詩學可以適用於人生，茲事爲之並不難，惜吾有志焉而未之逮也。

梁氏的話從正面看，是「訓詁名物之部，清儒箋釋已什得八、九」，所以《詩經》的文字已經大部份都可以通讀了；但是從相對的角度來看，也可以體會成清儒箋釋尙有什之一、二還未能解決，而這什之一、二卻往往是通讀《詩經》最關鍵的地方，這些地方如果不解決，那麼「詩旨之部」是無法進行下去的。有關「訓詁名物」之部的重要，潘師石禪在民國八十三年由師大主辦的「第一屆經學學術研討會」開幕講詞中說：

了解作《詩》的歷史背景後，對於《詩》文，還須掃除兩個障礙。第一個是文字的

> 障礙。因爲語言文字，隨時隨地而有異，並非一成不變的東西。如果用後代語文的意義來解釋古代的語文，必將圓鑿方枘，謬誤百出。《詩經》、《傳》、《箋》的解釋，便是用古代語文習用的意義，而不是用後世語文習用的意義。……能夠認清語文古今的同異，便可掃除讀《詩》的文字障。其次，須掃除讀《詩》的事制障。古代人生活習慣，道德標準，和後代人有大大的差異。同一句話，出之於古人之口，或出之於後人之口，它的意思，便可能有絕大的差異。……如果能探求古代事制的眞象來詮釋《詩》義，就可以掃除讀《詩》的事制障。

潘師所提出來須掃除的兩個障礙，的確是研究《詩經》最令人困惑的障礙。本書所以要從古文字去探求《詩經》的古義，最終目的便是要掃除文字障，文字障掃除之後，事制障才能掃除，後續的詩旨探求的障礙也才能一一破除。十餘年來，個人研究的成果集結於此，共得二十三篇，其中「字句訓詁編」共有十四篇、「名物制度編」共有七篇、「篇章通解編」共有兩篇，全部都是透過古文字的成果來探討歷代學者對《詩經》所作的傳箋注釋。這其中「字句訓詁編」和「名物制度編」又是「篇章通解編」的基礎工作，而十餘年來「篇章通釋」的成果才只有兩篇，這樣的成績似乎是少了，當然，這也顯示了詩旨探求的確很困難，個人有待努力的地方還非常多。

除了「訓詁名物」之部以外，《詩經》研究當然還有很多方向，文法修辭的分析，詩義詩情的欣賞，史事史義的發揮，興、觀、群、怨、修、齊、治、平的體會，都是《詩經》不可忽視的功能，也是研究《詩經》者理應努力的方向。只是個人在《詩經》研究的道路上年資尚淺，用力有限，本書只能在考據的層次上，一磚一瓦地做些奠基的工作，至於磚瓦地基之上的百官之美、宗廟之富，只有留待來日、或俟諸高明了。

【註釋】

一：四部叢刊據上海涵芬樓藏明沈氏野竹刊本影印之《韓詩外傳》卷二葉八作「子與我，吾將與子分國；不與我，殺子，直兵將推之，曲兵將鉤之。……晏子曰：『留以利而倍其君，非仁也；劫以刃而失其志者，非勇也。』……《詩》曰：『羔裘如濡，恂直且侯。彼其之子，舍命不偷。』晏子之謂也。」內容與胡承珙所引的不大相同，因爲牽涉到斷句的關係，所以此處必需引出原文，以資說明。

二：⿰金小字一般連下牛字隸定作金、小牛。今依《史徵》隸定作⿰金小，⿰金小、美金也。

三：纛字出《集韻》，或作纛，纛、《廣韻》「徒到切」，音義和「翿」相近。但胡承珙原文作「翿」，不知道馬瑞辰引胡文爲什麼改爲「纛」。

四：據《說文詁林正補合編》六第九二五頁引。

五：一九八三年出版的《古文字研究》第八輯中，有一篇由李先登撰寫的〈孟廣慧舊藏甲骨選介〉對這兩條做了簡單的考釋，並把⿱宀虎字釋爲冡：「⿱大豕爲人名，是武丁時的武官。⿱宀虎字即《說文解字》的冡字，即今蒙字。𠬝讀爲俘。這是有關從戰爭中獲取戰俘的卜辭。同樣事類的卜辭，如《庫方二氏藏甲骨卜辭》三六三『⿱大豕隻』、《殷虛文字乙編》三一二七『貞⿱大豕弗其隻』、

《甲骨續存》上七六三「□辰□，豕麃不其隻」等。」大旨與胡文相同。

六：參陳夢家《卜辭綜述》第九章第三三○頁、張秉權先生《甲骨文與甲骨學》第十二章三○三頁。

七：參拙作《甲骨文字根研究》「王」字條下。

八：見《西清續鑑》甲編第十三卷第一、二頁，名爲《周叔綏簠》，《總集》2899、《邱集》3136。此器本是清宮舊藏，由於種種原因，流落到海淀區，埋入地下，五十年代又被發現。參董楚平《吳越徐舒金文集釋》，浙江古籍出版社，一九九二年，第八十四頁。

九：顧氏所引唐蘭之說的原出處我一時還找不出來，這裏只能轉引顧氏引唐蘭的話，顧說見〈三皇考〉，二十五年一月《燕京學報專號》之八，又見《古史辨》第七冊中第五十二頁。

十：參拱辰〈釋呂方方皇于土〉，見《文史哲》一九五五年第九期。

十一：參王獻唐《古文字中所見之火燭》，齊魯書社，一九七九年七月，一○七至一一○頁。

十二：參李孝定先生《甲骨文字集釋》第六卷，二○六一頁。

十三：參劉釗〈卜辭所見殷代的軍事活動〉，《古文字研究》第十六輯，一九八九年，一○六頁。

十四：顧頡剛〈三皇考〉，參注九。

十五：參《金文詁林》○○三五號所引各家之說。

十六：這個字形見《乙》五二九六（《合集》二一〇七三），于省吾先生釋「斧」，以為與「□」形（《甲骨文編》二五九七號釋「□」）同字，《粹》一〇〇〇云：「其□，戈一□九。」于省吾先生釋云：「甲骨文的其□，指的是祭祀時的儀仗隊，故以戈一斧九為言。」說見《甲骨文字釋林．釋斧》第三四二至三四四頁。旭昇案：于釋□為斧顯然是有問題的，遍查甲骨文中的「土」以及从「土」的字一律都作□、□等形，不作□形。只有□字（《合》一七九六四），左从人，右似从東从土，但此片殘泐，只剩一字，而且此字的右上還殘泐，所以究竟是何字，是否从土還未可定；另有□字，《類纂》摹作□，列在〈字形總表〉第六六五號，未釋，照字形看，其右下似从「㞷」，而「㞷」字所从的「土」形似作「□」。但《類纂》的這個字形實際上是摹錯了的，它和《類纂》列在〈字形總表〉第六七七號的□字根本就是同一個字，都是□字的誤摹，《類纂．字形總表》第六六五號的□字見《合》一八一四二，辭云：「庚子卜貞其□……秉于……。」因為此字右下漫漶，所以《類纂》摹成□。至於《類纂》列在〈字形總表〉第六七七號的□字則見於《合》一八一五七，辭云：「庚……貞其□秉□今夕……。」此字左下殘，細審其形，應該和《類纂》六七七號的□同字。這二片甲骨刻辭的字體風格相同，文例也一致，二者應是一片之殘，最低限度也應該是同一時期、同一事類的卜辭（參附圖）。由此可知《類纂》六七七號的□

字右下實不从㞢，也不能從這個字證明「土」字可以作「𡈼」。綜上所述，甲骨文的「土」字形應作[字形]、丄形，不應作𡈼形。因此，我以爲[字形]字的上部雖然像斧，但其實是鉞；下部並不是从土，而是从王，全字應釋爲从戉王聲，也就是「鉞」字。因爲鉞形和斧形完全一樣，所以寫這個字的人爲了要讓人知道這是個鉞字，因此加上了「王」聲。《粹》一〇〇〇的「其[字形]，戈一[字形]九。」于省吾先生釋爲祭祀時的儀仗隊，應該是可信的，但是說成儀仗隊拿的是「戈一斧九」，就很有問題了，斧是不上檯槃的工具，是階級身份比較低的人用的，怎麼可能拿來做祭祀時的儀仗呢？但是，如果說成是鉞就完全沒有問題了，因爲「鉞」是王權的象徵。「[字形]」釋爲「鉞」，則「[字形]」亦以釋爲「鉞」較爲妥當。甲骨文中的「耳」和「戉」很相近，但是「耳」字耳形後的橫畫沒有超過短豎畫的，而「戉」字的橫畫通常是超過短豎畫的，因爲那一橫畫代表的是鉞的柄，所以寫得比「耳」字要長。

《合》18142

《合》18157

十七：參林澐〈說王〉，《考古》一九六五年六期，三一一至三一二頁。
十八：參劉釗〈卜辭所見殷代的軍事活動〉，《古文字研究》第十六輯，一九八九年，一一三頁。
十九：參趙誠《簡明甲骨文字典》，北京中華書局，一九八八年，第三一四、三二八頁。
二十：參周法高先生《金文零釋．師旂鼎考釋》，第四十二葉。國立中央研究院歷史語言研究所專刊之三十四。臺聯國風出版社重刊，六十一年三月。
二一：見漢京出版社《皇清經解續編》第十六冊，一二〇九三頁，汪遠孫著《國語發正》卷八葉六。
二二：薛安勤、王連生合著，《國語譯注》，吉林文史出版社，一九九一年，頁三四四。
二三：見中華書局四部備要據平津館本校刊《穆天子傳》，卷五第五葉上。衛聚賢說及其他有關眞僞的考證請參張心澂《僞書通考》，明倫出版社六十一年影印，第五一四至五二〇頁。
二四：有關周原甲骨的討論文章可見下諸篇：
陝西周原考古隊〈陝西岐山鳳雛村發現周初甲骨文〉《文物》1979.10
徐錫臺〈周原出土的甲骨文所見人名官名方國地名淺釋〉《古文字研究》第一輯 1979
徐錫臺〈探討周原甲骨文中有關周初的曆法問題〉《古文字研究》第一輯 1979
李學勤．王宇信〈周原卜辭選釋〉《古文字研究》第四輯 1980
張政烺〈試釋周初青銅器銘文中的易卦〉《考古學報》1980.4

李學勤〈西周甲骨的幾點研究〉《文物》1981.9

范毓周〈試論滅商以前的商周關係〉《史學月刊》1981.1

顧鐵符〈周原甲骨文楚子來告引證〉《考古與文物》1981.1

張亞初・劉雨〈從商周八卦數字符號談筮法的幾個問題〉《考古與文物》1981.2

嚴一萍〈周原甲骨〉《中國文字》新一號　藝文印書館　1980.3

徐錫臺〈周原卜辭十篇選釋及斷代〉《古文字研究》第六輯　1981

陝西周原考古隊、岐山周原文管所〈岐山鳳雛村兩次發現周初甲骨文〉《考古與文物》1982.3

徐錫臺〈周原出土卜辭選釋〉《考古與文物》1982.3

陳全方〈陝西岐山鳳雛村西周甲骨文概論〉《四川大學學報叢刊》—《古文字研究論文集》1982.5

徐中舒〈周原甲骨初論〉《四川大學學報叢刊》—《古文字研究論文集》1982.5

繆文遠〈周原甲骨所見諸方國略考〉《四川大學學報叢刊》—《古文字研究論文集》1982.5

徐錫臺〈周原甲骨淺釋〉《古文字論集》—《考古與文物叢刊》第二號　1983.11

徐錫臺〈周原齊家村出土西周卜辭淺釋〉《西周史研究》—《人文雜誌叢刊》第二期

1984.8

陳全方〈周原新出土卜甲研究〉《西周史研究》—《人文雜誌叢刊第》二期 1984.8

李學勤〈續論西周甲骨〉香港《中國語文研究》第七輯 1985.3

高　明〈略論周原甲骨的族屬〉《考古與文物》1984.5

徐錫臺〈周原甲骨試釋〉《古文獻研究》文物出版社 1985

王宇信《西周甲骨探論》中國社會科學出版社 1984

徐錫臺《周原甲骨文綜述》三秦出版社 1987

陳全方《周原與周文化》上海人民出版社 1988.9

二五：此字舊釋貯（金文編一〇〇九號），楊樹達於《積微居金文說》中之〈格伯簋跋〉一文中謂「疑讀為賈」，一九七四年山西聞喜上郭村出土《賈子簋》，李學勤先生指出此銘文有「賈子」，與荀國器同時出土，即文獻荀、賈之賈。（見李學勤〈重新估價中國古代文明〉、劉翔〈賈字考源〉）。

二六：考釋中山國銅器的文章很多，茲列舉比較相關者如下：

河北省文物管理處〈河北省平山縣戰國時期中山國墓葬發掘簡報〉《文物》1979.1

于豪亮〈中山三器銘文考釋〉《考古學報》1979.2

朱德熙・裘錫圭〈平山中山王墓銅器銘文的初步研究〉《文物》1979.1

杜迺松〈中山王墓出土銅器銘文今譯〉《文獻》1981

張政烺〈中山國胤嗣好蚉壺釋文〉《古文字研究》第一輯 1979

陳邦懷〈中山國文字研究〉《天津社會科學》1983.1

黃盛璋〈河北平山縣戰國中山國墓葬與遺物的歷史和地理問題〉《史學月刊》1980.2

陳邦懷〈中山國文字研究〉《一得集》一三八頁

饒宗頤〈中山君嚳考略〉《古文字研究》第五輯 1980

商承祚〈中山王嚳鼎壺銘文芻議〉《古文字研究》第七輯 1982

黃盛璋〈中山國銘刻在古文字語言上若干研究〉《古文字研究》第七輯 1982

朱歧祥〈中山國古史彝銘考〉臺大中研所碩士論文 1983

馬承源《商周青銅器銘文選》㈣ 文物出版社 1990

二七：爲討論上之方便，本文徵引諸家之說，除另有說明者外，均詳見下列各文：

臨潼縣文化館〈陝西臨潼發現武王征商簋〉《文物》1977.8

唐蘭〈西周時代最早的一件銅器利簋銘文解釋〉《文物》1977

唐　蘭《西周青銅器銘文分代史徵》7-11頁。

于省吾〈利簋銘文考釋〉《文物》1977.期

張政烺〈利簋釋文〉《考古》1978.期

馬承源《商周青銅器銘文選》㈢　文物出版社　1990

鍾鳳年・徐中舒・趙誠・王宇信等〈關于利簋銘文考釋的討論〉《文物》1978.7

嚴一萍〈從利簋銘看伐紂年〉　藝文印書館《中國文字》新八期　1983.10

商承祚〈關于利簋銘文的釋讀〉《中山大學學報》1978.2

高　明《中國古文字學通論・西周彝銘選讀》438-439頁。

田宜超〈虛白齋金文考釋〉《中華文史論叢》1980.4

欒繼生〈利簋銘文辨析〉　中國古文字研究會成立十周年學術研討會宣讀　1988

黃盛璋〈利簋的作者身分、地理與歷史問題〉《歷史地理與考古論叢》256-268頁。

蔡運章〈「[illegible]師」新解〉《中原文物》1980.4

唐復年《金文鑒賞》23-34頁。

二八：參向熹先生《詩經詞典》第五六五頁。

二九：參《金文詁林》卷十四第八二九七頁。

三十：耜是形聲字，其聲符「㠯」並不兼義。耜的初文是「力」，力字甲文作⺈，與考古出土的耜形惟妙惟肖。參裘錫圭先生《古文字論集·甲骨文中所見的商代農業》第一六二頁。

三一：參《青銅時代·由周代農事詩論到周代社會》第七九頁所引甲骨釋文。

三二：參《甲骨文字釋林》第四十六頁。

三三：魯師說見《文字析義》第七五二頁，其餘另加注者外，均參《甲骨文字集釋》卷十二第三七三七頁。

三四：參〈釋㠯〉，《中國文字》第八冊，民國五十一年出版。

三五：最近的資料見黃錫全〈甲骨文㞢字試探〉，載《古文字研究》第六輯；唐鈺明〈㞢、又考辨〉，載《古文字研究》第十九輯。

三六：參《古文字論集·說以》，第一〇六頁。

三七：參張師學波《詩經篇旨通考》第四〇頁。

三八：《詩經·大雅·鳧鷖》「公尸來燕來處」，《傳》：「處，止也。」

三九：參陳壽祺《尚書大傳輯校》，漢京本《皇清經解續編》第二冊第一一七四頁。

四十：唐蘭以為迎周公在攝政二年，又以為〈歸禾〉應該在〈金縢〉之後，〈大誥〉之前（見《西周青銅器銘文分代史徵》第十八至二十頁），恐怕是有問題的。〈金縢〉說「周公居東二年，則罪人斯得」，是迎周公當在攝政三年。

四一：丁聲樹云：「『式穀』疑係成語。舊解多訓『式』爲『用』，……『穀』爲『善』，不安。」（〈《詩經》式字說〉）但他並沒有說出「式穀」到底是什麼意思。

四二：見該書周秉鈞序第四頁。

四三：《左傳．定公十年》「封疆社稷是以」，杜注：「以，爲也。」爲，讀去聲，與朱子《詩集傳》讀平聲的「爲」音義不同。

四四：記或作己、或作其，參阮元《校勘記》。

四五：迈或作近，當非，參阮元《校勘記》。

四六：〈釋詩彼其之子〉，《書目季刊》十九卷四期頁六十，一九八六年三月。

四七：〈詩經成語試釋〉，《慶祝莆田黃天成先生七秩誕辰論文集》頁二八，文史哲出版社，一九九一年六月。

四八：參方炫琛學長著《左傳人物名號研究》頁三，政大博士論文，一九八三年七月。

四九：此處的「記」應該是「其」或「己」的同音通假。

五十：參曹定雲〈亞其考〉，《文物集刊》第二集，一九八〇年十月。

五一：貞人矣見於以下資料：

合　22538　22577　22592　23481　23559　23560　23581　23589　23590　23591
23592　23593　23594　23680　23805　24132　24134　24136　24162　24904
25031　25145　25353　25460　25942　25956　25987　25997　26092　26186
26189　26360　26373　26374　26375　26376　26377　26378　26379　26380
26381　26382　26399　26453　26454　26664　26665　26666　26667　26668
26669　26670　26671　26672　26673　26674　26675　26676　26742　26743
26744　26745　26746

英　1926　2082　2204　2226

懷　1275

五二：甲骨文中㠱的資料見於以下各片：

合9570　甲子卜𠂤貞于翌乙丑𢀛㠱　乙丑允𢀛（一期）

合9571　……翌乙……𢀛㠱……………𢀛㠱不遘……（一期）

合9573　……翌乙……𢀛…………乙丑…㠱……（一期）

合36416　……貞翌日乙酉小臣……其……又老㠱侯
……王其……以商庚卯王弗每（五期）

合36524 ……我以㠱……𢀛夂受…… （五期）

合36525 癸未卜在師貞今𡆥巫九𠧟王于㠱侯缶𠂤王其在㠱𡿧正 （五期）

合36956 庚寅卜在㠱貞王步于𠂤亡災（五期）

五三：參《山東古國考》頁二三。唯王氏解釋㠱、其之聲韻現象稍有可商。

五四：參〈北京、遼寧出土銅器與周初的燕〉，晏琬《考古》一九七五年第五期。

五五：參〈山東壽光縣發現一批紀國銅器〉，《文物》一九八五年三月。報告把這一批銅器的時代訂在商末，並沒有很堅強的證據。我認爲邊陲地區的流行比中原地區似乎總會慢一點，所以斝的花紋形制是屬於殷末周初，那麼銅器的時代或許可以斷在周初。

五六：參《金文詁林》卷十四第一八五〇號「己」字條下。從文獻看，學者也早已指出這一點，《春秋·桓公二年·經》：「紀侯來朝。」《穀梁傳》：「桓內弒其君，外成人之亂，於是爲齊侯、陳侯、鄭伯討，數日以賂。己即是事而朝之。」范甯《集解》：「己、紀也。」是文獻上古人也以爲「紀」、「己」本爲一國。

五七：參《金文詁林》卷十四第一八五一號「㠱」字條下。

五八：參〈煙臺市上夼村出土㠱國銅器〉，《考古》一九八三年四期。

五九：參《海外中國銅器圖錄》首章—〈中國銅器概述〉頁九。

六十：古代諸侯夫人「既嫁，非有大故不得反」，王婦則文獻無徵。參周師一田〈春秋歸寧禮辨〉，《中華學苑》第五期四一頁。

六一：《太平御覽·八十四》引古本《竹書紀年》。

六二：莊公四年《公羊傳》：「哀公烹乎周，紀侯譖之。」

六三：《左傳·隱公元年》：「八月，紀人伐夷。」

六四：《春秋·隱公二年·經》：「冬十月，伯姬歸于魯。」八年《經》：「祭公來，遂逆王后于紀。」九年《經》：「春，紀季姜歸于京師。」

六五：參〈黃縣㠱器〉一六八葉。

六六：參漢京本《通志堂經解》第四十冊，頁二三四八七，〈《王風·揚之水》章彼其之子辯〉。

六七：見〈詩經成語試釋〉。

六八：一般的本子都作「其君儉以能勤」，但據《釋文》：「其君子、一本無子字。」可見原來的《詩序》應作「其君子儉以能勤」。

六九：事、或作士，此從阮元《校勘記》。

七十：參《四庫全書總目·卷十七·經部詩類二》，第四十七葉。

七一：見《史記·管晏列傳》。

七二：見《禮記·禮器》篇及鄭玄注。

七三：見《史記·高祖本紀》。

七四：見《史記·平津侯主父列傳》。

七五：見《詩本義·卷十三·取舍義》。

七六：見《中國古代社會研究》第二章第二節第三小節〈新有產者的勃興〉，一四四頁。

七七：各本此處都作「凡侯伯救患、分災、非其禮也」，義不可通，茲從阮元《校勘記》改。

七八：成功大學歷史語言研究所研究生吳萬鍾以此爲碩士論文題目，〈詩經關雎篇之研究〉，黃永武、葉政欣先生指導，民國八十年畢業，蒐羅資料頗豐，可以參考。

七九：參陳喬樅《三家詩遺說考》、王先謙《詩三家義集疏》。

八十：鄭注及王說，學者之間也有不表贊同的，曾永義先生在《儀禮樂器考·柒·樂縣考》中即引敖繼公說，以爲〈鄉飲酒禮〉理應有鐘，只是經文沒有說而已，賓出奏陔，陔夏爲樂章之名，那麼，豈有播樂章而單以鼓來演奏的。拙作碩士論文〈詩經吉禮研究〉第一四一頁則以爲禮有等差，鄭玄明言大夫、士有鼓無鐘，而經文又不言有鐘，自不宜以理推之，陔夏爲節奏音樂，當可以鼓演奏。

八一：此處所引和陳壽祺《五經異義疏證》文字相同，而和《毛詩·正義》微有不同。但大旨不差。

參漢京出版社出版《皇清經解》第十八冊第一三四〇九頁。

八二：見朱守亮先生《詩經評釋》。

八三：臧琳《經義雜記》以爲「彼交匪敖」當讀爲「匪儌匪傲」，見漢京本《皇清經解》十九冊第一四四八一頁。王引之《經義述聞》以爲當讀作「匪姣匪傲」，見漢京本《皇清經解》十八冊第一三七五三頁。

八四：參拙作〈詩經吉禮研究〉，民國七十二年師大國文研究所碩士論文。

八五：見《商周考古》第二十一頁。

八六：參李孝定先生著〈從幾種史前和有史早期陶文的觀察蠡測中國文字的起源〉、《漢字史話》、〈再論史前陶文和漢字起源問題〉、〈中國文字的原始與演變〉等文。

八七：見〈陝西省寶雞市茹家莊西周墓發掘簡報〉，《文物》一九六四年第四期第四三頁。

八八：甲骨文見《甲骨文編》第八〇〇號。但其中二、四、六、八、九、十等形不是朋字，應予剔除。金文見《金文編》第一〇二八號。

八九：甲骨文見《甲骨文編》第九九三號。金文見《金文編》第一三一九號。

九十：見《濬縣辛村》第六七頁。

九一：見〈陝西省寶雞市茹家莊西周墓發掘簡報〉，《文物》一九六四年第四期第四三頁。

九二：參汪慶正〈中國錢幣研究的現狀及其展望〉，《中國錢幣》創刊號。及《中國歷代貨幣大系》

（一）、總論第十一頁。

九三：此外還有一些不同的說法，參林澐在〈關於青銅弓形器的若干問題〉、唐嘉弘在〈殷商西周青銅弓形器新解〉二文所引。一九九四年在東莞舉行的紀念容庚先生百年誕辰暨中國古文字學學術研討會中孫稚雛先生發表〈毛公鼎銘文匯釋〉一文，我曾請教孫先生的看法，他認爲仍以唐蘭先生之說爲是。

九四：張彩，字還白，明人，餘不詳。

九五：除本文所舉《詩經》諸例外，只有《書經．洛誥》「彼裕我民，無遠用戾」、《論語．憲問》「問子西，曰：彼哉彼哉」二例。

九六：見《許世瑛先生論文集》（三），第五十頁。

九七：戴師璉璋在《師大國文學報》第二期〈詩經疑義考辨〉一文第五十四頁中說：「〔彼〕字做主語者十見。」與本文的統計不同，或許是因爲對某些詩文的解釋不同。由於戴師的文章沒有舉例，因此不知道是那三句不同。所幸出入只有三句，不影響本文的統計。

九八：本條一般都讀爲「彼徂矣，岐有夷之行」，本文採用朱子《詩集傳》的讀法。

九九：見《中國古代語法．稱代篇》第五十三頁。

一〇〇：「敦彼獨宿，亦在車下」，傳統上都解釋爲兵士睡在車下，文義與上文不能連貫；如果解釋爲蠋蟲有的在桑野蜎蜎爬行，有的在車下敦然獨宿（蜎蜎爬行的比喻在外從事行伍的士兵，敦然獨宿的比喻獨歎於室的婦人），文義似較明暢。又本句如依《詩集傳》的解釋：「此敦然而獨宿者，則亦在車下矣」，則句中的「彼」是遠指指稱詞。

一〇一：《小雅・正月》的解釋也很紛歧，但無論採取那一家的說法，詩中的這類「彼」字都是稱代詩人所怨恨的那個對象。

一〇二：「彼作矣」、「彼徂矣岐」，二「彼」字鄭玄都以爲是指人民，《箋》：「彼，彼萬民也。徂，往。行，道。彼萬民居岐邦者，皆築作宮室，以爲常居，文王則能安之。後之往者，又以居岐邦之君有佼易之道故也。」這樣解釋，全詩的文義極不流暢，歐陽修《詩本義》：「『彼作矣，文王康之』者，作、起也；彼、大王也。謂天起高山，大王奄有之；大王起於此，而文王安之。『彼徂矣岐，有夷之行』者，徂、往也。謂大王自豳往遷岐，夷其險阻而行，言艱難也，故其下言戒子孫保之也。鄭謂『彼作矣』爲作宮室，又云岐邦之君有佼易之道者，非也。」歐陽修的解釋比較明暢，所以我採用了他的說法。

一〇三：參考李孝定先生編撰之《甲骨文字集釋》第六、頁二〇〇五。

一〇四：多與美同義類，如《說文》：「㚊，美女也。从女、多聲。」

一〇五：見《毛詩傳箋通釋·周南·卷耳》篇下。

一〇六：從班固說，見《漢書·匈奴傳》。有關本詩著成年代的討論可以參考屈萬里先生著的《書傭論學集》頁一八六的〈論出車之詩著成的時代〉一文。

一〇七：《大戴禮·夏小正》的異文很多，各家校釋不盡相同，本文採用高師仲華譯注的《大戴禮記今註今譯》，這雖然是部普及性的讀本，但前人有關的著作中比較重要的說法，本書都參考了，校讀訓釋，皆有根據。本文所引《夏小正》部份，只引了文章所需要的，不相干的各條不引。又經傳中間加「｜」號，以示區別。

一〇八：「旟旐」即「旟這種旗子」，旟是旗之專名，旐是旗之通名，參拙著〈九旗考〉，《中國學術年刊》第五期頁十二。

一〇九：見《文物》一九七八第八期〈阜陽雙古堆西漢汝陰侯墓發掘簡報〉、《文物》一九八四第八期〈阜陽漢簡詩經〉。

一一〇：見《文物》一九八四第八期胡平生、韓自強合著之〈阜陽漢簡詩經簡論〉，師範大學《國文學報》第十五期文幸福之〈阜陽漢簡詩經探究〉。一九九三年八月筆者到河北石家莊開會，據胡平生先生告知，原以爲是《阜陽詩經》的那三條，可能是《呂氏春秋》的文字，但其書尚未出版，其詳不可得而知，先附註於此。

一一一：同注一〇九、一一〇。

一一二：陳喬樅《魯詩遺說考》以皇甫謐之說屬《魯詩》，見漢京本《皇清經解續編》（六），頁四一七二。

一一三：見〈盠器銘考釋〉，《考古學報》一九五七年第二期，又收在《文史論集》三一二至三一九頁。

一一四：見《詩經研究》中譯本第二章〈山川歌謠．白駒客〉第六六頁，幼獅文化事業公司，一九七四年臺一版。

一一五：陳師新雄著〈古音學發微〉第五章第一〇五一頁，師大博士論文。

一一六：見《中國史稿》第一冊第三章第四節第二九一頁。

一一七：見《呂氏家塾讀詩記》卷二十〈祈父〉詩篇末所記。

參考書目（通行本從略）

一、單篇論文

丁聲樹　詩經式字說　中研院《史語所集刊》第六本第四分　1936.12

于省吾　利簋銘文考釋　《文物》1977.8

于豪亮　中山三器銘文考釋　《考古學報》1979.2

山東省煙臺地區文物管理委員會　煙臺市上夼村出土㠱國銅器　《考古》1983.4

孔德成　說兕觥　《東海學報》六卷一期　1964.6

文幸福　阜陽漢簡詩經探究　《臺灣師大國文學報》十五期　1986

文幸福　詩經毛傳鄭箋辨異　臺灣師大國文研究所博士論文　1986

方炫琛　左傳人物名號研究　臺灣政大博士論文　1983.7

王恩田　紀㠱萊爲一國說　《齊魯學刊》1984.1

北洞文物發掘小組　遼寧喀左縣北洞村出土的殷周青銅器　《考古》1974.6

左忠誠　渭南縣南堡村發現三件商代銅器　《考古與文物》1980.2

左松超　詩卷耳釋義　《孔孟學報》四四期　臺灣學生書局《詩經研究論集》(二)　1987.9

田宜超　虛白齋金文考釋　《中華文史論叢》1980.4

石璋如　小屯殷代的成套兵器　中研院《史語所集刊》第二十二本　1950

朱歧祥　中山國古史彝銘考　臺大中研所碩士論文　1983

朱德熙・裘錫圭　平山中山王墓銅器銘文的初步研究　《文物》1979.1

考古　安陽殷墟五號墓座談紀要　《考古》1977.5

余師培林　群經引詩考　臺灣師大國文研究所碩士論文　1963

余師培林　詩經成語試釋　文史哲出版社《慶祝莆田黃天成先生七秩誕辰論文集》1991.6

吳孟復　利簋釋文商榷　《安徽大學學報》1980.2

吳鎮烽・尚志儒　陝西鳳翔八旗屯秦國墓葬發掘簡報　文物出版社《文物資料叢刊》(三)　1980

吳鎮烽・尚志儒　陝西鳳翔高莊秦墓發掘簡報　《考古與文物》1981.1

李先登　孟廣慧舊藏甲骨選介　《古文字研究》第八輯　1983

李孝定　釋釁與沬　中研院《史語所集刊》外編第四種　1961　又收在聯經《漢字的起源與演變論叢》　1986

李孝定　從幾種史前和有史早期陶文的觀察蠡測中國文字的起源　《南洋大學學報》第三期　1969　又收在聯經《漢字的起源與演變論叢》　1986

李孝定　再論史前陶文和漢字起源問題　中研院《史語所集刊》第五十本第三分　1979　又收在聯經《漢字的起源與演變論叢》　1986

李孝定　中國文字的原始與演變　中研院史語所《中國上古史待定稿》第二本　1985

李步青　山東萊陽縣出土己國銅器　《文物》1983.12

李學勤　論婦好墓的年代及有關問題　《文物》1977.11

李學勤．王宇信　周原卜辭選釋　《古文字研究》第四輯　1980

李學勤　西周甲骨的幾點研究　《文物》1981.9

李學勤　續論西周甲骨　香港中文大學《中國語文研究》第七輯　1985.3

李學勤　重新估價中國古代文明　黑龍江教育《李學勤集》　1989

李學勤　克罍克盉的幾個問題　香港中文大學《第二屆國際中國古文字學研討會論文集》　1993

杜迺松　中山王墓出土銅器銘文今譯　《文獻》1981
汪慶正　中國錢幣研究的現狀及其展望　《中國錢幣》創刊號　1983
周世榮　楚𢍰客銅量銘文試釋　《江漢考古》1987.2
季旭昇　九旗考　《中國學術年刊》第五期　1983
季旭昇　詩經吉禮研究　臺灣師大國文研究所碩士論文　1983
季旭昇　詩經親迎禮辨　《中國學術年刊》第七期　1985.6
季旭昇　甲骨文字根研究　臺灣師大國文研究所博士論文　1990
季旭昇　詩經小雅白駒篇「於焉嘉客」新解　《中央日報》八十年四月一日長河版
屈萬里　兕觥問題重探　中研院《史語所集刊》四三本四分　1971.12
林慶彰　釋詩彼其之子　《書目季刊》19：4　1986.3
林　澐　說王　《考古》1965.6
林　澐　關於青銅弓形器的若干問題　吉林大學《社會科學論叢．史學專輯》　1972.2
河北省文物管理處　河北省平山縣戰國時期中山國墓葬發掘簡報　《文物》1979.1
金　岳　㝬方鼎考釋—兼論殷周㠱國　中國古文字研究會成立十周年學術討論會　1988
俞平伯　葺芷繚衡室讀詩札記—周南卷耳　《古史辨》第三冊，四五三—四六〇頁

拱　辰　釋呂方方皇于土《文史哲》1955.9

胡平生・韓自強　阜陽漢簡詩經簡論《文物》1984.8

胡厚宣　甲骨文𡧍字說　北京三聯書局《甲骨探史錄》1982

胡　適　談談詩經　原爲1925年在武昌大學演講稿，後收入《古史辨》中

范毓周　試論滅商以前的商周關係《史學月刊》1981.1

唐　蘭　弓形器（銅弓柲）用途考《考古》1973.3

唐　蘭　西周時代最早的一件銅器利簋銘文解釋《文物》1977.8

唐復年　毛公鼎銘斠補　香港中文大學《第二屆國際中國古文字學研討會論文集》1993

唐嘉弘　殷商西周青銅弓形器新解　陝西人民教育出版社《西周史論文集》上　1993.6

夏　淥　眉壽釋義商榷《中國語文》1984.4

徐中舒　金文嘏辭釋例　中研院《史語所集刊》六分一本　1936.3　又收在《上古史論》第八十五頁

徐中舒　豳風說　中研院《史語所集刊》六本四分1936　又收在《上古史論》第五十一頁

徐中舒　周原甲骨初論　四川大學學報叢刊—《古文字研究論文集》1982.5

徐中舒　陝西岐山鳳雛村西周甲骨文概論　四川大學學報叢刊—《古文字研究論文集》

1982.5
徐錫臺　探討周原甲骨文中有關周初的曆法問題　《古文字研究》第一輯　1979
徐錫臺　周原出土的甲骨文所見人名官名方國地名淺釋　《古文字研究》第一輯　1979
徐錫臺　周原卜辭十篇選釋及斷代　《古文字研究》第六輯　1981
徐錫臺　周原出土卜辭選釋　《考古與文物》1982.3
徐錫臺　周原甲骨淺釋　《古文字論集》—《考古與文物》叢刊第二號　1983.11
徐錫臺　周原齊家村出土西周卜辭淺釋　《西周史研究》—《人文雜誌》叢刊第二期
1984.8
徐錫臺　周原甲骨試釋　文物出版社《古文獻研究》　1985
晏琬（李學勤）　北京遼寧出土銅器與周初的燕　《考古》1975.5
琉璃河考古工作隊　北京附近發現的西周奴隸殉葬墓　《考古》1974.5
陝西省雍城考古隊　鳳翔馬家莊春秋秦一號建築遺址第一次發掘簡報　《考古與文物》
1982.5
陝西省雍城考古隊　鳳翔馬家莊一號建築群遺址發掘簡報　《文物》1985.2
陝西省文物管理委員會秦墓發掘組　陝西戶縣宋莊春秋秦墓發掘簡報　《文物》1975.10

陝西周原考古隊　陝西岐山鳳雛村現周初甲骨文　《文物》1979.10
陝西周原考古隊・岐山周原文管所　岐山鳳雛村兩次發現周初甲骨文《考古與文物》1982.3
馬敘倫　中小學教師應當注意中國文字的研究　學海出版社《說文解字研究法》附錄
高　明　略論周原甲骨的族屬　《考古與文物》1984.5
商承祚　關于利簋銘文的釋讀　《中山大學學報》1978.2
商承祚　中山王譽鼎壺銘文芻議　《古文字研究》第七輯　1982
崔樂泉　紀國銅器及其相關問題　《文博》1990.3
張亞初・劉雨　從商周八卦數字符號談筮法的幾個問題　《考古與文物》1981.2
張政烺　利簋釋文　《考古》1978.1
張政烺　中山國胤嗣好蚉壺釋文　《古文字研究》第一輯　1979
張政烺　試釋周初青銅器銘文中的易卦　《考古學報》1980.4
張震澤　喀左北洞村出土銅器銘文考釋　《社會科學輯刊》1979.2
曹定雲　「亞其」考－殷墟婦好墓器物銘文探討　《文物集刊》1980.2
曹淑琴・殷瑋璋　亞㠱銅器及其相關問題　《夏鼐先生考古五十年紀念論文集》1987

許世瑛　詩經句法研究兼論其用韻　《許世瑛先生論文集》（三）第五十頁　1974
郭沫若　從周代農事詩論到周代社會　《青銅時代》　人民出版社　1982
陳全方　陝西岐山鳳雛村西周甲骨文概論　四川大學學報叢刊—《古文字研究論文集》　1982.5
陳全方　周原新出土卜甲研究　《西周史研究》—《人文雜誌》叢刊第二期　1984.8
陳邦懷　中山國文字研究　《天津社會科學》1983.1
陳邦懷　中山國文字研究　齊魯書社《一得集》　1989
陳佩芬　㠱仲壺　《文物》1984.6
陳師新雄　古音學發微　臺灣師大國文研究所博士論文　1969
陳夢家　殷代銅器　《考古學報》第七冊　1954
陳夢家　西周銅器斷代　《考古學報》第九至十四冊　1955.9-1956.12
傅斯年　論所謂五等爵　聯經《傅斯年全集》第三冊　1980
程長新　北京市順義縣牛欄山出土一組周初帶銘青銅器　《文物》1983.11
黃盛璋　河北平山縣戰國中山國墓葬與遺物的歷史和地理問題　《史學月刊》1980.2
黃盛璋　中山國銘刻在古文字語言上若干研究　《古文字研究》第七輯　1982

黃盛璋　利簋的作者身分、地理與歷史問題　《歷史地理與考古論叢》256-268頁。
裘錫圭　釋求　《古文字研究》第十五輯　1986
裘錫圭　釋叀　《古文字論集》第一一頁　1992.8
裘錫圭　說以　《古文字論集》第一〇六頁　1992.8
裘錫圭　甲骨文中所見的商代農業　《古文字論集》第一五四頁　1992.8
裘錫圭　釋賈　中國古文字研究會第九屆討論會　1992
壽光縣博物館　山東壽光縣新發現一批紀國銅器　《文物》1985.3
趙制陽　詩經卷耳篇諸說綜論　《中華文化復興月刊》十二卷四期　1979.1
齊文濤　概述近年來山東出土的商周青銅器　《文物》1972.5
劉　釗　卜辭所見殷代的軍事活動　《古文字研究》第十六輯　1989
劉　翔　賈字考源　上海古籍出版社《甲骨文與殷商史》第三輯　1991.8
劉毓慶　關雎之新研究　《中州學刊》第三期　1986.5
蔡運章　「寮師」新解　《中原文物》1980.4
魯師實先　卜辭姓氏通釋　《東海學報》1.1-2.1　1958-1959
盧連成　寶雞茹家莊竹園溝墓地出土兵器的初步研究—兼論蜀式兵器的淵源和發展　《考古

與文物》1983.5
賴師炎元　毛詩鄭箋釋例　臺灣師大國文研究所碩士論文　1958
賴師明德　毛詩考釋　臺灣師大國文研究所博士論文　1972
龍宇純　甲骨金文𣎵字及其相關問題　中研院《史語所集刊》第三十四本　1962
龍宇純　試說詩經的雙聲轉韻　《幼獅月刊》四十卷六期　1974.12
龍宇純　詩彼其之子及於焉嘉客釋義　中研院《中國文哲研究集刊》第三輯　1993.3
龍宇純　試釋詩經式字用義　《書目季刊》第二十二卷第三期　1977.12
繆文遠　周原甲骨所見諸方國略考　四川大學學報叢刊—《古文字研究論文集》1982.5
臨潼縣文化館　陝西臨潼發現武王征商簋　《文物》1977.8
鍾鳳年・徐中舒・趙誠・王宇信等　關于利簋銘文考釋的討論　《文物》1978.7
韓偉　鳳翔秦公陵園鑽探與試掘簡報　《文物》1983.7
嚴一萍　周原甲骨　《中國文字》新一期　1980.3
嚴一萍　從利簋銘看伐紂年　《中國文字》新八期　1983.10
饒宗頤　中山君𪒠考略　《古文字研究》第五輯　1980
饒宗頤　釋紀時之奇字：[illegible]、[illegible]、與[illegible]（埶）　第二屆國際中國古文字學研討會　香港

中文大學 1993
顧頡剛　三皇考　二十五年一月《燕京學報專號》之八，又見《古史辨》第七冊中第五十二
頁
顧鐵符　周原甲骨文楚子來告引證　《考古與文物》1981.1
欒繼生　利簋銘文辨析　中國古文字研究會成立十周年學術研討會　1988

二、專書

甲、民國以前

毛詩　唐石十三經本　世界書局影印
毛亨傳・鄭玄箋　毛詩鄭箋　新興書局校相臺岳氏本
韓　嬰　韓詩外傳　臺灣商務印書館四部叢刊正編據涵芬樓藏明沈氏野竹齋刊本
韓　嬰　韓詩說　清馬國翰輯玉函山房輯佚書
鄭玄撰・清胡元儀輯　毛詩譜　漢京・皇清經解續編
鄭玄撰・宋歐陽修補　詩譜　漢京・通志堂經解・毛詩本義附
孔穎達疏　毛詩正義（附清阮元《校勘記》）　藝文印書館

施士丐　施氏詩說　玉函山房輯佚書
成伯璵　毛詩指說　漢京・《通志堂經解》第十六冊
歐陽修　毛詩本義・附鄭氏詩譜　漢京・《通志堂經解》第十六冊
蘇　軾　蘇東坡全集　河洛出版社1975影印
蘇　轍　潁濱詩集傳　商務・四庫珍本六集
李樗・黃櫄　毛詩集解　漢京・《通志堂經解》第十六冊
鄭　樵　詩辨妄　民國顧頡剛輯佚
王　質　詩總聞　湖北先正遺書
嚴　粲　詩緝　廣文書局影印
范處義　逸齋詩補傳・篇目一卷　漢京・《通志堂經解》第十七冊
程大昌　詩論　藝海珠塵金集（甲集）
朱　熹　詩集傳　世界書局影印本
呂祖謙　呂氏家塾讀詩記　墨海金壺・新文豐出版公司
毛居正　毛詩正誤　六經正誤卷第三本、漢京・《通志堂經解》第四十冊
王　柏　詩疑　漢京・《通志堂經解》第十七冊、商務叢書集成初編

王應麟　詩考　商務印書館影印津逮秘書本、臺北中華書局影印玉海本
何　楷　詩經世本古義　清嘉慶二十四年刊本
陳啓源　毛詩稽古編　漢京・《皇清經解》第七冊
王鴻緒等　欽定詩經傳說彙纂　維新書局
姚際恆　詩經通論・詩經論旨　臺北廣文書局影印
孫嘉淦等　御纂詩義折中　廣文書局
戴　震　毛鄭詩考正　漢京・《皇清經解》第六冊
段玉裁　毛詩故訓傳　漢京・《皇清經解》第六冊
段玉裁　詩經小學　漢京・《皇清經解》第六冊
崔　述　讀風偶識　崔東壁遺書
李黼平　毛詩紬義　漢京・《皇清經解》第六冊
吳懋清　毛詩復古錄　光緒刻本
胡承珙　毛詩後箋　漢京・《皇清經解續編》第四冊
馬瑞辰　毛詩傳箋通釋　漢京・《皇清經解續編》第四冊　廣文 1971
朱右曾　詩地理徵　漢京・《皇清經解續編》第七冊

陳　奐　詩毛詩氏傳疏　世界書局

魏　源　詩古微　漢京・《皇清經解續編》第六冊

方玉潤　詩經原始　藝文印書館

陳喬樅　三家詩遺說考　漢京・《皇清經解續編》第六冊

俞　樾　毛詩平議　漢京・《皇清經解續編》第十九冊

抉心室主人編　清儒詩經彙解　光緒十四年鴻文書局石印　鼎文書局影印

王先謙　詩三家義集疏　世界書局

畢　沅　釋名疏證　藝文印書館百部叢書集成經訓堂叢書

桂　馥　說文義證　臺灣商務印書館四部叢刊廣編據稿本補以同治九年湖北崇文書局刻本

李光庭　金文志存　本宅藏板

蔣悌生　五經蠡測　漢京・《通志堂經解》第四十冊

臧　琳　經義雜記　漢京・《皇清經解》第十九冊

惠　棟　九經古義　漢京・《皇清經解》第十九冊

王引之　經義述聞　漢京・《皇清經解》第十八冊

洪震煊　夏小正疏義　漢京・《皇清經解》第九冊

陳壽祺　五經異義疏證　漢京《皇清經解》第十八冊
左丘明著・韋昭解　國語　上海師範大學古籍整理小組校點　里仁書局
朱右曾校釋　逸周書集訓校釋　漢京・《皇清經解續編》第三冊
晉郭璞注・臨海洪頤煊校　穆天子傳　中華書局四部備要據平津館本校刊
虞世南　北堂書鈔　新興書局據清光緒戊子年校宋本影印
崔　豹　古今注　臺灣商務印書館四部叢刊廣編據上海涵芬樓影印宋刊本

乙、民國以後

丁福保・楊家駱　說文詁林正補合編　鼎文書局　1983二版
人民文學出版社　詩經鑑賞集　人民文學出版社　1986
上海博物館　商周青銅器紋飾　文物出版社　1984
于省吾　雙劍誃詩經新證　自印本　1936
于省吾　澤螺居詩經新證　北京中華書局　1982
于省吾　詩經楚辭新證（修訂本）　木鐸出版社　1982
中研院史語所　中國上古史待定稿　中研院史語所　1985
中國語文學社　詩經研究論文集第二集　中國語文學社　1970

中國社會科學院考古研究所　曾侯乙墓　文物出版社　1989
文幸福　詩經周南召南發微　學海出版社　1986
方建軍・蔣詠荷　陝西出土音樂文物　陝西師範大學出版社　1991
王宇信　西周甲骨探論　中國社會科學出版社　1984
王國維　觀堂集林　臺灣商務印書館《海寧王靜安先生遺書》冊一　1940初版
王靜芝　詩經通釋　輔仁大學　1968
王獻唐　古文字中所見之火燭　齊魯書社　1979
王獻唐　山東古國考（內收〈黃縣㠱器〉）　齊魯書社　1983
北大歷史系　商周考古　北大歷史系出版　1978
白川靜・杜正勝譯　詩經研究　幼獅月刊社　1974
白川靜　金文通釋　白鶴美術館　1962-80
向　熹　詩經詞典　四川人民出版社　1986
成東・鍾少異　中國古代兵器圖集　解放軍出版社　1990
朱守亮　詩經評釋　學生書局　1984
朱東潤　詩三百篇探故　上海古籍出版社　1981

江蔭香　國語注解詩經　廣益書局　1934　（北京中國書店1982）
江　磯　詩經學論叢　崧高書社　1985
竹添光鴻　毛詩會箋二十卷　華國　1975
余冠英　詩經選　人民文學出版社　1956
余冠英　詩經選、詩經選譯　作家出版社　1956　1960增補
余師培林　詩經正詁（上）　三民書局　1993
吳鎮烽　陝西金文彙編　三秦出版社　1989
吳宏一　白話詩經（一、二）　聯經出版事業公司　1993
吳闓生　詩義會通　臺灣中華書局影印1970臺一版
李孝定　甲骨文字集釋　中研院史語所專刊之五十　1974
李孝定　漢字史話　聯經出版事業公司　1977
李孝定　漢字的起源與演變論叢　聯經出版事業公司　1986
李長之譯　詩經試譯　古典文學出版社　1956
李師辰冬　詩經研究　水牛出版社　1974
杜正勝　古代社會與國家　允晨文化實業股份有限公司　1992

汪師中　詩經朱傳斠補　蘭臺書局　1979
汪慶正主編　中國歷代貨大系㈠先秦貨幣　上海人民出版社　1988
周法高　金文零釋　中研院史語所專刊之三十四　臺聯國風出版社重刊　1972
周法高　中國古代語法・稱代篇　臺聯國風出版社　1972
周師何・季旭昇・汪中文　青銅器銘文檢索　文史哲出版社（排印中）　1995
周滿江　詩經　上海古籍出版社　1980
周蒙・馮宇　詩經百首譯釋　黑龍江人民出版社　1986
周嘯天　詩經楚辭鑑賞辭典　四川辭書出版社　1990
周錫馥　詩經選　香港三聯書店　1980
屈萬里　書傭論學集　開明書店　1969
屈萬里　尚書今註今譯　臺灣商務印書館　1973　五版
屈萬里　詩經釋義　中華文化事業出版委員會　華岡　1974五版
屈萬里　詩經詮釋　聯經出版事業公司　1983
林義光　詩經通解三十卷　北京大學　1936　臺灣中華書局1971臺一版
林慶彰　詩經研究論集㈡　學生書局　1987

金啓華　國風今譯　江蘇古籍出版社　1963
金啓華　詩經全譯　江蘇古籍出版社　1984
金開誠　詩經　香港中華書局　1978
洪家義　金文選注繹　江蘇教育出版社　1988
胡厚宣　甲骨探史錄　北京三聯書店　1982
胡樸安　詩經學　商務印書館國學小叢書　1930
胡平生・韓自強　阜陽漢簡詩經研究　上海古籍出版社　1988
唐　蘭　殷虛文字記　1934北京大學講義　1981北京中華書局出版
唐　蘭　中國文字學　上海開明書店　1949
唐　蘭　西周青銅器銘文分代史徵　北京中華書局　1986
唐復年　金文鑒賞　北京燕山出版社　1991
夏傳才　詩經研究史概要　中州書畫社　1982
夏傳才　詩經語言藝術　語文出版社　1985
孫海波　增訂甲骨文編　北京中華書局　1965
孫作雲　詩經與周代社會研究　北京中華書局　1966

孫稚雛　金文常用字典　陝西人民出版社　1987
徐中舒　殷周金文集錄　四川人民出版社　1984
徐中舒　上古史論　天山出版社翻印本　1986
徐中舒　甲骨文字典　四川辭書出版社　1988
徐錫臺　周原甲骨文綜述　三秦出版社　1987
袁　梅　詩經譯注（國風）　齊魯出版社　1980
袁　梅　詩經譯注（雅頌）　齊魯出版社　1982
袁寶泉・陳智賢　詩經探微　花城出版社　1987
馬承源　商周青銅器銘文選（一—四）　文物出版社　1986-1990
馬承源　中國青銅器　上海古籍出版社　1988
馬承源主編　中國文物精華（青銅卷）　商務印書館（香港）有限公司・上海辭書出社　1994
馬振理　詩經本事　世界書局　1936
馬敘倫　說文解字研究法　學海出版社翻印　1988
高　亨　詩經今注　上海古籍出版社　1980

高亨　周易古經今注　里仁書局翻印　1982
高明　古文字類編　臺灣大通書局　1986
高明　中國古文字學通論　文物出版社　1987
高師明　大戴禮記今註今譯　臺灣商務印書館　1975
島邦男　殷虛卜辭研究（中譯本）　鼎文書局　1975
張心澂　僞書通考　明倫出版社　1972
張日昇・林潔明　周法高上古音韻表　三民書局經銷　1973
張秉權　甲骨文與甲骨學　國立編譯館　1988
張師學波　詩經篇旨通考　廣東出版社　1976
張日昇・林潔明　周法高上古音韻表　三民書局總經銷　1973
許師世英　許世英先生論文集　弘道文化事業有限公司　1974
郭沫若　卷耳集　上海泰東書局　1922
郭沫若　金文叢考　北京人民出版社　1932
郭沫若　卜辭通纂　日本東京文求堂　1933
郭沫若　兩周金文辭大系圖錄考釋　1935年初版　1956年北京科學出版社再修本

郭沫若　文史論集　人民出版社　北京出版社1961重印
郭沫若主編　中國史稿　人民出版社　1976
郭沫若　青銅時代　人民出版社　1982
郭沫若　甲骨文字研究　北京科學出版社《郭沫若全集》第一卷　1982
陳子展　詩經直解　復旦大學　1983
陳子展　國風雅頌選譯　仰哲出版社　1987
陳全方　周原與周文化　上海人民出版社　1988
陳延傑　詩序解　上海開明書店　1932
陳夢家　殷虛卜辭綜述　科學出版社　1956
陳夢家　海外中國銅器圖錄　臺聯國風出版社影印　1976
陳　槃　左氏春秋義例辨　商務印書館　1947
陳　槃　春秋大事表列國爵姓及存滅表譔異　中研院史語所・1969初版・1988四版
陳　槃　不見于春秋大事表之春秋方國稿　中研院史語所・1970初版・1982再版
陸侃如・馮沅君　中國詩史　藍星出版社翻印
陰法魯・許樹安　中國古代文化史　北京大學　1989

傅師隷樸　詩經毛傳譯解　商務印書館　1985

傅斯年　詩經講義稿　1929年寫　聯經出版事業公司《傅斯年全集》　1980

勞　榦　居延漢簡　中研院史語所專刊之二十一　1957初版・1977再版

曾永義　儀禮車馬考　臺北中華書局　1971

曾永義　儀禮樂器考　臺北中華書局　1971

曾運乾　毛詩說　岳麓書社　1990

湖南省博物館　湖南省博物館　文物出版社　日・株式會社講談社　1983

程俊英　詩經譯注　上海古籍出版社　1985

程俊英・蔣見元　詩經選譯　巴蜀書社　1988

程俊英・蔣見元　詩經注析　北京中華書局　1991

黃典誠　詩經通譯新詮　華東師範大學　1992

黃盛璋　歷史地理與考古論叢　齊魯書社　1982

黃　焯　詩說　湖北人民出版社　1981

楊樹達　詞詮　上海商務印書館　1928

楊任之　詩經今譯今注　天津古籍出版社　1986

楊家駱主編　說文解字詁林正補合編　鼎文書局　1983二版

楊伯駿　春秋左傳注（修訂本）　北京中華書局　1990二版

瑞典高本漢・董同龢譯　詩經注釋　中華叢書編審委員會　1960

裘錫圭　古文字論集　北京中華書局　1992

熊公哲等　詩經研究論集　黎明文化事業公司　1981

睡虎地整理小組　睡虎地秦墓竹簡（合刊本）　里仁書局翻印本　1981

聞一多　風詩類鈔　聞一多全集・辛集・詩選與校箋　上海開明書店　1948

聞一多　詩經新義　聞一多全集・古典新義　麒麟書店翻印　1981

聞一多　神話與詩　聞一多全集㈠　里仁書局　1993

裴普賢　詩經研讀指導　東大圖書公司　1977

裴普賢　歐陽修詩本義研究　東大圖書公司　1981

裴普賢　詩經評註讀本　三民書局　1983

裴學海　古書虛字集釋　泰順書局影印　1975再版

趙制陽　詩經名著評介㈡　五南圖書公司　1993

趙　誠　簡明甲骨文字典　北京中華書局　1988

劉雨・張亞初　西周金文官制研究　北京中華書局　1986

魯師實先　金文講義（未刊）

賴師炎元　韓詩外傳考徵　臺灣省立師範大學國文研究所叢書　1963

錢　穆　古史地理論叢　東大圖書公司　1982

盧連成・胡智生　寶雞𢐗國墓地　文物出版社　1988

糜文開・裴普賢　詩經欣賞與研究初集　三民書局　1964

糜文開・裴普賢　詩經欣賞與研究續集　三民書局　1969

糜文開・裴普賢　詩經欣賞與研究三集　三民書局　1979

薛安勤・王連生　國語譯注　吉林文史出版社　1991

謝无量　詩經研究　商務印書館國學小叢書　1923

羅福頤　漢印文字徵　中華書局香港分局　1979

嚴一萍　金文總集　藝文印書館　1983

丙、古文字類簡稱

簡　稱　書名・作者・出版社・出版年月

《舉例》　契文舉例　孫詒讓　自刻本　1888

《鐵》 鐵雲藏龜 劉鶚 抱殘守缺齋石印本1903

《前》 殷虛書契前編八卷 羅振玉 1913影印4冊，1932年重印本4冊 1913

《菁》 殷虛書契菁華 羅振玉 影印本1914

《增考》 增訂殷虛書契考釋 羅振玉 石印本1914，藝文印書館影印四版1981

《後》 殷虛書契後編二卷 羅振玉 影印本1916

《明》 殷虛卜辭 明義士 上海別發洋行石印本 1917拓本（或簡稱《卜》）

《通》 卜辭通纂 郭沫若 日本東京文求堂石印本 1933

《續》 殷虛書契續編六卷 羅振玉 影印本 1933

《粹》 殷契粹編 郭沫若 日本東京文求堂石印本 1937

《金》 金璋所藏甲骨卜辭 方法斂 紐約影印本 1939

《乙》 殷虛文字乙編上 董作賓 商務印書館 1948

《乙》 殷虛文字乙編中 董作賓 商務印書館 1949

《綴》 甲骨綴合編 曾毅公 修文堂書店 1950

《寧》 戰後寧滬新獲甲骨集 胡厚宣 來薰閣書店石印本 1951

《乙》 殷虛文字乙編下 董作賓 中研院史語所 1953

《京津》 戰後京津新獲甲骨錄 胡厚宣 上海群聯出版社 1954
《續存》 甲骨續存 胡厚宣 上海群聯出版社 1955
《丙》 殷虛文字丙編上 張秉權 中研院史語所 1957
《丙》 殷虛文字丙編中 張秉權 中研院史語所 1962
《丙》 殷虛文字丙編下 張秉權 中研院史語所 1967
《明後》 殷虛卜辭後編 明義士・許進雄 藝文印書館 1972
《懷》 懷特氏等收藏甲骨文集 許進雄 加拿大安大略博物館出版 1979
《合》 甲骨文合集㈠—㈩ 郭沫若・胡厚宣 北京中華書局 1978-1982
《屯南》 小屯南地甲骨上 中國社科院考古所 北京中華書局 1980
《英》 英國所藏甲骨集上 李學勤・齊文心・艾蘭 北京中華書局 1986
《類纂》 殷墟甲骨刻辭類纂 姚孝遂主編 北京中華書局 1989
《英》 英國所藏甲骨集下 李學勤・齊文心・艾蘭 北京中華書局 1991
《博古》 宣和博古圖 宋王黼等 乾隆壬申年秋月亦政堂藏板
《續考》 續考古圖 宋趙九成 四庫全書本

《清甲》　西清續鑑甲編　宣統庚戌涵芬樓依寧壽宮寫本影印　上商務印書館
《積古》　積古齋鐘鼎彝器款識　清阮元　藝文印書館百部叢書集成據文選樓叢書本影印
《攈古》　攈古錄金文　吳式芬　樂天出版社影印　1974
《　齋》　　齋集古錄　吳大澂　台聯國風出社影印　1976
《綴遺》　綴遺齋彝器款識考釋　方濬益　台聯國風出版社影印　1976
《三代》　三代吉金文存　羅振玉　文華出版社影印　1970
《文錄》　吉金文錄　吳闓生　樂天書局影印　1971
《大系》　兩周金文辭大系圖錄考釋　郭沫若　初板1931　香港龍門書店翻印　1957
《文選》　雙劍誃吉金文選　于省吾　1933　樂天書局影印　1971
《頌齋》　頌齋吉金圖錄　容庚　1933　台聯國風出版社影印　1976
《斷代》　西周銅器斷代　《考古學報》第九至十四期　1955.9-1956.12
《錄遺》　商周金文錄遺　于省吾　明倫出版社影印　1957
《詁林》　金文詁林・附錄　周法高　香港中文大學　1977
《殷金文》　殷金文考釋　收在《中國古代の宗教と文化》　赤塚忠　日本角川書店　1977
《漢印徵》　漢印文字徵　羅福頤　中華書局香港分局　1979

《詁林補》　金文詁林補　周法高　中研院史語所　1982
《總集》　金文總集　嚴一萍　藝文印書館　1983
《邱集》　商周金文集成　邱德修　五南圖書公司　1983
《金文編》　四訂《金文編》　容庚　北京中華書局　1984
《集成》　殷周金文集成㈠—㈦（未出齊）　中國社科院考古所　北京中華書局　1984-
《史徵》　西周青銅器銘文分代史徵　唐蘭　北京中華書局　1986
《銘文選》　商周青銅器銘文選（一—四）　馬承源　1986-1988
《檢索》　青銅器銘文檢索　周何・季旭昇・汪中文　文史哲出版社（排印中）　1995